21世纪中国纪实文学大系

2011卷

顾问：钱谷融
主编：桂国强

蓝天作证

文匯出版社

总序

21 世纪是一个非同寻常的世纪。尽管这个世纪至今仅仅走过了十多年的历程，但在与人类朝夕相处的地球上，却已经发生了诸多惊天地、泣鬼神的重大事件，令世界格局发生了错综复杂的变化，给全世界留下了难以泯灭的记忆。

对于正在不断崛起的中国而言，21 世纪无疑是一个机遇与挑战并存、成就和困难共现的世纪——这已在中国社会的各个层面展现出来。

在刚刚过去的十多年里，中国正式加入 WTO，成功举办 2008 年北京奥运会和 2010 年上海世博会，国际地位显著提高；中国全面实施西部大开发战略，青藏铁路顺利开通，“西气东输”工程全线推进，高速铁路亦成功运行，国家建设硕果累累；中国高度重视科学发展，包括航天科技、农业科技、石油勘探等在内的科学技术取得了举世瞩目的辉煌成就；中国的新农村建设卓有成效，农业税费制度改革进一步推进，农村义务教育经费保障机制有力推行，农民的生活不断改善；中国的两岸关系有所突破，厦门金门实现直航，两岸春节包机适时通航，大陆居民赴台旅游更加便捷，两岸“大三通”已然实现……勤劳而智慧的中国人准确把握机遇，用自己的行动赢得了世界的尊重。

当然，在新世纪已经过去的十数年里，中国也面临着诸多挑战，遭遇了不少困难。譬如：2003 年的“非典”，2004 年的“禽流感”，2008 年的四川汶川大地震及这一年全球金融危机给中国带来的负面影响，2010 年的青海玉树地震，2011 年湖北、湖南、江西等地出现的大面积干旱……此外，还有环境污染、食品造假、海峡那边陈水扁的“台独”闹剧等等，凡此种种，都给中国的前进之路带来了挑战。

成就也好，挑战也罢，时至今日，都已在新世纪所发生的重要事件中显现出来。这些事件，有些已经成为历史，有些却还在延续。历史是一面镜子，对于后人，可以起到“以史为鉴”的作用；现实是当下的存在，研究它可以积累经验，帮助我们寻找到人类发展的正确路径——基于此，我们有必要将这些已经过去的或仍在延续的事件以及与这些事件有着密切关联的人物——用一种最为世人接受的文字形式记录下来，为今天和明天留下一份可供借鉴与启迪的珍贵资料。

我们之所以选择纪实文学作为承担“记录”重任的文字形式，是因为这种文体乃涉猎文学和新闻两大领域的一种独特的艺术样式，是兼具新闻真实和历史真实品格的艺术真实，它在很多方面弥补了现实新闻报道无法反映的空白，达到了相当的深度和广度——正是由于它能比一般的新闻报道更深地切入现实、切入人心、全景式地反映变革过程中某些本质的东西，因而，随着时间的推移，也就更能凸显其无可争辩的文献史料价值和文学欣赏价值。

新世纪以来，中国的纪实文学蓬勃发展。国家综合实力的提升，国际多边交往的频繁，国民生活水平的提高……都为纪实文学提供了丰富的创作素材，激发了纪实文学作家和各类媒体记者的创作热情，从而创作出一批又一批展示波澜壮阔历史画面、描绘跌宕起伏现实场景的精品力作，为反映中国的现实、记录中国的历史、繁荣中国的文学立下了不朽的功勋。

现在，呈现在读者面前的就是新世纪以来（自2000年开始）中国优秀纪实文学的精选、精编本。入选的文章中，有的获得中国报告文学奖，有的获得鲁迅文学奖，有的则荣获了各种类别的年度新闻奖……由于诸多事件的发生、发展都会经历一定的时间，有些还会延续几年甚至更长；从创作规律来说，一篇成功纪实文学作品的采访、创作和发表也需要相当的时间，很难保证当年的文章能与当年的事件完全同步。因此，在对文章的选择中，我们首先考虑的是能够反映该年度的重要事件及其相关人物，至于其具体的发表时间，则应当服从于事件和人物。

我们计划一年精编一本，每本都能比较客观、全面、及时地反映该年度中国所发生的重要事件及与之相关的重要人物，从而能凸显其独特的史料价值；我们同时又希望，书中所精选的纪实文学作品能给予读者朋友有益的启迪和思考，充分享受阅读的愉悦，从而真正领略纪实文学的艺术魅力。

迈着稳健而充满活力的步伐，向着明确而富有挑战的目标，中国依然在前进，中国的大地上依然在发生着历史性的深刻变化。因此，用文字记录中国、展示中国，依然是我们今后相当一段时期内义不容辞的重要任务。我们将不辱使命，勤奋工作，努力选编好一年一度的《21世纪中国纪实文学大系》，为广大读者奉献上兼具史料和文学双重价值的精神产品。

（主　编）

2011 年纪实文学概述

如果需要用一个词来描写 2011 年的中国，那就是“民生”。民生问题上至国家决策，下至百姓生活，在文学的纪录中留下的是一串串独特的印迹。

一

最具有民生效应的形象记录，是中国侨民从北非利比亚的大撤退。2011 年 2 月，因为利比亚局势的急剧恶化，为了保护中国侨民的生命安全，中央决定成立紧急撤侨指挥部，负责从利比亚接回中国侨民。从 2 月 22 日决定撤侨，到 3 月初撤出 35 860 名中国侨胞，中国在全世界面前演绎了惊天大撤退的精彩一幕。张海飞的《利比亚惊天大撤离》从民航视角，记录下这次大撤退中担负主角的中国民航系统的广大工作人员是如何克服各种困难，顺利完成紧急撤侨任务的感人故事。10 多天连续撤侨，91 次航班，182 架次飞行，这是共和国历史上最大规模的空中撤侨行动。中国的这次撤侨行动，赢得了国际舆论的普遍好评，在国际舞台上，树立中国亲民政府的良好形象。

民生问题中非常突出的问题之一，是环境开发和环境保护。中国北方气候干燥，南方雨水丰富，如何将南水输送到缺水的北方，从上世纪 50 年代起国家高层就在讨论、酝酿。这项惠民工程，一直到新世纪才开始实施。徐怀谦的《南水北调进行时》为我们展示了整个南水北调工程实施过程中面对的诸多问题，除了工程技术问题之外，最严峻的是巨大的移民工程。数十万人为了工程项目，要离开故土，到新的地区重新安家立业，这种大迁移的工作难度非一般人所能想象。作品记录下很多乡亲为了国家利益，牺牲个人利益的感人情节。与环境问题相关的其他两篇文章，一篇是宋阳标等撰写的《稀土战争》，另一篇是陈启文撰写的《问卜洞庭》。《稀土战争》

揭示了中国目前在稀土资源的开发和市场利用上存在的问题。邓小平曾说：中东有石油，中国有稀土。中国是目前世界最大的稀土生产国和出口国，全世界稀土市场的 95% 的原料由中国提供。但因为市场和开采权等原因，中国对国际市场的稀土价格并没有很大的话语权，而且，各地为了地方利益和集团利益，不惜损害国家整体利益。读《稀土战争》让人感受到环境和资源问题的压力。陈启文的《问卜洞庭》提出了环境问题的严重性。一向不缺水的洞庭湖，竟然干枯了。这样严重的环境生态问题是如何造成的？文章以大量调查材料，揭示了天灾人祸之下，洞庭湖生态失衡的原因。

二

教育改革是持续多年的老话题，科技时代随着就业竞争的激烈，学校教育已成为民生最关切的问题。高等教育怎么改革，2011 年深圳南方科技大学的去行政化的自主办学举措，给中国高等教育改革开启了一条新路，而主张自主办学、去行政化的南科大校长朱清时，成为国内教育界最受人关注的人物。刘元举的《啼血试验——朱清时与他的南科大命运》，向我们展示了这位敢为天下先的教育改革实践者的胸怀和艰难实践之路。于忠宁的《小升初：拨不开的迷雾》揭示了九年义务教育面临最严峻的问题：小学升初中教育该怎么过渡，千百万学生家长该如何解除内心的焦虑？文章通过小升初大战，从基础教育方面揭示中国教育存在的危机和改革的迫切性。

至于文化体制改革，也是老话题。2011 年 10 月 18 日闭幕的中共中央十七届六中全会，以文化发展为主题，形成了一系列决议。这次会议释放出的最强烈的信号，就是经过多年摸索的文化体制改革，未来几年中将进入深度试水阶段。这包括市场经济条件下，文化体制的定性问题。曾经一度社会舆论认为，文化与经济一样，都要走市场化道路。但经过实践检验，文化不能都走市场化道路，有些文化是需要国家承担相应的责任和义务，而有些是必须与国家财政脱钩，走市场化道路。《中国报道》刊发的《文化体制改革深水考验》，从文化问题的探讨、社会主义市场体制、产权问题等多方面回答了当今中国文化体制改革面临的困难和破解困难的手段。

三

2011 年 3 月 11 日发生在日本的大地震引起全世界的震动。中央电视台以从未有过的方式，快速直播地震消息，尤其是海啸的巨大灾难和核电厂受损给日本人民造成的损失，给中国观众留下了难以磨灭的印象。中国作家张志浩的《日本大地震亲历记》，以第一目击者的视角，再现了日本大地震的所见所闻。另外，一些极具新闻价值的新闻报道，同时也兼具报告文学的纪实价值，深深吸引了读者的目光。比较突出的有《“李娜之花”绽放世界》《中国购买“瓦良格”号航母始末》和《歼-20：我军又一撒手锏》。在前一篇作品中，作者为我们深度介绍法网公开赛女子单打冠军李娜。李娜是中国、也是亚洲历史上第一位获得世界网球大满贯赛事冠军的中国运动员。作者为满足读者的需要，及时跟进新闻报道，告诉人们李娜的种种情况。《中国购买“瓦良格”号航母始末》一文，不仅极大地满足了广大军迷的好奇，而且也揭示了中国在走向深海战略中，非常关键的一步，显示着中国国家发展战略的决心和实际进程。《歼-20：我军又一撒手锏》可以说揭秘了中国空军最高尖端武器的研发和取得的成就。歼 -20 研发成功的消息，据说是在美国参谋长联席会议主席访华期间，尽管官方认为是一种巧合，但这一消息的公布，还是让世界感到震惊，它极大地鼓舞了中国民族的自豪感，也让世界见证了中国国防工业的实际水平。上述作品，可以说是 2011 年纪实文学中最具可读性的流行读物。

（撰稿人：杨扬、崔鑫婷）

目录

利比亚惊天大撤离

这是我国历史上最大的一次空中撤侨行动。2011年2月，利比亚战火在即，数万侨民命悬一线，中国政府果断决策，十余天内，中国民航派出史上最大规模包机，横跨欧亚非三大洲，运送我国公民。种种惊险，处处温暖，大国风范和爱国情怀令人动容……

第一章　狂暴乍起

2011年2月15日晚，爆发于利比亚第二大城市班加西的反政府示威活动，一夜间骤然升级为大规模的武装冲突，内乱旋即蔓延全境。由东到西1 900公里海岸沿线及其内陆的大城小镇，政府军、反对派武装对决，武装暴徒趁火打劫，喊声哭声枪炮声交织，血水泪水雨水混流……据联合国人权组织于事发第一周估计称：超过1 000人丧生于暴乱之中，逾10万人逃离利比亚。

在此170万平方公里国境内投资合作的中国中央、地方国营及民营等75家企业，住宅、交通、水电等50多个总价值数百亿美元的建设项目，散布在近百个大大小小的地点，亦无一幸免，陷入被频频袭扰侵犯之绝境。乌合之徒持枪持械驱车、徒步闯入项目工地、营区，抢劫、打砸、烧杀，三万多名中国公民以及所雇数千外籍劳工的生命和财产安全完全失去保障，危在旦夕……

1. 筑战壕・躲沙漠

的黎波里时间2月18日前后，中国水电二局、十六局位于利比亚东部迈尔季、贝达、斯蒂哈姆瑞三地的刘玉飞、杨学良、宗成月、郑国震部四个房屋建设项目营地，接连遭到当地不明身份持枪武装团伙袭击，工地上的部分设备、员工电脑及衣服等用品被抢。杨学良部营地的临建房屋被焚，30多名工程人员不得不冒着大雨撤退到附近的山里，挤在当地部落羊圈里凑合了一夜……宗成月、郑国震二部460多名男女员工拾起棍棒自卫，雨夜且战且退中，20多名员工被榴霰弹射伤……电信信号断续不畅，与上级、友邻联系中断。郑国震组织警戒，宗成月单个奔向远处的山丘……拨打、拨打、再拨打……

19日下午，按照上级管理部的指示，杨学良、宗成月、郑国震部组织人员，改造项目部工程车辆、加高车帮，租用当地皮卡、的士，分别向100公里外刘玉飞部的营地集结。而此时的刘玉飞部刚刚击退了一股武装匪徒的轮番进攻。形势突变，走势难判，自卫为要，四个部的负责人立即组成领导小组，按照“完善组织，囤粮备水，堵门护院，开掘战壕”的步骤，分组行动。青年工程经理杨学良以将军般的气概，组织十几台挖掘机械划区分段，昼夜开战，两万平方米的营地围墙外形成了三米宽、两米深、上千米长的闭合堑壕。院内组织巡逻，院外雇请了40多名当地人持枪警戒，近千名中外雇员手持钢筋、镐把，严阵以待……

“匪徒来了就和他谈，要财要物好好说，胆敢伤人就和他们干，驻的黎波里使馆终归会有消息，坚持十天半个月不成问题。”回到北京后的杨学良聊起当时的情形，依然泰然自若。

正当杨学良、刘玉飞们紧锣密鼓地筑战壕之时，西南300公里外的艾季达比耶小城一隅，宁波华丰建设（利比亚）有限公司副总兼总工倪永曹，正组织邢印胜等14名项目经理，带领936名员工，冒险徒步穿越艾季达比耶市区，向沙漠纵深艰难开进……

班加西以南170公里的艾季达比耶小城，地处沙漠边缘，有“班加西门户”之称。不很富裕、信奉《古兰经》的当地人，平日里相见都是礼貌客气，举止得当。不过，这要看在什么局势下……早在1月份，倪永曹部曾领教过5 000套在建住房一度被人乱抢占的尴尬，以为“2·15”风波不日就会平息……

18日和19日不断传来令人不安的消息：示威冲突中有人被射杀，数千人聚集墓地为死难儿童送葬。韩国公司被冲击；班加西军火库被抢；监狱在押犯全部出逃；艾季达比耶的最大黑恶头目失踪……件件令人胆寒。19日凌晨，项目部宿舍在雨夜下被劫，汽车被抢，工房被焚。倪永曹部四平方公里的十个工区各点全部停工、收缩，保性命……

北京时间2月19日夜，北京朝阳门南大街No.2，中华人民共和国外交部第一次向中国公众发出预警：

“外交部领事司及中国驻利使馆提醒中国公民暂勿赴利。已在利的中国公民加强安全防范，减少不必要的外出。”

隔日夜，预警再次发出……

的黎波里时间20日下午1点，断续信号中倪永曹接获王旺生大使情势通报：“正拟租船转移第三国方案，米苏拉塔、班加西港有可能选作集结方向。”他便紧急着手通过当地员工及关系组织运输车辆，先向班加西方向的中建公司万余员工靠拢。不料，找来的车子被劫，一波又一波的乌合之众持械涌进工区一抢二烧……

“挺进沙漠！沙漠深处或许是安全的，由沙漠往北绕向班加西！”

沙漠沙漠，这个国土95%以上为沙漠所覆盖的撒哈拉沙漠……

“只带比生命更重要的东西——食物和水。”骄阳烈火中，倪永曹部936名员工举步维艰，鱼贯进入茫茫沙漠，把既爱又恨的艾季达比耶远远地甩在身后……而更令人心碎的，是伴随行进队伍中一个刚刚出生13天的婴儿哭声……

仅仅28天过后，3月21日，美英法“奥德赛黎明”之光“照耀”艾季达比耶。在北约的导弹助威之下，反政府武装与政府军展开了拉锯战，低矮的楼房千疮百孔，狂风裹挟着黄沙吹打着满地的断壁残垣。在战火的摧残下，15万民众人去楼空，一度沦为鬼蜮空城……

2. 东四西大街No.155

一进入2011新年，对于北京东四西大街No.155“中国民用航空局”这栋政府大楼来说，头等大事便是1月19日至2月27日这40天的“春运”。上年11月便启动准备，开年12天的全国民航工作会议又专题部署动员，用局长李家祥的话说，全系统都要做到“安全、顺畅、正常”。这六个字的分量有多重？看看春运过后民航局运输司的这一组数字吧：始发航班23.2万架次，运输3 260万人次；加班包机1.7万架次，其中两岸加班329架次、港澳加班319架次、东南亚及日韩加班993架次……

“旅客运量大、航班数量多、雨雪天气搅”。每年的“春运”已经见惯，经年的

2011 年 2 月 24 日，在开罗机场，从利比亚撤离的中国工人排队登上国航包机。
（金红光 / 摄，图片来源：新华社）

积累，有了比较成熟的套路和招数，但令这座政府大楼主人没有料到的是，春运到了年根儿腊月二十五，埃及出事儿了——在大规模的游行示威冲突下，埃及航空包括“开罗—北京”在内的所有航班几乎停飞了，中国民航唯一一家经营“北京—开罗”航线航班的海南航空也到了正班难保的地步。兴冲冲探访金字塔的千余名中国游客回不了国、回不了家，人身安全保障都成了问题，四五天后就要过年了……

中国民航是“中国人民民用航空”。同胞危情催生民航局一纸指令，国航、东航、南航、海航等四家航空公司计八架政府包机当即起飞。腊月二十八到除夕，45 小时内，包括 200 名香港同胞在内的 1 796 名赴埃及旅行的中国游客，就都已经围上家里的年夜饭桌了。加上东航（上海航空）两个正班运回的 394 名旅客，中国民航执行赴埃及飞行任务 10 架次，总计接回旅客同胞 2 190 名。

转眼就是 2 月下旬，“埃及撤侨”刚过半月，40 天的“春运”还剩最后一周，而自北非飘来的异样气息，令本就十分敏感的民航局高层及其业务司局，觉得很不对味儿……

北京时间21日（星期一）早上8点，民航局办公楼第一会议室。党组书记、局长李家祥，党组成员、副局长王昌顺、李健、夏兴华，党组成员、纪检组长梁宁生例行局务会，就确保春运最后一周的“安全、顺畅、正常”“埃及接侨”的经验与启示、利比亚局势研判及民航局的应对等，作重点研究部署。

下午2点，民航局第三会议室。民航局运输司司长史博利，召集本司国际处处长魏洪、综合司新闻处处长钟宁、空管局运行管理中心总调度室主任马辉、国航专机办高级经理万庆超、东航应急办副主任周弘强、南航运行控制中心副总经理李世向、海航运行控制部副总经理刘军等各路英豪，专题座谈“埃及接侨工作”，全面总结执行政府包机赴埃及紧急运输任务的宝贵经验与点点不足，深入研讨《关于涉外突发事件紧急运输工作程序》（草案）。内容包括：民航局向有关航空公司下达执行紧急运输任务的时机与形式，抄送的单位与部门，特殊情况先电话、后电报的互补；航空公司完成飞行前准备的24小时时限；航空公司飞行计划的报送，总调度室的航路报批，各地区管理局的组织与协调；航空公司与外交部及其驻外使领馆的协调，公司驻外机构与中国驻外使领馆接收旅客时的配合、办理登机手续的注意事项；执行紧急飞行任务结束后的工作等所有细节。

座谈会未及过半，外交部紧急来电，运输司国际处处长魏洪立即退场，赴朝阳门南大街No.2参加利比亚局势部际协调会……史博利主持的“埃及接侨工作座谈会”立刻转为拟执行撤离我在利比亚公民运输任务的预先准备会。

的黎波里时间21日，集中转移至迈尔季坚守的杨学良们，一边惴惴不安地观察着当地局势的变化走向——近三年的心血不会付之东流吧？一边急切地盼望着来自北京的信息……

深夜2点，徒步进入沙漠的倪永曹部，从白天午后的23℃走到深夜后的5℃，近12小时挪移了40公里，冰火两重天，饥寒交迫中被当地好心人劝至沙漠中一牧民庄园，火堆旁围裹着庄主们连夜募来的毛毯，在极度困惑与疲惫中期待天亮……作为近千人头领的倪永曹，瞅瞅露天寒夜中一个个歪七扭八的兄弟姐妹，黑暗中拭了一把泪……深入沙漠七小时、才出生13天的婴儿——兰州籍阿拉伯语翻译周凯的儿子周毅轩，在总翻译联络官马悦文、当地雇员司机贺利乐的帮助下，经过五小时的周折后转移出沙漠，至贺利乐家中呵护……

上午9点，班加西传来中建公司被抢的消息。隆隆的枪炮声不断由远处传来，头顶时而出现政府军的战斗机超低空飞行……班加西还能去吗？转而西奔1 000公里外的的黎波里？或是东奔800公里外的埃及？总之得脱开此境！露天庄园里的食物和水都难以为继，夜晚沙漠的极度寒冷，再下去会冻死人的……倪永曹意识到，当下为近千兄弟姐妹寻找到能遮风挡雨的避难所，或是最最重要的……

杨学良与倪永曹一样，有点纳闷儿，这中东、这北非，今年这是怎么了？就似难以琢磨的龙卷风突兀而起，来去叵测，旋到哪儿是哪儿……他叹了口气，不禁朝埃及的方向瞅了一眼，就想，半月前的埃及之火，咋就莫名其妙一夜间漫到这里，就不走了呢？甚至于有点儿埋怨起穆巴拉克来……

3. 罗成在开罗

“29日清晨天还没亮，突然响起的电话铃声令我万分惊喜……”罗成说，“不为别的，昨天28日下午的宵禁开始后，所有的通信网路也随之中断，你与世隔绝，在这乱世中你得不到任何你想要的一丁点儿信息，你无法传递给战友任何有关的信息，内心的恐怖，情绪的焦虑、焦躁与不安……海飞兄，你没身处这个环境你想象不出来的，人整个儿就跟悬在半空，心中那个没着没落——

“这个电话，是执行北京—开罗中国政府包机的机组陈志远、祝少斌打来的，断续间歇的信号，传来的却是十分清晰而重大紧急、更加令人坐立不安的信息：昨晚，他们入住的酒店被暴徒袭击！

“暴徒闯入酒店抢砸，被酒店保安轰出大门……门里门外燃烧瓶互掷，院子里火海一片，陈志远、祝少斌把机组、乘务全部集中到他们的房间，用桌子顶住房门……”

他，罗成，海南航空驻开罗办事处总经理，中等身材，白白净净，架着一副眼镜，学者正当年的样子。他赶在美英法3月19日下午5点45分（北京时间20日零点45分）对利比亚实施“奥德赛黎明”空袭行动前夕，撤回祖国来。促膝聊着，窗外传来一阵施工机械的轰鸣，他不由得屏息侧耳——开罗街头装甲车的惊骇声，仍像癞皮狗似的死缠在他的大脑底层，赶也赶不走。

“25日起，埃及的广场、大街，每天都聚集着密密麻麻的游行示威人群，乱象频生。我反复比较，以为这座CONCORDE五星级酒店比较安全，嘱咐两位机长千万别外出……幸亏，酒店保安队挺身对抗，支撑到了军队的驰援派驻。

“机组可是我们撤离行动宝贝中的宝贝。我，此时此刻的罗成，应该而且必须是站在机组的身前，为他们挡住子弹。他们安全了，能继续执行完撤侨任务，就算我死了，也值得……”

于是，罗成刻不容缓地带领徐志存、余科、刘小晶三名员工驱车奔向60公里外，一步步向机组靠拢。“车窗外，燃烧的汽车冒着滚滚浓烟，坦克、装甲运兵车穿梭往来，砖头、棍棒不时袭来，我们哪儿还顾得理睬，只知道加油向前冲，希望能早一分钟会合。但前面的道路又被军方封锁……”罗成说。

心急如焚、怒火中烧的罗成，拳头愤然地砸向方向盘，以致骨裂……

翌日早上8点宵禁解除，捉襟见肘的驻军要转而开往更混乱的地域。想来想去，开罗以南120公里的旅馆倒是较为安全，但忒远了……9点30分，会合后的罗成当即向驻埃及使馆的武官戴绍安少将求援，并于宵禁前30分钟成功转移。为了这组赛过大熊猫的中国宝贝，少将武官戴绍安一纸照会，又多召唤来几辆装甲车，四围重重布防。罗成说：“我们几个守着窗台，望着窗外，瞅着瞅着，一个个禁不住热泪盈眶……”

不日，香港《明报》头版整版刊文“万分感谢中央人民政府”，“有如此国家和特区政府照顾，香港人真有福……”

已经死过一回的罗成，之后与弟兄们依然坚守在开罗阵地的罗成，在2月20日这天，似乎已经梦见雨夜寒风山丘上的同胞兄弟宗成月、缩在羊圈里的杨学良、饥寒交迫生生困在撒哈拉沙漠深处的倪永曹部，似乎已经预感到自己和海航、和中国民航、和祖国人民，将面临一场更大规模、更加紧迫的空前战役……

的黎波里时间21日，迈尔季、艾季达比耶的夜幕下，战壕旁的杨学良们、转移至一所女子中学的倪永曹们，一肚子的委屈由心窝窝里冒出来，由眼眶里渗出来，咬着嘴唇、仰着头颅、向着东方，雨夜下一片滔滔……

此时在北京的国家民航局李家祥等领导成员、机关相关司局，正密切关注着、研判着、谋划着……北京国航专机办高级经理万庆朝们，上海东航应急办副主任周弘强们，广州南航运行控制中心副总经理李世向们，海口海航运行控制部总经理刘军、副总经理金骏们，按照民航局的预先号令，正彻夜组织搜集分析环地中海地区各个国家大小机场的技术数据、适用的机型，设计航线航路，向拟飞越、落地国家申请许可的资料准备，本部大型远程宽体客机机型、架数、座位数的统计与调配准备……

第二章　地中海 · 中南海

北京时间2月21日午夜。中南海。

午夜中南海的灯，盏盏通亮。

胡锦涛总书记、温家宝总理相继作出重要指示和批示，要求有关方面迅即采取切实有效的措施，全力保障我驻利人员的生命财产安全。

国务院决定立即启动国家涉外突发事件一级响应，成立以张德江副总理任总指挥，戴秉国国务委员协助工作，国务院副秘书长尤权、外交部部长杨洁篪任副总指挥的“国家撤离海外受困中国公民应急指挥部”，负责协调组织我驻利人员的撤离及有关安全保障工作。

雅典时间22日清晨6点（北京时间21日晚上11点），中国驻希腊使馆接到外交部“租船中转希腊撤离我部分在利人员”的指示，大使罗林泉直接致电希腊总理府外办主任帕拉斯科普洛斯，三小时内获希腊政府许可我国公民撤至克里特岛的中转承诺。

马耳他外交部常务秘书皮洛塔女士当日深夜接我大使张克远电请后，当即表示“尽量把中方人员入境手续降到最低”，两小时内同意中方“船靠岸、‘不入境’、下船登机”的撤离方案……

1. 民航局一级响应

北京，22日上午11点30分，民航局国防动员办公室主任孟平，自中南海电话报告运输司司长史博利：“会议刚刚结束。”

旋即，民航局局长李家祥，副局长王昌顺、李健，纪检组长梁宁生，运输司司长史博利、综合司司长沙洪江、空管办主任苏兰根、国际司司长李泽民、公安局局长宋胜利等，相继落座第一会议室。

张德江副总理紧急主持的“国家撤离海外受困中国公民应急指挥部”第一次全

体会议开始于上午8点，民航局副局长夏兴华与外交部、公安部、商务部、卫生部、国资委等部委负责人与会。会议决定立即调派民航包机和附近海域中远集团运输船只、我国海外作业渔船，携带必要的生活和医疗物资，并就近租用大型游轮和大客车赶赴利比亚附近，随时准备进入利比亚，分批组织我包括港澳台同胞在内的驻利比亚人员安全有序撤离……“千方百计保障我方人员的安全；千方百计保障我方的财产安全；千方百计维护我们国家的利益。”

“组织协调重大紧急航空运输任务”，是中华人民共和国国务院赋予国家局——中国民用航空局的主要职责之一。民航局党组决定立即启动《涉外突发事件紧急运输工作程序》，令国航即刻安排两架飞机准备随时起飞。运输司实行24小时值班制度，相关司局配合，与国务院应急办、外交部、驻外使领馆、相关航空公司保持不间断联系……局长李家祥就此提出“精心准备、精心组织、精心检查、精心实施”四项要求……

午后，民航局紧急电话预先号令下达各方。

当晚8点，国务院应急指挥部第二次会议在中南海召开，民航局副局长李健出席。

晚上11点30分，中国政府包机第1号紧急指令——中国民用航空局“局发电[2011]491号”之“特提”等级电报发出：

中国国际航空股份有限公司：

根据2月22日晚国务院“国家撤离海外受困中国公民应急指挥部”第二次会议精神，现决定：请你公司派出1架飞机赴利比亚的黎波里执行紧急撤离我公民回国包机任务。

1．请你公司立即开展相关工作，并于2月23日上午10：00自北京首都国际机场起飞。

2．根据利比亚局势变化情况，请作好选择希腊雅典作为备降和技术经停地点的相关飞行方案；飞行计划报空管局审批并抄送民航局运输司，有关飞越及落地许可申请发送至外交部领事司（24小时值班电话……传真……）。

3．国家有关部门组成的前方联合工作组将搭乘首班包机赴利开展工作，并载运部分紧急物资……请选派优秀机组执行此次撤离任务……请继续做好后续增派飞机的各项准备工作……

抄送：外交部、公安部、安全部、财政部、商务部、卫生部、国资委、总参作战部。空管局，华北、华东、中南、乌鲁木齐地区管理局，华北、华东、中南、西北地区空管局，北京首都、上海虹桥、上海浦东、广州白云、乌鲁木齐机场。

北京首都国际机场，中国国际航空股份有限公司本部，以总裁蔡剑江为领导小组组长的政府紧急包机工作在三个层面迅疾展开：指挥中枢的整体组织与控制，由专机办公室主任薛海城内外总协调；核心任务的执行与落实，由飞行、工程技术、客舱服务、空中保卫、Ameco（北京飞机维修工程有限公司）、地面服务等主要生产任务单元齐头并进；全方位全程的监控与保障，由专机办公室、运控中心实施24小时不间断，为机组和外站提供支持……

"我国在利比亚的同胞正处于紧张局势中，撤离行动已经开始，南方航空随时待命，请收到短信的同志作好飞行前的准备，等候进一步通知。"

"你安排，全力办！"按照海航股份董事长王英明的六字指示，运行控制部副总经理金骏，从此每日早上8点召集飞行、乘务、航务、机务等部门负责人碰头方案准备进展，时常与国航专机办高级经理万庆超、南航运控签派放行部经理毕华彪互通信息："时刻准备着……"

的黎波里时间22日上午，艾季达比耶连绵雨住，天空渐渐露出一线亮色，苦熬着的倪永曹部忽然间又断续听到了驻利比亚使馆经济商务参赞刘丽娟女士的声音、宁波华丰建设驻的黎波里办事处的声音……助手徐军丰永不气馁地连日数百次拨打，竟在这一刻打通了国内电话，听到了中南海决断的消息……当地教会的广播也响起"请保护中国人"的呼吁。机灵的项目部医生陈车，连夜敲开了艾季达比耶的数家药店，几乎所有的晕船药品都被他一锅端走。

雅典时间22日傍晚6点50分，驻希腊使馆租用的"奥林匹克冠军"号、"希腊精神"号两艘客轮起航，驶向班加西……

突尼斯时间22日傍晚7点，驻突尼斯使馆工作组抵达杰巴尔岛，驻埃及使馆、亚历山大总领馆外交官正向萨卢姆口岸靠近……

消息传来，已在迈尔季苦熬三个昼夜的杨学良、郑国震们兴奋异常，同时又陷入了尴尬与痛苦之中——上级拨给该四个项目部600个登船名额，另304名得由陆

2011 年 2 月 23 日，从利比亚撤离到埃及亚历山大的中国公民在埃及亚历山大国际机场准备登机回国。（张锰/摄，图片来源：新华社）

路撤向埃及方向。迈尔季到班加西有 100 余公里的路程，路途近，也相对安全；迈尔季到萨卢姆有 550 公里，路途远，且处于最混乱的区域。分头撤离，力量减弱，意味着危险增加，“我们是否可考虑请示放弃乘船，大部队集体陆路撤向埃及？”杨学良四人小组为此撤离方案一夜未眠，考虑到伤员等因素，最终一致决定：在车辆雇请困难的情况下，包括伤员、女工及 64 名泰国、斯里兰卡籍劳务在内的 604 名人员，由郑国震、袁海忠带队赴西南方向班加西登船，余部由杨学良、刘玉飞带队，撤向埃及……

“23 日由迈尔季出发那天，大雨如注，赶在当地人八九点钟出门之前，凌晨 5 点，我们两个方向的同胞相拥而别，依依不舍地目送郑国震、袁海忠部消失在深沉的夜幕中。我们回头继续筹措转移自己的车辆，雇请当地武装随扈。冲锋枪上的刺刀在雨水中闪着寒光，黑压压的人群在广场上集结，我们奔赴埃及的300人依次登上44辆面包车……那场景，我一辈子也忘不了……”坐在北京顺义花园酒店大堂，杨学良的神情依然凝重。

下午4点30分，九辆大卡车挤着900多人的倪永曹部，浩浩荡荡开进班加西港。周凯及其夫人、出生16天的婴儿周毅轩，也在当地雇员司机贺利乐无微不至的武装保护下，以自家的小车先期送抵。阴雨绵绵中，港务当局为孩子提供了临时住所，送来了鸡蛋、奶粉、尿不湿……

同日，首批由利比亚撤至埃及亚历山大的83名中资企业人员，分乘阿联酋、卡塔尔航空班机，分别于北京时间上午8点50分、下午2点25分回到祖国首都北京和华东上海。

同日午后，的黎波里机场，10名手执机票如同废纸的北京建工员工，四面碰壁中逢保加利亚政府撤侨专机落地，因有中方使馆事先垫话儿，保方畅快同意搭乘。驻保大使郭业洲赶至索菲亚机场迎接，帮签转取道莫斯科的回国手续……

2. 逆风起飞

北京，23日上午8点30分，民航局接外交部急电，要求派出第二架飞机于当日傍晚6点前起飞，前往开罗，以应“埃及航空突然中断与我20班‘塞卜哈—开罗—北京’的包机协议，300名同胞滞留开罗”之急……

下午5点，北京首都国际机场。风向不定，风速1米/秒；能见度1 800米；天气现象：霾；没有重要的云；气温8℃，露点温度-2℃；修正海平面气压……

国航飞行总队A330大队长、执行过“奥运圣火”号环球飞行的吉学勇机组，驾驶国际呼号CCA060重型宽体客机，搭载中国政府前方联合工作组，由东跑道“强行”起飞。目的地：的黎波里，航程9 000公里——中国民航执行国家大规模撤离我国在海外受困的同胞紧急航空运输大戏，由此开台。

往往，第一个出场的角儿在风光之下也承担着不小的风险和压力。要知道，摆在吉学勇们面前的北非是一条大家十分陌生的航线，从未飞过。用国航总飞行师徐传钰的话说，就是要让你吉学勇们披荆斩棘地去“开航”——在祖国与受困同胞之间，披荆斩棘地开辟出一条安全通道来！

说来容易。一般的开航，像“北京—的黎波里”航程的准备，航务部门得事先对目的地机场进行机型机场性能分析，遴选航线航路，还得考虑季节气象等复杂因素，在航路沿线和目的地机场附近，选出十数个适用的备降场，目的地和各备降场的跑道、滑行道、设施、施工情况、导航设备状态等都得了然于胸，运行部门还得向沿途相关国家提交飞越领空及降落领地申请……这一趟走下来，需要整个团队折腾十天八天，而从接到国家民航局的正式指令到起飞，也才大半天时间。

“什么叫紧急重大？四平八稳还需要我们吗？”临危受命的总协调薛海城异常坚定。

其实，这些入了行，头脑里紧绷着“地球上任何地方发生事儿，都可能会与我们有联系”的局方、公司方的李家祥、史博利、薛海城、吉学勇，自闻到北非硝烟的些许味儿，就早早地点灯熬夜“自奋蹄”了，各项准备工作都在有条不紊地进行着。午夜1点，吉学勇第一时间一个个电话直通队员们的热被窝：“有任务，早上6点到岗。”简洁干脆又轻描淡写，以尽可能避免给队员的家人带来压力。

然而，到了指令时刻，却没能飞起来。

意外是凌晨3点的一个信息，外交部急电：雅典时间23日中午12点到下午4点该机场临时性罢工。

上午10点，外交部再次急电民航局：五个国家飞越许可有三个尚未批复……

又过正午了，飞机仍在趴窝。“军令如山”在这个时候似乎成了问题了。国家局局长李家祥在办公室焦急地踱着步子……

谁能想到呢？节骨眼儿上，雅典机场那边的职员们似乎故意使坏！因为时差和效率原因，必须获得的飞越、落地许可也姗姗迟来，CCA060飞起来，飞哪儿？南太平洋？这个时候孔明显灵，也不过尔尔。当初民航局之所以决策先经停雅典，也是没有办法的办法——虽然集结在的黎波里机场的大批受难同胞望眼欲穿，“但利比亚的通讯全部中断，既不知道的黎波里空域是否开放，也不知道该机场能否正常降落，地面保障加油加水更是未知……”史博利说。

驻希腊使馆、驻利比亚使馆在与当局紧急沟通，民航局这边在紧锣密鼓地进行着其他的未尽事宜。

国航电报：开罗机场宵禁，夜航无法保障。民航局运输司经与外交部领事司紧急沟通，决定将第二架起飞时刻顺延八小时，确定为24日2点。

23日午夜，德国法兰克福，被夫人精辟地概括为“在中国过德国时间，在德国过中国时间，永远没有时差”的国航驻欧洲区运行签派员张者震，半梦半醒间接到总经理李江的电话：“者震，收拾东西，紧急任务，明天乘最早航班雅典见！”简单且毋庸置疑。

打往北京本部的电话响了一声，立刻就有人接了。赶紧记录：机长姓名、机组人数、乘务、保卫、机务人员情况，航班性质、机型、飞机注册号、起降机场、备降机场、沿途飞越许可的批复情况、紧急情况预案……又马上查阅雅典机场的资料、跑道长度、方向，道面性能、停机位、进离场程序，查找雅典机场代理公司的联系方式……雅典落地一下飞机，李江、门佳鹏已经在面前了……

其实，吉学勇于下午5点飞上天的时候，也并非万事俱备。飞越马耳他领空、落地利比亚领地的政府许可，仍然悬在半空……

“一秒钟都不能再等了！”民航局、外交部紧急磋商后作出决断。吉学勇机组“强行”开车发动引擎，也充满着底气。

国航运控中心与外交部、民航局及其空管部门保持着密切沟通，源源不断的信息在陆空通话系统中传输着、传输着……

当夜8点，中南海，国务院应急指挥部召开第三次会议。

民航局党组成员、纪检组长梁宁生向国务院应急指挥部汇报已经起飞的首架、拟于当晚起飞第二架政府包机时刻一再延后的变化信息，飞机及机组长时间处于待命状态对飞行安全的影响，就考虑指派多家公司加入执行后续包机任务、接应点选择等，提出建议。

国务院副秘书长肖亚庆明确驻外使领馆协调我国政府包机飞越、落地许可。

当日，美国国务院表示：拟派包机前往的黎波里计划，因未获利比亚当局批准作罢；承租可搭载600人的轮渡已驶往的黎波里，拟将侨民撤离至地中海岛国马耳他……

雅典时间23日晚上10点33分，CCA060降落雅典机场经停，90分钟后起身穿越地中海。吉学勇指令乘务组打开机舱所有舷窗的遮光板，让舱内所有的灯都亮起来，把民用航空器的所有标志都显露出来——向地面、海面空防设施和军用航空器传递出一个十分确定的信息：我们，中国民用航空客机，来啦！

协调地面保障、机场当局签派放行，客梯、拖车、加油、加水……吉学勇们飞走了，李江、门佳鹏仍在雅典机坪的雨水中纹丝不动像雕塑般伫立着……他们俩，牵挂着随机飞走了的李军、张者震……

李江原本计划四人组一起随机赴的黎波里保障的:“我们四个人都去！”

“爷们儿！”吉学勇竖起大拇指。但四个人就是四个座位，为尽可能多地接回同胞，吉学勇点将李军、张者震了……

“拜托了！”李江重重地拍着兄弟俩的肩头……

张者震隔着舷窗望着狂风暴雨下李江、门佳鹏迟迟不退的身影，不忍卒睹……“要不要跟老婆说一声？到了那里估计手机就成摆设了，不然老婆醒了，一打电话关机，找不到人还不急疯……哎呀！说吧，她肯定会担心……还是短信吧，发完就关……”

的黎波里机场上空8级大风，35节/小时，并伴有阵雨。多次执行国家领导人专机、27年22 000小时飞行经历的吉学勇知道，考验，无时无刻不在！可这又算得了什么？而至此，仅仅是吉学勇们36小时无眠征程的一小半……

的黎波里24日2点02分，他们坚定地操纵CCA060对准的黎波里机场跑道。他们分明看见了机场躁动的人群、受难的同胞。受难同胞们于地狱般漆黑的的黎波里，被天空中射来的集束光吸引而翘首，正朝这边望过来，望着这架喷绘着鲜艳的五星红旗的，祖国来接他们回家的飞机……

啊！祖国，祖国天涯咫尺，仅仅一扇舱门！

3. 萨卢姆望班加西

杨学良这边，44辆小巴、皮卡、出租车组成的车队，前有雇请的当地保安持枪开路，末尾有杨学良断后，自迈尔季浩浩荡荡驶向萨卢姆——这个因1941年北非战场“德胜英败”而小有名气的埃及边关。经过长达七小时上千里的长途奔袭，抢在坦克、装甲车的夹缝中、AK-47的胡乱对空射击中，穿过利比亚最东部、最混乱的图布鲁格小城，23日晚上7点，插在萨卢姆口岸的五星红旗遥遥在望……只是数以万计的埃及人、不明国籍的人也由利境蜂拥至此，漫无秩序的口岸区水泄不通……

“总归是安全了……”杨学良呼出一口长气，回过头去，留给利比亚最后一瞥……瞥的什么呢？能瞥见什么？

同日上午9点，郑国震部604名人员基本顺利抵达利比亚反对派老巢班加西港，与本部接应小组艾中家会合。一派乱象的港口，会聚着包括中建集团5 000名同胞在内的黄、黑、白各色人等逾万张疲惫焦躁的面孔。令郑国震们稍感意外的是，如此混乱的情形下，道边的诊所人员主动热情地邀请我们的伤员进门疗伤，之后的一句“欢迎你们中国人再回来，请支持我们反对派”，令郑国震他们万分惊诧。

此时的郑国震们，已经获悉祖国租用的游轮已于14小时前由克里特岛起航。400海里航程，早该靠岸了啊！但就是不见影子。“一个个心里乱揣摩着、扑腾着，在摩肩接踵的人头攒动中朝地中海深处瞭望，瞭望……”郑国震说。

“船来了——我们的船来了——”一声呼喊，胜似列队号令。

“席地的都‘噌’地蹿起了身，各种肤色都在振臂欢呼，船好像联合国派来的一样……远远的雾霭中，船，缓缓地驶来，轮廓越来越大也越来越清晰，只见同胞们一个个双手抚胸，闭目仰天，热泪两行……”

其实，船早就驶到了近海，只因当局迟迟给不了进港许可。

“你们中国人安全了！”这是郑国震们临登船的那一刻听到的第一句话。希腊籍“奥林匹克冠军”号船长说的。

2011年2月28日晚，在马耳他国际机场，刚降落的一架中国东方航空公司包机滑行时经过另一架包机。（王庆钦/摄，图片来源：新华社）

“伤员、妇女、老幼、64名外籍劳工先上。”

“本艘船只搭乘中国人。”船上的希方海关人员坚决地堵住了其他国家的人。

“这些外籍员工是我们雇请的，如果不让他们走，我就留下来照顾他们。我们是生死兄弟！”郑国震们坚决不干。

随船的驻希腊使馆接护小组组长陈夏兴，也没能撼动希方……

不过，我要告诉读者朋友的是，仅此“奥林匹克冠军”等两艘船至克里特岛靠岸后，与数以千计中国同胞登岛的有：46名希腊公民、16名意大利公民、36名斯里兰卡公民、28名尼泊尔及泰国公民……难怪3月3日尼泊尔驻华大使Tanka Karki先生专程登门中水电集团道谢——这里的蹊跷在哪儿呢？没准儿您能猜得到！

北京时间24日2点28分，首都国际机场，中国政府第二架包机CCA061（A330-200）搭载中国政府第二、第三前方联合工作组，10吨食品、4.5吨饮用水、2 000只手电筒及常用药品，飞赴开罗……

班加西24日上午11点，驻马耳他使馆租用的意大利籍“诺亚方舟”号驶进班加西港。码头上，倪永曹部泼墨床单的“祖国万岁”在人群中飘舞传递……在驻马耳他使馆年届花甲的刘美参赞的协调下，倪永曹部以刚出生17天的婴儿周毅轩为先头，陆续登船……

北京，24日，中国外交部领事保护中心发布消息：24日48名于利比亚塞里儿电厂人员通过微博发出求助请求；25日米苏拉塔地区长江岩土公司800余人微博求助；26日的黎波里地区中国通信公司80余人微博求助，我国驻利使馆及前方工作组均已取得联系……

希腊时间24日下午2点，“奥林匹克冠军”号、“希腊精神”号地中海43小时往返，满载我国4 200名同胞缓缓驶入希腊克里特岛伊拉克利翁港……伤员们在左右搀扶下，手捂身嵌子弹的累累伤口，远远望见胡锦涛主席派驻希腊共和国的特命全权大使罗林泉先生伫立岸边，与希腊克里特省省长安纳武塔基斯带着帕潘德里欧总理的嘱托并肩站立，华侨志愿者们早早地张开了臂膀……

中水电青年工程师郑国震抚胸面对CCTV镜头：

“感谢党中央、国务院和全国人民！我们感到作为一个中国人非常自豪，非常有安全感。即使我们知道深陷利比亚，但我们不曾害怕，我们有一种精神，坚信我们一定能出来！……”

“总理曾专门打电话给我……克里特已经作好了一切准备，接待从利比亚撤离的中国公民，直到他们安全返回中国！”安纳武塔基斯省长的表白充满真诚。

几乎在同一时刻，英国首相卡梅伦先生发表电视讲话：“为政府行动迟缓、撤侨不力向国民道歉！”瞅瞅他的外交大臣黑格日前咋宣称的：滞留利比亚的3 500名公民“应当自行搭乘商业航班撤离，而非在危险情况下期待空军冒险解救……”

24日晚上8点，中南海，国务院应急指挥部第四次会议。

梁宁生代表民航局建议：① 后续飞行时间尽量安排在上午9点至11点间：为申请各国飞越及落地许可预留充裕时间；保证机组在良好的状态下执行任务；白天由国内起飞，抵达当地亦为白天，避免夜航，提高安全系数；② 请前方工作组反馈回国人员的目的地及数量；③ 请考虑租用他国航空公司包机接我国的公民回国……

当晚8点10分，外交部函电民航局，通报各个方向上的撤离人员数量。

25日2点15分，中国民航首班政府包机满载妇女儿童为主体的223名同胞，安稳降落北京首都国际机场。专用停机位、专用安检区、专用通道……国务院副秘书长尤权、民航局局长李家祥、华北地区管理局局长刘雪松机坪迎候……

早上7点30分，民航局应急指挥领导小组根据前方的紧急需求，由运输司司长史博利连续签发两封“特提”等级电报指令：

> 即请中国国际航空股份有限公司迅速安排运力，分批次赴希腊克里特岛接我国公民回国（北京、上海）；
>
> 即请中国南方航空股份有限公司迅速安排运力，分批次赴突尼斯杰尔巴岛接我国公民回国（目前3 000余名，北京、上海）……

当日，从约旦首都安曼起飞的一架加拿大政府包机抵达的黎波里机场，因无人组织本国侨民登机而空机返回。此前一日，加拿大政府租用的一架拟赴的黎波里撤侨包机，因“该机所入保险不涵盖飞往动乱地区”，没能从罗马起飞……

下午2点，北京中南海，国务院应急指挥部召开第五次会议。

与会成员新增各省、自治区、直辖市的负责人参加，以便更准确地核对在利人员的方位、数量，当日得到确认的人数为33 000名……

下午2点18分，民航局运输司司长史博利，签发当日第三封紧急电报指令：

即请中国东方航空股份有限公司迅速安排运力，赴马耳他瓦莱塔接我国公民回国（约 1 500 人返北京，600 人返上海）……

深深的夜幕下，民航局办公楼一排排的窗户里还闪着身影……三天三夜了。此时此刻的运输司司长史博利最想做的一件事情，就是痛痛快快地冲个热水澡，最好泡上个把时辰……虽然一开始就预感到此次任务相比以往更复杂、更艰巨，与国防动员办公室主任孟平，有主内、主外之分，但头绪忒多：信息分析、盘算建议、汇报布置、矛盾处置、变化调整、部际协调、局内沟通、即时进展……这单是应急；手下还有五个业务处——国内航空运输、国际航空运输、通用航空、市场监管、综合业务的日常工作呢！

作为司里处置此次重大紧急涉外运输任务主力的国际航空运输处，处长们、科员们一个个都还在紧张地打电话、发传真、敲着键盘……按照排班，当夜归副处长白文利，科员郑新杰、李延鑫值守，但处长魏洪、副调研员杨杰、科员张璇这一班却没能按时下班走人，史博利想把魏洪这三个人"赶"回家去……

这个时候正是的黎波里时间傍晚 6 点，因此前遭遇抢劫失去护照或护照异地集中保管的 600 余名中国工人，持我国驻利使馆临时签发的回国证明被利方口岸移民检察机关以各种理由刁难，滞留在拉斯杰迪尔口岸，利方一侧迟迟不许出境，刚抵达至此的中国政府前方工作组开始与其交涉……

第三章　扑向风暴眼

为千方百计保障我国数万同胞的生命安全，中南海一声号令，从中央政府所属国家民航局、外交部等相关部委局到中央企业本部，从中国民航客机到人民空军运输机，从亚丁湾护航中的人民海军舰艇到远洋中的中国货轮，从中国驻外使领馆到中国民航企业驻海外办事处，四面八方第一时间扑向风暴眼……

法国《欧洲时报》2 月 25 日评论称：从 2006 年东帝汶、所罗门撤员至今，中国已经组织了大大小小数十次撤员行动，成千上万的中国公民得到及时援助。但此次不但规模最大、难度最大，情况也最复杂，而中国却表现得及时、有力，知难而进、方式创新、立体高效……体现了中国对其海外人员保护能力的提升，体现了中国政府处置突发事件能力的增强以及应急机制的日益完善，也体现了中国国际影响力的提升。更为重要的是，在此次撤员行动中，中国上下一心、团结一致……

1. CAAC 我飞来了

北京时间22日夜，52名中国外交官奔赴驻利比亚周边国家各使馆……

的黎波里25日傍晚6点，外交部领事司参赞费明星六人组到达利比亚西部边境、突尼斯拉斯杰迪尔口岸；在经过24小时三次转机13小时轮船折腾后，领事保护中心李春林八人组抵达班加西；驻苏丹使馆武官吴树陈大校由喀土穆赶至利比亚腹地塞卜哈……

海航驻比利时办事处副总经理师智伟，25日晚上7点30分匆匆出发，“布鲁塞尔—雅典—克里特岛”两个航段五小时飞行、中途五小时等待，次日早上6点一落地便与国航同仁会合，冒雨为翌日抵达的机组联系住处、用餐、交通，协调停机坪、油车、水车、摆渡车，基本就绪时已是30小时后的27日中午……由柏林赶来增援的陈瑶，一进站便投入保障，没顾及提取的托运行李只好寄希望于挂失……AKALI酒店一听师智伟是“‘中国人’，为‘中国机组’联系住处”，立马同意“签单支付”……

雅典26日下午2点，克里特岛干尼亚机场迎来赴该岛的第一架中国政府包机CCA062（B747-400），盛海滨们同机。三小时后，该机满载328名同胞飞回祖国，盛海滨们留了下来。

“我们是作为国航本部派赴希腊、突尼斯两个‘外站保障工作组’之一留守的。”他及同伴白冰洁、王振伟、李全胜等四位来自北京飞机维修工程有限公司（简称Ameco），是这“之一”里面“运控、商务、地服、机务、空保”之“机务”。

北京时间25日下午3点，一接到政府包机保障紧急任务，盛海滨们便按照Ameco工程处下达的保障工作清单，机械类、电气类、电子类计1 500余项三吨重器材逐件清点、装箱。一切停当，伸出手腕一瞅，已经次日2点了。席地而坐喘息，这才想起大家都没用过晚饭。凌晨4点，没与家人打招呼，就飞了……

在盛海滨们接受任务前的中午12点，运输司司长史博利四小时内第二次去敲局长李家祥办公室的门，就下午2点参加国务院应急指挥部第五次会议事宜、运力调配等事项作汇报与请示。

这时手机响了，是国航总裁蔡剑江：“博利司长呀，您下达的克里特岛任务我没法飞、没法执行啊！”

原来，经对克里特岛伊拉克利翁机场技术分析研究发现，该机场的跑道硬度不够，大载量运行受限，必须减载。就是说，A330-200飞过去，也就只能运五六十人。起飞回程时，倒是可以增加一点载量，但前提是必须少加一些油，再加降雅典国际机场，再多加油，以保障长程回程。

那怎么行啊？你就是能载100人也不行啊！一趟大型客机洲际飞行，拉100人那不等于没拉啊！克里特岛已经会聚14 000多同胞，后面或许还源源不断呢，即使再多调些飞机过来，就这么个运法，还不知要撤到猴年马月了……

史博利的脑袋都大了。

他匆匆嘱咐孟平，请局领导下午2点向国务院应急指挥部报告此情。

下午3点，史博利办公室，飞行标准司司长金宜斌、航空器适航审定司司长张红鹰、安全监察专员刘恩祥落座。四位重量级技术专家，铺开去，卷回来，再铺开去，几个回合也没下文……

下午4点，孟平自中南海电称，外交部那边说应该没问题，专机都飞过的。

是的，专机是飞过，但那只是专机的载量啊！我的朋友！而我们这回是要满载同胞飞回祖国的啊！金宜斌的主意则是，或可考虑请该机场当局给予我国适当减载豁免，出具批复。但这其中又问题多多……史博利几乎要崩溃了。

傍晚6点30分，史博利处理完一批急件，拦住已经回家半道的金宜斌，分头赶往国航飞行总队飞行员公寓。

中航集团分管飞行的副总经理宋志勇、国航总裁蔡剑江、总飞行师徐传钰、专机办主任薛海城们，已经有点儿坐立不安了。

这个静谧的周末傍晚，人心难静，一场有关希腊克里特岛机场的沙盘推演，紧张激烈地在餐桌上展开。

克里特岛是爱琴海最大的岛屿、最南面的皇冠，诸多希腊神话的源地。过去是希腊文化、西洋文明的摇篮，现在则是美景难以形容的旅游度假胜地。岛上的几个民用机场，除伊拉克利翁机场稍微大点儿外，其他都很小，私人小飞机倒是来去自如。

飞行员出身、曾出任国航副总裁兼飞行总队总队长的宋志勇，专机飞过伊拉克利翁机场。虽然只有两个停机位，但专机载量小，当然不受限制，确实没问题。

“唯一的办法，动用外交努力，请希腊当局向我国开放该岛干尼亚军用机场。”宋志勇掷地有声，一拳砸向餐桌，神情凝重地面向史博利。

“那个军用机场你去过吗？军用机场距离转移我国公民的伊拉克利翁港有多远呢？路好走吗？”

宋志勇没去过，但100多公里的路走过，有段山路，整体路况还好，由港口到该军用机场，多花些时间是一定的。

史博利们精神振奋。打开这个突破口，一切问题都会迎刃而解。史博利不打算再继续用餐……

晚上9点，回到民航局的史博利终于等来了驻希腊使馆的消息反馈：武官李杰大校，已经在赶往克里特岛干尼亚军用机场的路上：“军方已经松口，有突破余地……”

只有两个停机位的干尼亚军用机场，坐落在克里特岛西端岸边，跑道的条件不错，但缺少盲降系统，也缺少像盛海滨这样的机务等地面保障人员。飞行12小时一落地，航空器航后维护不说，给飞机加航油、加滑油，清洁、加放饮用水等所有勤务工作，全得由他们机务保障组完成。4℃，大雨，顺着舱门一望，雨雾之中远处群山的凄美尽收眼底，未及欣赏，便裹着雨衣下机，分工协作地例行过站检查、加油……

这时，海航飞行部A330机型总飞行师温建平，率领责任机长张鑫、副驾驶帅崇源等四套八人机组，操纵本公司首架政府包机，绕过厚厚的云层，也快马杀到……王振伟、白冰洁立即去支援单枪匹马的师智伟，由雅典移师至此的国航欧洲区总经理李江登机进舱，握着温建平的手说：“这个时候，就不分你我了……”

而另一边的盛海滨，正在与机场当局反复地协商再协商，硬是把随机备用的三吨航材卸下，搬到机场器材间存放起来。乖乖，3吨、3 000公斤，卸下3 000公斤随机器材意味着什么？

“可以多载几十位受困同胞，保证撤离满载！”

异常坚定的盛海滨们，两脚泡在雨水中，维护完飞机，卸下了器材，现场协助组织同胞登机，指挥机组滑出、起飞，晚上10点40分又帮海航A330送走213名同胞，“北京—干尼亚”41小时，第二次出现10小时未及进食、饮水……

“顾不上啊！”盛海滨说，“您不知道，当您向机组做出可以滑出的手势，挥手向满载的同胞告别，看到小小的舷窗里满是挥动的双手——不见面孔分不清男女老少，满舷窗只有挥舞的手的时候……”盛海滨嘴唇翕动、哽咽，“——值了！”

回到住处，已是午夜。国航载重平衡中心高级经理曹新革们却继续和另三位写着登机牌，四个人一空闲下来就写，六天手写 6 650 张登机牌、5 490 张行李牌，写到手肿发软……

四小时后盛海滨们又赶往现场接机。随着由水路撤离同胞数量的增加，民航局指示国航于当日开始，每天各增加一架 B747-400 和 B777-200，以减少同胞在该岛的滞留时间，加快飞回祖国的速度。由于出发得太早，酒店的早餐还没开。令盛海滨兴奋的是，落地的机组不仅带来了餐食，还为他们带了一个烧水壶——待凌晨 3 点送走包机，与师智伟、樊磊、王永清们不用再拿冷水泡面了！

又送走了一架！十几双干涩红肿的眼睛相互对视，不约而同地击掌鼓励……这时师智伟提了一句："突尼斯杰尔巴岛那边是个啥情形？同胞们由陆路撤至这个杰尔巴岛，想必速度更快，负责那边保障的南航弟兄们比我们更忙吧……"

是够快的，也够壮观的，瞅瞅吧：广袤无垠的荒漠上，200 多辆大客车组成一条有首无尾的长龙，缓缓朝这边——突利边境拉斯杰迪尔口岸驶来，那是北京建工 2 800 名工人、中国交通 300 多名工人……五星红旗正眼巴巴地朝他们飘着呢……

但只 60 余辆顺利抵达口岸，后续百余辆遭遇三公里处一检查站极为苛刻的阻拦，所有同胞被迫下车接受搜身，车辆而自行返回。中国政府前方联合工作组立即前往交涉、沟通……

您瞅，那是林先昱——前方联合工作组参赞、负责协调撤侨联络事宜的北京出入境边防检查总站的二级警司，他集合整队百余名受困同胞，手举红旗、高唱着国歌，徒步朝口岸这边开进……

2. 侨团兄弟顶上了

雅典时间 23 日下午 4 点 55 分，驻希腊使馆租用的游轮驶进班加西港的同时，希腊中国和平统一促进会、华侨华人总商会、华侨华人联合会、华侨华人总会等多个侨团的旗帜，先后插上克里特岛。一个个黄皮肤、黑眼睛急匆匆地由雅典赶来，从萨洛尼卡赶来，从起初 38 名随罗林泉大使登岛，到 50 名、70 名……在伊拉克利翁港、市区酒店、干尼亚机场，他们冒着连日的雨水，协调、导引、答疑、抚慰、解难、转运，忙碌的身影出现在任何需要他们的地方……

他们协助使馆与当局及业界伙伴协调，半日内租到三艘巨型游轮，当日两艘起航。在旅游淡季关门歇业的克里特岛，一夜间敲开11家、14家、20家四星级酒店的大门，落实6 500、7 500、13 000个床位……

希腊华侨华人总会会长陈雷兵和太太张蓓艳负责第11号酒店服务，每日早上7点至午夜12点在酒店大堂登记处迎候撤离来的同胞，提供咨询、资讯，分派电话卡——夫妇俩作为第一批登岛成员，为同胞购买大量常用药品和每张300分钟祖国长途的500张电话卡……“给亲人们报平安，肯定是同胞们的最大心愿。”陈雷兵喉咙沙哑着说。

年过不惑的希腊温州籍侨领翁进东及侨胞李昂、吴旭辉，分工将撤离同胞由酒店转往189公里外的干尼亚机场搭乘祖国包机，一趟七八小时，三天七次往返……“是很远，是很颠簸，是很累。但是当被送到机场的同胞们跟你握手、拥抱、说谢谢的时候，什么累都没有了，都过去了……”胡子拉碴的翁进东说。

负责码头接应的总商会会长徐伟春，从“韦尼泽洛斯”号靠岸，到最后第2 898

2011年3月1日，承担撤侨任务的中国空军运输机在苏丹喀土穆国际机场降落。
（穆罕默德·巴比克尔/摄，图片来源：新华社）

名同胞下船入关，最后一个离开——他是在闻知同胞受困利比亚后，毅然中止温州的生意洽谈，北京时间24日下午1点一飞北京、二签迪拜、三转雅典、四抵克里特岛……小舅子入伙，岳母大人加入安抚伤员……“我们这些是小事，国家这些是大事。”双眼布满血丝的徐伟春说。

“都是自己的同胞，所以大家都十分热心。”志愿服务总协调人、和平统一促进会会长兰孝程说，“如此大规模从利比亚撤离公民行动，身居海外的侨民们强烈感受到了祖国对每一位公民的责任感和保卫每一位公民的决心。”

这天夜里，一位撤至该岛，终于在酒店安顿松弛下来的江苏盐城籍小伙儿，忽然于深夜乱奔、喊叫，精神出现异常。驻希腊使馆武官李杰赶来了，和平统一促进会会长兰孝程、青田同乡会的吴海龙赶来了，抚慰、叫救护车、在医院陪护，再送回酒店，天已经亮了，又一船同胞要登岸了……

3. 祖国军舰贴身了

当地时间2月24日凌晨，亚丁湾索马里海域，正于此执行护航任务的人民海军第七批护航编队“徐州”号导弹护卫舰（舷号530），受中央军委之命，破开五六米大浪，由曼德海峡南口起航，万里祖国外“千里走单骑”，傲视北半球20个维度，以27节全速航行，驰援2 000海里外……两天两夜后的26日下午通过红海入苏伊士湾，在“提前申请，依次通过”等限制下，管理当局破例允许我国的“徐州”号先于其他排队商船，第一时间驶入苏伊士运河，其后斩浪地中海……3月1日上午10点30分，于利比亚班加西以北海域，与满载我国2 142名同胞的“韦尼斯罗斯”号游轮会合，随即伴随警戒……

“徐州”号进入地中海当日，人民空军四架伊尔－76型运输机由乌鲁木齐完成集结再次起飞——巡航高度9 000 ～ 12 000米，最大起飞重量170吨，飞越巴基斯坦、阿富汗、伊朗、沙特等五国领空7 000公里，经停苏丹喀土穆，转飞2 555公里外的利比亚腹地塞卜哈……

24日，美国外交关系委员会在网站发表中东问题专家阿伯拉姆斯的文章：

中国坚决保护本国公民并派军舰为撤员船只护航行为，比美国的“含蓄谨慎”更像一个“超级大国”……中国人不饶舌，而是用行动、以实力……

当地23日凌晨3点35分，在附近海域运营的中国远洋运输集团6.9万吨级远洋集装箱货轮“天福河”号，受国家交通运输部协调之命调转航向，43小时1 275海里航行后靠岸米苏拉塔港码头，559名同胞登船……中远“康诚”、中海“新福州”等也从不同方向相继赶来……

北京时间26日早上8点，国务院应急指挥部第六次会议在中南海召开。

会议通报我国在利比亚的公民总数升为37 000名，已有14 000名撤至克里特岛，7 200名撤至马耳他瓦莱塔，5 000名撤至突尼斯杰尔巴岛，利比亚中南部塞卜哈4 900名拟撤至阿曼首都马斯喀特。会议建议以中、外民航包机为主辅，未来十天内完成接运任务……民航局副局长李健，就政府包机执行、整个运力调配运行、塞卜哈机场的进一步分析，作了汇报建议。

张德江副总理对民航方面第一时间飞出去，把中国政府工作组送达前方，第一班安全接回223名同胞给予了肯定。就“抓紧转运、密切配合、作好衔接”作出指示，就登船安全、登机安全、国内转运，前方与后方、部门与部门、企业与企业、政府与企业、军方与地方的密切配合，提出要求。

当日，民航局运输司拟定每日投入15架运力的运行计划，并就我国公民回国的去向城市及数量统计、飞越及落地许可协调力度、境外机场航油等保障能力确认、赴境外保障人员签证食宿、天气原因返程备降国内其他机场的协调疏散等11个需要协调的问题，报告国务院……

同一时刻，中水电十三局女工程师张丽娜等260名中国员工，在驻苏丹使馆的协助下，包乘苏航飞机由塞卜哈飞抵喀土穆……

第四章　鹰击长空

北京时间25日早上7点、下午2点18分，民航局七小时内的三封“特提”等级电报指令发出后，霎时，一架架待命的中国政府包机由北京首都、上海虹桥、上海浦东、广州天河、新疆乌鲁木齐，四面八方飞向地中海。并由此形成国航、海航联手主责希腊克里特岛、东航主飞马耳他瓦莱塔、南航主攻突尼斯杰尔巴岛的“三分天下”任务格局。

1. 地中海浪打浦江

北京时间凌晨 4 点，东航客舱部李娴乘务组的姐妹们就匆匆起床，一边出嫁般的精致妆容，一边默默地念诵着事先的精细准备，不时回望一眼电视新闻。“欢迎回家”将是对每一位登机同胞要说的话，“倾听”也将是帮九死一生撤离同胞释压的重要一环……哦，奥巴马总统出场了，他在签署命令，冻结卡扎菲及其亲属、利比亚政府及银行的所有海外资产……

此时的东航总飞行师、带队机长万向东，责任机长盛彪机组，已经开始飞行准备，共同执行清晨 6 点东航首架目的地多次变更后的“浦东—瓦莱塔”飞行任务——前方消息称，拟中转瓦莱塔的上千名同胞正在班加西港登船……这天是 2 月 25 日。

清晨 5 点 30 分，天刚蒙蒙亮，驾驶舱里的万向东机组一切准备停当，准备开车。而就在这时，地中海的巨浪翻滚而来……

倪永曹部等 2 216 名完成登船即近傍晚，地中海突然变脸——突发 1953 年以来的最大海上风暴，滔天巨浪使得游轮迟迟起不了夜航的锚，疲惫不堪的倪永曹们的心境此时转为另一种急切……不过，已至船舱里的倪永曹们觉得，连日来持续不断、令人惊悸的枪炮声，在这个夜晚隔舱听闻，显得别样……

2 100 名核载，挤着 2 216 名同胞。我国参赞刘美崑是向船方写了书面保证的。

倪永曹迟迟不得入眠，一边猜想东航的两架政府包机该是飞抵瓦莱塔了，一边想着自己一手管理 50 亿元人民币、工期近半的 5 000 套住房项目将来会如何收场；而助理徐华丰辗转反侧疑惑的是，如果不是这场风波，或许这辈子也不会下如此血本享受这豪华游轮的奢侈，但现在身居其中，咋就没有情绪感受了呢？出生 18 天的婴儿宝贝周毅轩倒是显得更大气、更沉稳，该吃吃，该睡睡……

七小时后，利比亚、马耳他才会天亮，“下一个起飞时间点，选在……是不是我们先飞过去，在那边等……”

想着煎熬在船上的同胞，万向东、李娴的心随着地中海的风浪起伏翻转……

再瞅瞅机坪上这架 A340-300（MU267）：庞然大物的缰绳突然被勒，看似平静的它也一样心怀激荡、不甘。鼓鼓的肚子里，600 份干点、400 个面包、300 份热食以及大量的八宝粥、饮用水和果汁，满满当当。

按照客舱业务经理沈文君的心思，这一份餐单就是要足够保证所有登机的同胞吃饱、吃好。在接到马耳他瓦莱塔任务之初，她办的第一件事就是向刚执行过埃及撤侨任务的乘务组请教："当地没办法进行餐食准备工作，这就要求我们在上海提前把返程的餐食准备好。"一般热食的最佳保鲜时间只短短的六个小时，"上海—瓦莱塔"13 个小时的航程。于是配餐时，所有的热食都覆盖了一层干冰储存，保持着最佳的新鲜度……大量的八宝粥、果汁和基数外的十箱水，正是考虑到烘烤热食需要一定时间，为避免登机同胞等待时间过长而特意配备的。

当地上午 9 点，游轮仍然没有起航……

而 MU267 真正飞离浦东已经是次日上午 9 点 18 分。操纵 A340-300 的万向东一进入航路口，咫尺虹桥的 A330-300（MU265）也腾空而起。用万向东的话说，陌生的航路、陌生的机场、急迫的任务，安排两架伴飞，相互有个照应……跟进的 A330-300 上，运控中心副总经理徐斌的卫星电话忙个不停，"现炒现卖"，向本部了解完马耳他瓦莱塔的天气、跑道使用、盲降设施、停机位情况，便立即通报领先 22 分钟的万向东……

同在此时，运控中心飞机性能工程师李洁，正与团队实时关注着两架包机的运行状态。随着雷达屏幕包机的起飞、位移，顺利飞越俄罗斯、哈萨克斯坦，神情放松了许多。这个三岁儿子的母亲，已经连续四天没有回家。身为应急办副主任的丈夫周弘强，肩负接受民航局、外交部、驻外使馆的指令信息，协调本部与外站步调，则一连 13 天坚守阵地。三岁的儿子果果，每天踩在世界地图上"注目利比亚"。

自 2 月 21 日傍晚 6 点 30 分接民航局"预先号令"始，运控中心应急办、国防动员办、专机保障办等部门，便按照各自的分工紧急着手准备。李洁团队则开始对围绕利比亚境内可能使用的班加西、的黎波里、塞卜哈、焦夫等四个机场，进行 A340-300 机型飞机性能计算、航路规划、机场分析、飞越（落地）申请准备。随着前方撤离路线信息的不断变化，又转而对利比亚周边国家的雅典、阿莱曼、亚历山大等机场进行航线准备，于 24 日午夜最终锁定马耳他瓦莱塔、希腊克里特岛之时，李洁团队已连续熬过了四个昼夜……尤其在"达到满客"问题上做足了功课。"浦东—瓦莱塔"的航线长，冬季航路上的风很大，去程 13 小时的飞行接近机型极限，按国际航班运行规则，“295 客满载量”成为限制，若中途经停，将延迟同胞回到祖国的时间。李洁便根据以往国际长程航线的经验，设计了“去程选择远程巡航，回程使用二次放行”的运行方式，把“航程耗油量 +10% 备份”的燃油加注，回程备份只计算到 90% 航程的西安。如此一来，可多接回 40 多位同胞……

“瓦莱塔机场 11 627′（3 544 m）主跑道 13/31 部分关闭……”

即时收到的航行通告，瞬时令李洁团队个个一身冷汗——万向东机组的 MU267 已经飞入地中海空域，一掠过雅典、西西里岛，就要降落了，也只两小时的航程了……

“分析另外一条短跑道！”

整个团队的眼睛又都会聚到 JEPPESEN 航图－瓦莱塔机场图密密麻麻的数据上，一路分析下来：若在 7 799′（2 377 m）的短跑道上起飞，存在严重影响；单单着陆的话，没有问题！至少，MU267、MU265 的落地之急得以解决，后续包机可以视情调整起飞时刻……上海地面的李洁、地中海上空的万向东们，长长地呼出一口气……

“高度下降，海边的跑道已经对准，地中海依然白浪滔天，真不知道船上的同胞们是怎么挺过来的……”事后万向东对我说。

的确，倪永曹们在风浪中多颠簸了八个小时，许多同胞晕船呕到吐血……

张克远大使夫妇来了，为周凯20天大的儿子周毅轩带来了长途转移的必备物品，奶粉、奶嘴、生理盐水、纸尿裤等一应俱全，使馆连夜为这个小宝贝赶制的临时身份证明也捧到面前……

当日下午到傍晚，周凯一家三口等 549 名同胞，分别搭乘万向东率领的两架包机，飞往祖国上海……其余暂留船上的 1 622 名同胞，也已远远望见后续包机正朝他们飞来……

2. 地中海上的欢呼

2 月 26 日上午 12 点 21 分广州白云机场，南航首架政府包机 CZ2001（B777）在领队机长、民航中南地区管理局副局长梁世杰，南航责任机长呼守文、副驾驶祝姚等六人三套洲际机组强强搭配下，沿首飞航路飞往突尼斯杰尔巴岛。CZ2001 快马加鞭地朝前方飞，途经报告点的地面管制频率等航路信息源源不断地朝后方发……

——这是飞行直接准备会上特别议过的。A330机长何钢，不久前在执行我国维和部队运输飞行任务过程中，就曾遇到与地面管制员联系不上的“重大危机”。快飞抵目的地了，联系不上当地塔台管制员！联系不上，就得不到管制指令！按飞行程序该下降高度了，不敢！该拐弯了，不能！你不知道各个高度层、各个方向航路上有无飞机！难道就这样无穷无尽地直飞下去？直飞下去也不可啊！同高度层、同航路来一架与你对飞的怎么办？没油了怎么办？——都是这个作孽的机场管制闹的！实际执行通信频率

2011年3月3日晚，在约旦首都安曼阿利娅王后国际机场，中国驻约旦大使岳晓勇（右）向准备回国的中国工人道别。

（穆罕默德·阿布古什/摄，图片来源：新华社）

与事先发布的严重相左！ A330机长何钢事后每每提及这次遭遇就咬牙切齿，恨不得踏上它一万只脚！

往返33小时的首飞完成后，梁世杰、石智龙机组的第一件事，就是将整个“趟路”过程的“航路天气、管制区划分、通讯频率、落地手续办理、过站具体安排以及特殊要求”等所有细节汇总为“首飞小结”，上传“飞行机组准备网”共享……

广州本部，B777机队、A330机队的后续机组，结合不断更新的各方信息，在紧张地进行图上作业：计划航路、飞行航段、飞越管制区、飞越国家、飞越许可、备降机场、目的地机场、地形影响、天气特点、航空情报、导航设施、特殊规定、航油携带、外交规定、限制区域、危险区域、机场细则、起降规定、着陆离场程序、机场平面、滑行路线……

利比亚米苏拉塔。大宗物品全部托管，小件物品包装带走，工地外围挖了壕沟，厂房门上贴了封条——在高度戒备、持续坚守了五天之后，中交一航局二公司1 757名施工团队终于等来了撤离命令。

“为便于组织，各个队伍之间以袖标颜色区分，安全帽统一编号。我们项目部的口号是：‘一个都不能少！’”项目负责人毕勇毅说。

虽然工地距最近的撤离港口米苏拉塔只有28公里，但撤离路线是否安全却是一个未知数。作为党支部书记的毕勇毅，和翻译马如刚主动请缨，驾起一辆汽车，插上五星红旗为大家探路。沿途武装分子层层设障，“车上架着机关枪，手里拿着AK-47，腰里别着手枪。但一听说是在米苏拉塔承建5 000套住房项目的中国人，则马上放行……”毕勇毅说。

探路有惊无险地完成。而登上“韦尼泽洛斯”号客轮驶离港口，悬了十几天的心这才终于回到了心窝窝。毕勇毅他们不知道，在不远的前方，更大的惊喜在等着他们……

3月1日上午10点30分，地中海蔚蓝的海面上突然出现了一艘舷号530的白色军舰，“祝同胞一路平安”的大红横幅耀眼夺目。

“我们代表中国人民解放军为同胞们护航！……”政委韦建华大校从“徐州”号导弹护卫舰上发来报话。全船顿时沸腾，全都冲上甲板，跑到船舷边……

人全都涌到了甲板上，客轮三层甲板挤得满满当当。而当“徐州”号的舰载武装直升机掠过大家头顶时，客轮上更是群情振奋，呼唤声震天响，“照相的、高呼祖国万岁的、手舞足蹈举出胜利手势的，气氛热烈得难以形容，一度造成船体朝一个方向倾斜……2 142 名同胞啊，你想想……”

远处岛上，中国民航一架架客机在机坪上一字排开，宽大的机翼舒展着温暖的臂膀，毕勇毅傻傻地望着，感觉有点儿像做梦……

“祖国的强大对于身居国外的中国人，是多么多么的重要……”

3. 共和国万里大接力

正当杨学良们梦幻般迈过萨卢姆口岸，心境复杂地送给利比亚最后一瞥之时，23 日晚上 7 点，开罗的罗成从驻埃及使馆获悉：“中国政府包机将飞赴开罗。”

作为国内航空公司唯一设于开罗、只剩他与小兄弟徐志存两个人的办事处，在这非常时期非常时刻，成为中国民航设于开罗的桥头堡。罗成说：“我们将以中国民航人的面目，顶起这片天地！”

前有埃及撤侨保障经验、加拿大空机返回教训，罗成们立即获取国航首赴开罗机型、舱位等基本信息，协调埃及海关及机场，就非常情势下离境手续、柜台执机、登机、载重平衡、飞行计划申报、燃油加注、费用支付等，一一提前作着协调准备，并协助国内于晚上 8 点 50 分申请到中国政府包机在开罗机场的落地许可……

而在杨学良们于开罗机场登上祖国包机之时，北京，作为接机单位的中国水利水电建设股份公司的大巴，正驶向首都国际机场 T3 航站楼的专用停车区……

早在民航局发出最初指令始，民航华北、华东、中南、新疆地区管理局，即迅速展开了协调保障工作。

民航华北地区管理局专机办公室主任郑云，紧急协调首都机场股份公司，驻场公安、边防、海关、检疫，华北空中交通管理局等单位，落实政府包机抵达时的服务保障流程，对撤回公民进港出关程序作沙盘推演。机场股份总经理张光辉领衔政府包机保障小组，机场运行控制中心作为总协调，与航空公司、各保障单位、联检单位、接机单位，建立起全面的工作联系机制，相互间实现无缝隙衔接；核实次日撤离包机航班计划、地中海起飞后所载人员数量情况及所属单位信息，实时关注动态变化，随时向系统内发布；对部分护照丢失的入境手续办理、伤病员转运，明确单项保障方案。虹桥、浦东、广州机场，都开辟了专用桥位、专用通道、专用行李转盘、专用出口，在各个岗位加强执勤、备勤力量，在航站楼到达区域设置专门接待站、接机车辆停放区，确保撤离回国人员有序、快速出站。上海两机场，对持护照与丢失证件的人员实行分开引导，为后者开辟了专用休息厅，边休息边等待办理入境通行证。

2 月 27 日，首都国际机场运控中心获悉，由克里特岛干尼亚机场起飞的海航 HU9002 包机，搭乘有中水电郑国震部 20 多名伤员，随即启动《首都机场危重病人转运程序》，第一时间通知机场急救中心、联检单位，及时告知接机单位，联系北京市急救中心增派力量，快速将受伤撤离人员传至市内医院治疗。

为保障搭乘中国空军包机落地北京南苑机场的同胞快速入境，北京边检总站启用无线设备，提前在停机坪布置无线验放通道，同胞们一下飞机，即行通过入境，“不让同胞多耽误一秒钟”。

与郑国震同机的 16 名孟加拉籍（BGD）劳务人员落地北京首都国际机场后，边检总站热情地帮助他们联系使馆签证，协助快速转机。“如果出生在中国该有多好啊！”1974 年出生的 AHMEDRAJIB 非常感激加羡慕。

2 月 27 日下午 2 点 16 分，周凯一家三口等 272 名同胞搭乘的东航首班 MU268 落地上海浦东，东航总裁马须伦、华丰董事长王祉统前往接机；搭载 278 名同胞的 MU266 随后飞抵虹桥，民航局副局长夏兴华、民航华东管理局局长沈泽江机坪迎候慰问。

28 日上午 11 点 18 分，满载 350 名同胞的南航 CZ2003 由杰尔巴岛经停乌鲁木齐加油，罗治利机组走下飞机，先期于此待命的王学峰机组接棒，直飞上海……

除埃及、突尼斯、希腊、马耳他外，自 27 日始，陆续有中国公民从利比亚撤至约旦、土耳其境内。53 名同胞在驻约旦使馆协助下经安曼乘国际航班回国，504 名同胞分乘驻土耳其使馆租用的三架外航包机抵达伊斯坦布尔……

菲律宾《世界日报》载文称：中国独立自主的和平外交政策广播情意，深得人心，“危难时刻见真情”得到了鲜明的体现……

肯尼亚 2030 远景规划部常务秘书爱德华 · 桑比利观察道：“‘和平外交’保证了中国在海外公民的安全，也确保中国在世界上广交朋友……”

（选自 2011 年第 7 期《北京文学（精彩阅读）》，有删节，作者：张海飞）

歼-20：我军又一撒手锏

2011年1月11日12时50分，歼-20在成都实现首飞，历时18分钟。歼-20是成都飞机工业集团为中国人民解放军空军研制的中国第四代（欧美标准，俄标准为第五代）双发重型隐形战机。歼-20的横空出世几乎让所有人吃惊，震撼世界。

我国隐形战机昨日首飞成功

据成都网友目击，中国歼-20隐形战斗机已于2011年1月11日中午12时50分左右进行首次升空飞行测试，13时11分成功着地。整个首飞过程是在歼10S战斗教练机的陪伴下完成的，历时大约18分钟，取得成功。

在歼-20成功完成首飞落地后，试飞现场内外欢呼声一片，机场外的围观群众也接连放起鞭炮。

参与试飞的隐形战机，当天早上9点多就开始作准备，10点多进行了一次滑跑。有网友称，这是中国空军史上透明度最高的一次新型战机首飞。许多网友纷纷上传了歼-20试飞的照片。

歼-20的清晰照片于两周前曝光，随后还有航空爱好者拍摄的歼-20进行高速滑行试验时的录像流出。

由于歼-20首飞的时间正值美国国防部长盖茨访华期间，更加引发国外媒体的极大关注。美国《华盛顿邮报》11日即援引一名中国军事专家的话称，中国的隐身战机原型机已经完成了其首次试飞。

美联社援引分析人士的话指出："此次首飞测试的时机似乎是要传达这样一种信

息，即北京正在就美国和其他要求中国军事更加透明的一些国家作出回应。”

另据英国路透社报道，美国国防部长盖茨11日表示，中方已向其证实隐形战斗机歼-20进行了首飞。

报道称，盖茨说，中国领导人对他表示，首次试飞隐形战斗机是早已计划好的事情，与他访华在时间上产生巧合。

据新华社报道，中国国防部外事办公室副主任关友飞11日晚在回答有关歼-20战斗机试飞问题时也表示，中国发展武器装备不针对任何国家和特定目标。从时间上看，没有任何针对性，是正常的工作安排。

关友飞说，中国根据国防和军队建设总体规划，发展了一些武器装备，这是维护国家主权、安全和领土完整的需要，也是顺应世界新军事变革、新型武器装备不断出现的需要，不针对任何国家和任何特定目标。应该正确评价和看待中国的军力发展。

关友飞还说，关于试飞活动也是这一原则，不针对任何国家，也不针对美国国防部长盖茨访华，是一次正常的工作安排。

关友飞强调，中国始终不渝走和平发展道路，坚定不移地奉行防御性国防政策，中国永远不称霸，不搞军事扩张和军备竞赛，不会对任何国家构成军事威胁。

网友、外国媒体热议中国隐形战机

歼-20的横空出世，引发了网友和外国媒体对中国隐形战机的热议。

澳大利亚防务专家卡罗·库珀9日在《空中力量》杂志发表文章，详细介绍了中国歼-20隐形战机的性能及其可能带来的战略性影响。文章称，歼-20战机的设计特点使其可以安装不同的电子设备和武器组件，能执行六大战略性任务。

机身采用优秀隐形外形设计

库珀的文章称，无论歼-20战机是概念验证机，还是量产战机原型机，它都证明了中国工程师掌握了先进的隐形设计技术。该机设计采用了美国此前应用在F-22

网友拍摄的歼-20战机试飞照片。（图片来源：互联网）

"猛禽"战机上的外形设计，而且还具有一些F-35联合攻击机的外形特点。

通过巧妙借鉴同时代美制隐形战机的外形设计，成都飞机公司的工程师就能够以最低的风险和代价，开发出优秀的基本机身外形设计。而且，从长远来看，随着中国雷达吸收材料或涂层、选频雷达天线罩、低信号天线和发动机喷嘴技术的日益成熟，中国的隐形设计还有进一步提高的潜力。这就意味着，在2025年生产的歼-20战机派生机型，与2015年同款机型的机身相比，隐身性能更强。

就体积而言，歼-20战机与美国的FB-22A型战区轰炸机建议规格相似，后者为专用轰炸机，机构具备情报/监视/侦察能力，设计用于在超过1 000海里的作战半径内，以超音速打击目标。把歼-20战机设计称为中国版F-22A战机是毫无意义的，很明显，歼-20战机设计用于空战，三角翼鸭式的布局设计可提供足够的超音速飞行和超音速巡航能力，而且如果配备足够推力的发动机，还可提供近音速机动性能。

目前亚洲尚无可成功阻止成熟远程超巡航隐形战机——如F-22A猛禽或出口型T-50或歼-20战机的防空系统，美国海军航母战斗群也不具备这种能力。

拥有卫星/惯性制导炸弹这样强力的负载后，多用途或攻击派生型的歼-20将具备跨过第二岛链的强大能力。

可执行六大战略性任务

歼-20 战机可执行一系列六大战略性任务：

1. 远程 / 持续拦截任务：就这个任务而言，歼-20 战机会负责封锁进入第二岛链的空中路径，攻击来袭攻击机及其护航战机；

2. 远程空战和护航任务：歼-20 战机会通过破坏防御战机、巡逻机、预警机等，在敌军空中防御中打开缺口，并为空中加油作业提供支持；

3. 战区攻击任务：歼-20 战机会像美军的 F/FB-111、F-15E 和未来 FB-22 一样，利用制导常规弹药或自由落体核弹，攻击水面目标；战机体积使之足可携带重达 3 000 磅的弹药；

4. 远程战区监视任务：歼-20 战机会像 RF-111C/D、RA-5C 和 F-14/TARPS 战机一样，收集雷达、图像和电子情报，但歼-20 战机具备战区侦察机所不具备的隐身性能；

5. 电子攻击任务：歼-20 战机会用来反制敌军雷达和通讯，利用机上的武器仓携带干扰设备，像 EF-111ARaven（乌鸦）一样；

6. 反卫星武器发射平台：歼-20 战机会被用于运载并发射反卫星导弹，与上世纪 80 年代美国空军利用 F-15 战机发射由路特公司研制的 ASM-135A 相同。

网友欢呼祖国万岁

在 2009 年底，中国空军副司令何为荣在央视节目中透露了中国的第四代战斗机将很快首飞。这一消息引起了外界广泛的质疑，即便是最乐观的中国军事爱好者都难以相信，国产重型隐形战斗机会来得如此之快。

而歼-20 的横空出世，让中国军事爱好者为之欢呼雀跃，甚至有大批军迷千里迢迢赶赴成都“助威”。还有更多的军迷在网上为歼-20 的诞生作直播、欢呼。

风瘦马照斜阳：请记住这一历史时刻 2011 年 1 月 11 日 12 点 50 分 16 秒，偶四代隐身战机首飞啊！

真诚的海洋：期待已久的四代首飞成功，面对这一喜讯，年逾40岁的我眼眶湿润、喜悦溢满胸怀。今天回到家时间太晚了，上网才知道，有心找几个朋友畅饮一番，又怕打扰朋友家人休息。独自看视频、照片，开几瓶啤酒，自斟自饮，慢慢品味，其乐也是无穷。遥祝为四代作出贡献的英雄们身体健康！愿我50岁时，我们的五代战机雄霸空天！

DTH109：歼-20上天了，兄弟们想哭就哭出来吧！来不及发图了，发图也没什么意义了。祖国万岁！！

耍哥1977：歼-20试飞，中国进步了。为空军骄傲！

庄生秋水：自豪的同时也要保持清醒的头脑，认清差距才好追赶。没有人否认歼-20的重要意义，但是成绩的取得并不意味着完全消弭差距了啊！就像爬山一样，自己上了一个山头，但是并没有到达最高峰，还得继续攀登。

歼-20试飞员：王牌中的王牌

歼-20首飞试飞员李刚："感觉太好了，不过瘾！"

驾驶歼-20进行首次试飞的试飞员是李刚。成功着地后，他说："感觉太好了，不过瘾！" 李刚说得很轻松，但实际上，每一次试飞都是"刀锋上的舞蹈"。

试飞员黄炳新曾透露，他驾驶我国首架国产FBC-1战机执行首飞任务前，在办公室抽屉里留下了一封遗书。这不是杞人忧天。1994年，我国一架飞机就曾在1.96万米高空试飞时发生空中解体，最终机毁人亡。

由于培养战机试飞员是一项极端机密和特殊的工作，截至目前，我国的试飞员仍然是一个比较小的群体。1989年之前，我国战机试飞员主要从空军现役飞行员中进行挑选，然后在试飞团靠以老带新的方式进行培养。上世纪90年代初，张景亭、李中华和徐勇凌三人被选中，前往俄罗斯国家试飞学院进行深造，该学院是全球最先进的试飞学院之一。最终，他们成为中国仅有的三名获得国际试飞员证书的顶尖人才。2006年，我国空军遴选出了一批试飞员，当时是通过部队推荐的方式，全军近300名现役飞行员参加选拔，最后只有八人成为正式的试飞员。

歼-10 首席试飞员雷强："飞机是飞出来的。"

歼-20 的试飞只是开始。

从试验样机到装备部队，一款战机的成熟定型往往需要十余年甚至更长的时间。其间，研发团队会做什么？试飞员能回答这个问题。他们说："战机是飞出来的！" 而他们也正是让这些战机"飞出来"的人。

战机飞行员本来就是一个充满危险和挑战的职业，因而被誉为空军的"王牌"。而战机试飞员则是"王牌中的王牌"，他们驾驭的都是普通飞行员从未驾驶过的最先进、最前沿机型。

提起试飞员和飞行员的区别，歼-10 首席试飞员雷强曾说："当我在部队还是一名飞行员的时候，我并不了解飞机的具体结构。我默认飞机是完好的，一旦在空中遇到特殊情况，只需要按照手册的规定进行处理，如果无法处理，只需要弹射跳伞逃生就行。但是，手册上的规定是试飞员用血的教训换来的。作为一个试飞员，我就需要了解我的飞机在什么位置配备了什么东西，配备的这些东西会有什么影响。如果不清楚，出现了问题你甚至不知道怎么和地勤人员讲清楚。试飞员要帮助地面的工程师判断飞机的故障。"

1998 年 3 月，我国首席试飞员雷强成功地完成了第三代战机歼-10 的首飞。从首次驾驶歼-10 起落，到空军部队批量装备，他驾驶歼-10 飞了 1 000 多架次，以"零坠毁"的成绩创造了全球第三代战机试飞史上的一个奇迹。相比之下，美国、俄罗斯、法国等国的第三代战机，在试飞阶段都曾发生多次坠机事故。就连 F-22 的试飞阶段，也有两名美国试飞员丧生。

揭秘歼-20 研发者：他们让"黑丝带"一飞冲天

中国先进战机之父宋文骢：因为要保密，家人以为他做牙医

歼-20 试飞成功后，欧美媒体纷纷问："中国是如何做到这一点的？" 要探寻答

案，首先得走近一个神秘的战机研制团队。

为了让歼-20飞起来，中国人在十年前就开始勾勒第四代战机的图景。2001年8月，中国工程院主办的《中国工程科学》杂志，发表了成都飞机设计研究所四位科研人员共同撰写的文章《一种小展弦比高升力飞机的气动布局研究》。文章描述了当时科研人员在经过大量实验后对中国新一代战机的设想，并提出了一种"未来战斗机"的设计方案。该文的第一作者就是被称为"中国先进战斗机之父"的宋文骢。作为歼-10（第三代战机）的总设计师，这位老人的坚持与努力最终帮助后辈们成功研制出了歼-20。

2009年10月1日，新中国成立60周年。当歼-10呼啸着飞过天安门广场的上空时，宋文骢潸然泪下。他已经从事了几十年的飞机研制工作，但由于保密等原因，父母和兄弟都不知道他到底是做什么工作的。有一年，弟弟宋文鸿去探望他，无意间看见书柜里有几本医学类书籍，回去后便对家人说："哥哥现在可能已改行当牙医了！"我国对歼-10进行适度解密后，一些报纸和杂志开始在公开报道中将宋文骢称为"歼-10之父"。家人这时才恍然大悟：原来，他几十年来一直在默默地为国家研制战斗机！

谈到宋文骢，同事们都说："宋总什么都好，就是有时候有点倔……"不过，歼-10得以定型，多亏了这位严谨的"倔老头"。

在一次试飞测试中，歼-10首次完成了超音速飞行。承担试飞任务的同事们都很高兴，唯有宋文骢眉头紧锁。回到办公室后，他立即主持召开专题会议，结果发现，这次试飞得到的数据与飞机模型在风洞里接受测试时得到的数据相比存在差异。有人认为："数据虽有差异，但并不存在安全隐患。"但宋文骢说，绝不能留下任何遗憾，因此一定要进行改进。此后半年多的时间里，他与有关部门进行了十几轮研究和协调，最终与所有研制单位统一了认识。就这样，在宋文骢的呵护下，歼-10最终"长大成人"，开始守卫祖国的蓝天。

总设计师杨伟：外表儒雅的"拼命三郎"

有了歼-10，研制更先进的战机就具备了扎实的基础。宋文骢把接力棒传给了一位年轻人——歼-20的总设计师杨伟。

与歼–20锐利霸气的外观不同，今年47岁的杨伟看起来更像一位儒雅的学者。不过，他骨子里却是一位“拼命三郎”。

数字式电传飞行控制系统，是一架战机由传统战机转变为数字操控战机的关键。杨伟正是我国新一代歼击机电传飞行控制系统的组织者和开拓者。

1998年，杨伟受命出任成都飞机设计研究所副所长、副总设计师，兼任飞行控制系统总设计师。从此，他身上的担子就更重了，不仅要担任我国新一代外贸型FC–1战机的总设计师，还要负责歼–10战机双座型的研发工作。如今，FC–1战机早已交付巴基斯坦军队，双座型歼–10也已翱翔在保卫祖国领空的第一线。

歼–20试飞成功后，当人们再次看到杨伟时，发现他与几年前相比显得有些疲惫和憔悴，但更加稳重和自信了。

国产发动机研制者甘晓华：治好我国战机的“心脏病”

在歼–20的研发团队中，发动机研究人员也是必须要提的。航空发动机被视为飞机的“心脏”。在歼–20亮相前，外界最大的疑问就是它会采用什么样的发动机。由于我国此前没有合格的发动机，歼–10被迫使用俄制AL–31FN。

据分析，此次试飞的歼–20安装的却是一种从未曝光的新型国产发动机。在现场拍摄视频的网友发现，“歼–20不到200米助跑就飞起来了”，足见其发动机的功能之强大。那么，是谁研制出了如此厉害的发动机？

据透露，它的研制者名叫甘晓华。这位航空动力专家，目前是空军装备研究院的总工程师。靠着研发歼–20航空发动机，今年54岁的他获得了中央军委授予的一等功表彰。

在此之前，为了“治疗”我国战机的“心脏病”，甘晓华和同事们已奋斗了无数个日夜。对于其中的苦与乐，他曾这样说：“不少从事航空发动机研究的同行说，研发航空发动机不仅时间长，而且很难获得成果，一辈子可能都搞不出一个型号来。不少同行还说，以后打死我也不让我的孩子学发动机。我感到他们的话是发自内心的，是源自对国家的责任心和对发动机的真情，为不能把这样的关键技术搞上去感到痛心疾首。”

中国战机，50年的艰苦征程

歼-20的试飞成功，标志着我国成为继美、俄之后，第三个掌握最新战机技术的国家。这背后，除了工程师和试飞员们的付出，我国政府数十年的潜心规划和部署才是最根本的动力。

1951年12月，周恩来总理亲自主持会议，决定在三到五年的时间内仿制苏制雅克-18初级教练机和米格-15战机。此后，根据周总理的指示，国家航空工业局宣告成立。1956年8月2日，航空工业局局长王西萍下达命令，分别在沈阳飞机厂和沈阳发动机厂建立飞机设计室和发动机设计室。当时，为了组建这两个设计室，航空工业局从全国抽调了近200位航空科技人才。

1956年7月19日，一架机身前部印有鲜红“中0101”字样的银白色歼击机在东北某机场腾空而起，这就是新中国制造的第一架喷气式战斗机——歼-5。1964年，我国首批歼-6战机交付空军使用，该机系前苏联米格-19战斗机的国产型号，是中国第一种国产超音速战机。

与研制第一代战机的过程相比，我国研发第二代战机的步伐艰难了许多。歼-7战机的原型为前苏联1961年转让给我国的米格-21F-13。在试制这种战机的过程中，受历史原因的干扰，研发团队遇到了极大的困难。但航空科技人员通过不懈的努力，终于成功仿制出了歼-7战机。1966年1月17日，歼-7进行首次飞行，并于当年投入生产。此后，在该机的基础上，我国又发展出了一系列新型战机。可以说，通过研制歼-7，我国在战机制造方面走完了“引进—消化—吸收—自主开发”的全过程，积累了一笔宝贵的财富。

此后，我国的战机研制水平开始落后于欧美发达国家。1969年7月5日，我国高空高速战斗机歼-8首飞成功。但是，十年动乱的严重干扰迟滞了该机的研制工作。直到“文革”结束三年后，歼-8才实现设计定型。但这时，它与航空强国的战机相比，已经落后了很多。

改革开放后，我国开始奋起直追，从1986年起开始正式研制歼-10战机。1998年3月，该机实现首飞，它起初装备的是俄制AL-31FN涡轮风扇发动机，未来将采用国产 WS-10 太行发动机。此外，这款战机还采用了我国自主研发的飞行控制系统。大量的新设计、新技术、新工艺，使歼-10 成了我国现役最先进的主力战机。即便在全球范围内，它也称得上是顶尖的第三代战机。

就这样，经过数十年的艰难探索，在一代又一代研究团队的无私奉献中，研制歼-20 成了水到渠成的事。

（选自 2011 年 1 月 12 日、1 月 31 日《钱江晚报》）

中国购买“瓦良格”号航母始末

2011年7月27日，中国国防部首次证实，目前正在改造一艘废旧航空母舰平台，用于科研试验和训练，它就是苏联海军的库兹涅佐夫元帅级航空母舰“瓦良格”号。虽然“瓦良格”号于2011年8月10日进行了首次出海航行试验，但中国购买它的过程并非一帆风顺。

前途未卜的“瓦良格”号航母

20世纪80年代，苏美两国仍处于冷战状态。1982年5月7日，苏联共产党中央委员会和部长会议经过反复酝酿和讨论，做出了建造三艘航空母舰“库兹涅佐夫”号、“里加”号（后改名“瓦良格”号）和“乌里扬诺夫斯克”号的决定。

按照设计，苏联准备建造的“库兹涅佐夫”号和“瓦良格”号两艘同级航空母舰，满载排水量为6.7万吨，全长306米，比美国“尼米兹”号航空母舰仅短22米。舰艏飞行甲板高度距离水面有七层楼高，舰艉飞行甲板宽度为73米。航母最多可容纳约60架战机，飞行甲板前部有12具SS–N–19反舰导弹发射器。其主要使命是确保苏联弹道导弹核潜艇的安全和战斗效能的发挥，消灭敌方海上和基地的海军兵力。当时，苏联动用了800多个行业的专家和大约7 000家工厂，建成了第一艘“库兹涅佐夫”号航母，成功实现了拥有航母的梦想。1985年12月4日，第二艘航母“瓦良格”号在乌克兰尼古拉耶夫造船厂的船台上开始正式铺设龙骨，1988年船体建造成功，并于当年11月25日下水。这艘航母最初叫“里加”号，于1990年7月改名为“瓦良格”号，目的是为了纪念在1904～1905年日俄战争中沉没的“瓦良格”号巡洋舰。“瓦良格”在俄语中指维京人，即“北欧海盗”。

1991年,“瓦良格”号航母经过六年的紧张建设已基本建造完毕。可就在这一年，苏联政权一夜之间解体，分裂为大小不同的15个国家，建造“瓦良格”号航母的工作也完全停止。苏联解体后，其庞大的国防工业由15个国家瓜分。由于“瓦良格”号航母是由苏联乌克兰联盟共和国的尼古拉耶夫黑海造船厂承建，分家时按就近分配原则，该航母被乌克兰共和国获得。由于乌克兰经济不景气，无力继续建造航母，“瓦良格”号便成了一艘孤零零的弃舰。

购买航母

苏联解体后，俄罗斯以及当时的独联体各国经济都十分萧条，工厂、企业大量倒闭，国民生活水平迅速下降。乌克兰无力完成“瓦良格”号航母，寄希望于俄罗斯提供资金继续建造。可俄罗斯经济正全面下滑，按当时的国际形势也不再需要“瓦良格”号航母，放款给乌克兰一事无从谈起。两国进行了一番争执和互相推诿后，乌克兰无奈之下放出了出售“瓦良格”号的消息。一时间，世界上很多国家都把目光投向了这艘航母。

乌克兰一开始只要价4亿美元，随着一些国家流露出强烈的购买意向，乌克兰也狮子大张口，售价竟涨到了20亿美元。由于要价太高，加上西方国家暗中阻挠，乌克兰最终没能卖掉这艘航母。

“瓦良格”号航母成了一个没娘的孩子，孤独地泊在尼古拉耶夫造船厂的船台上，任凭风吹日晒，导致整个船体锈迹斑斑，仿佛成了一堆废铜烂铁。乌克兰原先动辄数亿美元的要价也一下子没了下文。

转眼过了五六年，出售航母的事儿又开始有了转机。韩国在1995年向俄罗斯太平洋舰队购买了一艘报废的航空母舰——“明斯克”号。这艘航母也是由尼古拉耶夫船厂建造的，韩国还未拆毁这艘航母时，中国一家公司相中了它，于1998年8月买进，经过改装，落户在深圳市的沙头角，用于参观娱乐，成为一座浮动的军事主题公园。

“明斯克”号航母成功购进的消息传出后，澳门一家名叫“创律旅游娱乐公司”的老板盯上了“瓦良格”号。乌克兰当时正处于独立后的经济萧条时期，政治动

拍摄于大连的中国航母平台。（图片来源：新华社）

荡，失业加剧，国家财政捉襟见肘，乌克兰政府最后忍痛作出决定，按废船价格处理“瓦良格”号。创律公司对外声称是把“瓦良格”号买回来，改造成一个大型海上综合旅游设施，包括舞厅、旅馆和博彩设备等，停泊在澳门附近的海域。

创律公司的老板是澳门商人徐增平，徐原本是广州军区文体部的主力球员，退伍后到广州经商，1988 年到香港发展，1991 年创办创律集团。徐增平得知乌克兰要出售航母的消息后，急忙组织一支精干的队伍办理好护照，准备齐手续，然后坐客机直飞乌克兰。

徐增平一行人到达乌克兰首都基辅机场后，转乘中国大使馆派来的车，沿着基辅老旧的街道颠簸前行，到达宾馆安顿下来。

第二天上午，徐增平率领购船小组成员直奔乌克兰商务部的接见厅，和负责此事的乌方代表阿斯纳耶夫展开谈判。由于事先双方已有共识，谈判进行得很顺利，"瓦良格"号初步定价在1 800万美元。价钱谈妥后，乌方强调他们不负责该航母出港后的任何事情。

徐增平点头同意，但提出："我们购买这艘航母是要将其改造成一艘赌船，为了将来施工方便，我们需要同时购买航母的原设计图纸！"

阿斯纳耶夫听后，与乌方的几位代表低声商量了一会儿，然后坚决地说："那就得再加200万，总价2 000万美元，否则一切免谈。"

徐增平不愧为久经商战的老将，他与参加谈判的几位代表商量了一会儿，最后很不情愿地说："总价2 000万我们认了，但有一条，图纸不能少一张，否则我们一切免谈，马上退出谈判。另外，从现在开始，请你们派兵保证航母的安全。未经我们允许，任何无关人员都不得再登上该船！"

中乌双方关于购买"瓦良格"号航母的会谈结束了，阿斯纳耶夫高兴地开了一瓶红酒，举杯对徐增平说："中国人很实在，我们愿意与你们做成这笔生意。但今天的决定要上报到国防部去审批，可能需要七天才能有结果，希望你们耐心等待！"

好事多磨

七天时间很快就过去了，乌克兰方面的答复却迟迟未到。徐增平怕夜长梦多，亲自到乌克兰商务部去催问，阿斯纳耶夫悄悄地告诉他说："本来我们觉得没什么问题，谁知有些西方大国探听到了消息，多次通过有关渠道表示反对我国航母外销，现在我国几个重要部门的头头正在闭门协商对策呢！"

直到第十天下午，徐增平才接到阿斯纳耶夫的正式通知："瓦良格"号航母将于三天后通过拍卖会正式拍卖，请中国朋友提前作好准备。

徐增平一边克制住心中的怒气，一边质问阿斯纳耶夫：“双方定好的协议为何轻易变卦？”

阿斯纳耶夫为难地告诉徐增平，世界上有七八个国家和地区对乌克兰提出了外交照会，他们都质疑创律公司采购航母的用途。乌克兰方面经过权衡利弊，才作出了公开拍卖航母的决定。

三天后，世界著名艺术品拍卖行之一的基辅市佳士得拍卖行公开拍卖“瓦良格”号航母。根据乌方的拍卖要求，创律公司提供的买方资质证明、国际信用证明、用途规划、项目论证报告最为完备，也最符合乌方的要求。其他公司因为准备时间仓促，在购船手续方面先输给了创律公司。

买方证明展示完毕后，公开竞标开始了。美、澳、日、韩等国的代表你追我赶，一直把价格叫到 1 800 万美元，便不肯再往上加钱了。他们都是计划将“瓦良格”号航母买回去拆废钢铁，如果超过了 1 500 万美元就亏本了。

这时，徐增平从容不迫地举牌叫道：“2 000 万美元！”主拍人连喊三声无人应价，拍锤落下，拍卖成交。经过徐增平的努力，“瓦良格”号航母终于被创律公司成功购买。

当天下午，创律公司购船小组成员在阿斯纳耶夫的带领下，乘车直奔尼古拉耶夫船厂。

宽阔的船台上，“瓦良格”号航母高高地矗立在港口的闲置码头上，船体呈铁黄色。从下面仰望巨大的航母船体，耸立如崖，巍峨似山。

尼古拉耶夫船厂的厂长马卡罗夫早已等候在航母前，他和徐增平互致问候后，便领着一行人沿着悬梯登上了“瓦良格”号航母。航母的船体内部空空如也，锈迹斑斑，轮机舱中的动力主机早已被拆去装在其他船上卖掉。“瓦良格”号就好像被吸光了汁水的椰子，基本上只剩下一具空壳了。

徐增平参观完航空母舰的内部，又带领人登上巨大的飞行甲板。甲板的表面虽已生满铁锈，但锈蚀程度并没有外界传说的那么严重。“瓦良格”号的飞行甲板总面积近两万平方米，相当于三个足球场那么大，甲板上密布着为了加大起飞摩擦力而设定的防滑槽。“瓦良格”号航母最显著的特征是前甲板上翘 14 度，好像是一顶帽子的帽檐高高扬起，庄严中透着威武。看罢这个巨大的飞行平台，任何人都会涌起一股震撼感。

购买“瓦良格”号的事情敲定后，接下来是转运“瓦良格”号的设计图纸。马卡罗夫厂长告诉徐增平，“瓦良格”号航母的全部设计图纸加起来有近20吨，全都封存在船厂技术大楼内的两个大资料库里。设计图纸被乌克兰视为国宝，技术大楼前有全副武装的警卫部队负责看守戒备。

徐增平害怕情况有变，立刻联系了中国驻乌克兰大使馆，由大使馆帮他联系了一架当天晚上10点由基辅飞往中国的货机。徐增平向马卡罗夫厂长出示了乌克兰方面放行“瓦良格”号航母图纸的批文。马卡罗夫厂长见手续齐全，立刻安排搬运人员从技术大楼内搬出图纸，装到徐增平雇来的卡车上，一共装了八辆大卡车。

装载完毕，马卡罗夫厂长拉住徐增平的手，哽咽着说：“徐先生，这批图纸和航母到了贵国，请您一定要善待它们！”

徐增平郑重地答应了。

一路艰险

1999年7月，澳门创律旅游娱乐公司雇用ITC（International Transport Contractors）公司的Sable Cape号拖船，拖曳着“瓦良格”号航母驶离了尼古拉耶夫船厂，开始了它漫长的航程。

令人意想不到的是，当该船拖着“瓦良格”号驶抵土耳其北部黑海水域，正准备通过博斯普鲁斯海峡时，土耳其政府横加阻拦，以“船体过大，影响博斯普鲁斯海峡的其他船只正常航行”为由拒绝“瓦良格”号通过，并强行命令“瓦良格”号退回黑海。同年8月，“瓦良格”号又试图通过海峡，再次遭到土政府的拦阻，“瓦良格”号被阻在黑海中漂荡了很长时间，只好返回原海港。西方媒体借机纷纷大肆炒作“中国威胁论”。中国方面与土耳其由此展开了长达一年半之久的艰难谈判。

“瓦良格”号受困黑海期间，土国政府的意见很不统一。该国总理府和外交部都倾向于放行，但主管海洋事务的国务部长米尔扎欧鲁却坚决反对。他反对的理由很可笑——“瓦良格”号航母没有动力，如果它通过博斯普鲁斯海峡时搁浅或者沉没，航道必将被完全阻死。负责拖船的ITC公司和创律公司负责人都出面保证不会出现这种情况，并据理力争，可米尔扎欧鲁却断然拒绝道：“要么你们让这艘航母自身拥有动力，要么你们把它拆成碎块运走，否则别想通过海峡！”1999年12月19日，美国也由幕后转到前台，美驻土耳其大使皮尔森会见米尔扎欧鲁，表达了美国政府对“瓦良格”号的关切。此后不久，还专门邀请米尔扎欧鲁访问美国。

为了使“瓦良格”号航母顺利通过海峡，中国有关方面与土耳其政府进行了频繁的外交接触。中国承诺将完全负担“瓦良格”号通过海峡的安全保险，如果该航母在经过海峡时发生意外，造成的损失中国方面将全额赔偿。中国方面还承诺派遣几艘大马力的拖船过来协助拖行“瓦良格”号，以保证其安全通过海峡。

2001年8月25日，土耳其国家安全委员会作出决议，同意让“瓦良格”号通过其海峡，但提出了一系列严苛的条件。其中包括，中国方面必须先向国际认可的保险公司缴纳10亿美元的“风险保证金”，给“瓦良格”号输出动力的拖船数量必须增加一倍，而且必须是高马力拖船……

2001年9月，中国有关方面先对土耳其政府作出了全面的安全承诺，随后由交通部官员和航运专家组成的代表团来到土耳其，经过一系列紧锣密鼓的准备，世界上最大马力的几艘希腊籍拖船也已到位。中国负责拖船的代表团为了谨慎起见，还在“瓦良格”号上装设了小型雷达和全球卫星定位系统。

就在“瓦良格”号航母起航通过土耳其海峡时，天公不作美，狂风突起，恶浪滔滔，“瓦良格”号船身晃动严重，致使为该航母施加动力的拖船缆绳断裂了几根。但在11艘拖船的共同努力下，“瓦良格”号总算有惊无险地通过了土耳其海峡的第一关——博斯普鲁斯海峡。之后，“瓦良格”号在拖船的牵引下，以四节的航速缓缓前进，终于在11月2日下午进入爱琴海。但随即又在该海域遭遇到前所未有的大风暴，十多根拖缆相继被刮断，这个庞然大物像一匹脱缰的野马在海上失去了控制，横冲直撞。“瓦良格”号脱离拖船后漂向埃维亚岛，不过，希腊海运部表示，这艘航母并无沉没或搁浅的危险。一架希腊救援直升机在航母甲板上着陆，把船上的七名船员送到雅典以西的一个军用机场救治。直到11月7日，三艘拖船和一艘希腊船只用拖缆固定好“瓦良格”号，才将其重新控制住。

“瓦良格”号航母从风暴中脱险后，经地中海，穿过直布罗陀海峡出大西洋（苏伊士运河不允许其通过），接着经加那利群岛的拉斯帕尔马斯，绕过非洲好望角进入印度洋，再经莫桑比克的马普托、马六甲海峡、新加坡外海，2月12日进入南中国海，直到 2002 年 2 月 20 日才进入中国领海。

这艘排水量 5.5 万吨的航母被拖到澳门外海时，创律公司提出，澳门水浅停不下该航母，就径直将航母拖向大连港去了。

改造航母

2002 年 3 月 3 日，历尽艰险的“瓦良格”号航母终于抵达大连港，结束了航程 15 200 海里、耗时两年零八个月的艰难远航。与此同时，“澳门创律旅游娱乐公司”的博彩许可证被吊销了。种种迹象表明，购买“瓦良格”号航母是我国的一个周密计划。

“瓦良格”号航母稳稳地停在船台上后，国内专家对其进行了仔细检查，发现这艘航母甲板钢的屈服度和耐腐蚀度都是世界上最好的，即使美日两国最先进的航母也难望其项背。更为神奇的是，“瓦良格”号航母使用的是俄罗斯生产的军舰特殊钢，不仅坚固，还是绝磁的，“瓦良格”号从建造到运回中国历经了 17 年，但检测它的磁力依然为零。

正是有了这样一副好身板，我国有关方面才把这艘航母当成宝贝，爱不释手。

接下来，中国有关方面花了整整三年的时间，全力以赴地翻译“瓦良格”号重达 20 吨的俄文图纸。

2005 年 4 月 26 日，“瓦良格”号在多艘拖轮的推动下缓缓地离开了原来的泊位，进入大连船舶重工在香炉礁新建的 30 万吨级船坞，开始进行改造工作。

经过近六年的改建工作，“瓦良格”号航母先后安装了一系列高精尖武器：舰岛前后及两侧安装了相控阵雷达（中华神盾）、舰岛一前一后安装了两座 364 雷达，后部安装了两部 347G 型火控雷达，舰岛侧面安装了多套电子战系统天线。飞行甲板上出现了新式的起倒式护栏。左舷中部和尾部的近防武器平台安装了 726-4 型舰载干扰弹火箭发射炮，并在左舷前部和尾部的近防武器平台上安装了国产海红旗 -10 舰艇自卫防御导弹武器系统。舰岛涂上了新漆，焕然一新。

“瓦良格”号内部系统的复原工作耗时约四年，工程之浩大堪比重新制造一艘航母。其间，关于“瓦良格”号航母真假难辨的消息此起彼伏，该航母几乎吸引了全世界的眼球。

“瓦良格”号航母的竞标价为 2 000 万美元，加上运费和其他费用，实际成本约 1 亿美元，可以说是十分便宜了。

不管经过改造后的“瓦良格”号航母将来是作为一艘训练航母，还是以一艘攻击性战斗航母出现，不管它部署在什么地区，它都是我国从无到有的第一艘航母，是中国人民的骄傲。

（选自 2011 年第 7 期《龙门阵》，作者：翡翠）

“本山娱乐帝国”传奇

他的电视剧“土得掉渣”“乡气十足”，却吸引了中国1.5亿的观众，创造了收视超过央视《新闻联播》的奇迹；他在电影中的角色演得像模像样，因《男妇女主任》一角捧得电影百花奖；他21年登上央视春晚舞台，小品连续13次称雄；他的“刘老根大舞台”从东北挺进北京，南下深圳，进军全国！

在娱乐圈，“本山娱乐帝国”与“华谊兄弟”并驾齐驱，呼风唤雨。

2010年2月2日晚6时，沈阳，户外温度近零下20度。

沈阳中街“刘老根大舞台”，晚7点，演出准点开始前五分钟，拥有600多个座位的剧场已经爆满。而观看一场演出的普通票价就达两三百元。

这样已经持续的火爆情形，还是在赵本山并未现身剧场的情况下出现的。他此时正在北京的春晚驻地“影视之家”，参加2010年春晚小品《捐助》的冲刺排练。

过去一年，对于赵本山来说，是有惊无险又是惊险一跃的一年。9月底，赵本山在上海突发脑出血入院治疗半个月后方才康复，一度让其正在扩张的事业“本山娱乐帝国”虚惊一场。

四个月前的2009年5月，“刘老根大舞台”顺利进军北京，完成了“刘老根大舞台”运营策略上“三步走”计划中的第二步。

此后花费2亿元购买了个人专用客机，在海南购置800亩土地等诸多扩张信息依次被披露。仅后者就涉及高达13亿的投资金额。

还在五年前，《福布斯》中文版就估算赵本山的年收入为1 300万元。据说赵本山听后笑了笑：“我就能挣这点钱吗？”含糊的笑答，不管“这点钱”，还是“不差钱”，近些年，赵本山在多年前卷入足球变身赵董之后，已经开始娱乐资本和产业资本的交织跨越。

再有不足十天，赵本山将第20次站到中央电视台春节联欢晚会的舞台。同样的舞台，不同的是，本山大叔已经从一名朴实的小品演员转型为一个花费十几亿元购地的传媒大亨。

鲜为人知的是赵本山背后，火红的农业文明产品背后的一整套商业演进路径。

在借助资本的过程中，本山娱乐帝国后面有着精细的业务分工和成熟的商业模式，这些使赵本山庞大的文化娱乐产业帝国成为一座高速成长的赚钱机器。

其实本山传媒的产业链远在春晚之外。“我们拍电视剧、拍电影，包括演员上春晚，都是一种提高演员知名度的方式。”2月2日，本山传媒总裁刘双平在接受本报记者专访时透露指出，相关演员在知名度提升之后，又可以为舞台演出带来人气和收入。

截至目前，本山传媒旗下拥有四家下属单位，分别是辽宁民间艺术团、本山影视、瑞东文化发展有限公司、辽宁大学本山艺术学院。与之相对应的是本山传媒的四大业务板块——演出业、影视制作业、电视栏目业、艺术教育业。

消息显示，本山传媒集团在东三省和北京、天津的八家刘老根剧场的商业演出，几乎场场爆满，预计2009年总票房能达到1.5亿元。以沈阳中街“刘老根大舞台”为例，观看一场演出的普通票价就达两三百元。

刘双平称，在本山传媒的四大业务板块中，演出业是核心主业，在所有产业的营收贡献中占比80%。2008年的销售收入超过了1亿元，而今年的增幅将超过50%以上。

演出业的主要平台是“刘老根大舞台”。随着2009年5月，“刘老根大舞台”落户北京，目前本山传媒在北方已经拥有了八家门店。

“刘老根大舞台”落户北京，只是“刘老根大舞台”扩张战略的第二步。按照本山传媒的规划，“刘老根大舞台”的发展将分三步走：第一步，在东北以及北方地区密集布点；第二步，进军北京市场；第三步，进军南方市场，并拓展全国市场。

然而，作为地域特色鲜明的文化产品，一度被认为作为“农业文明”的娱乐产品，其核心业务刘老根大舞台在跨区域拓展时，或遇到商业迁徙路径障碍？

刘双平承认这一点，他指出：“南北文化是有差异的，我们之前必须作深入调研，

2011年5月2日，赵本山（右三）、“小沈阳”（右二）等在“刘老根大舞台”北京剧场开张仪式上亮相。（图片来源：新华社）

我们开剧场的时候也会很慎重。”

事实上，本山传媒对于在南方市场的落子点选择慎之又慎，最后选中的城市是深圳。刘双平透露，本山传媒将在深圳开设第一家位于我国南方的“刘老根大舞台”。

“我在东莞歌舞团当过团长，对南方市场比较熟悉。”刘双平说，本山传媒作过深入调查，发现深圳85%人口属于流动人口，而且经济基础又好，有大批符合二人转演出消费的受众群，市场前景看好。

在本山娱乐帝国的前传中，是曲折的娱乐资本的演进路线图样本。

2010年1月21日，本山传媒副董事长肇恒玉向媒体透露，本山传媒已经在海南购买了800亩地用于建设基地酒店，涉及的投资金额据称达13亿元。

仅仅在2009年12月底，赵本山就花费了两亿元购买个人专用客机。

动辄上亿的豪气出手，将这位在舞台上一向以朴实农民形象出现的“小品王”推到了风口浪尖，其背后的投资路线图也逐渐浮出水面。

赵本山早在上世纪90年代即已投身娱乐产业开发。1993年，赵本山在沈阳成立本山艺术开发总公司，当时公司的主要经营项目就是煤炭经营和运输项目。来自煤炭生意的第一桶金，让赵本山完成了娱乐资本的原始积累。

真正以资本形象而不是娱乐明星身份出现在财经话语体系中的事件是，2005年6月，赵本山宣布进军体育产业，入主辽宁中誉俱乐部。为了拯救当时陷入困境的辽足，双方推出了九大合作方案，包括成立全国第一所足球大学，联合收购某台电视频道，开办体育文艺专业频道等。

但六个月后，对董事长一职将承担何种法律责任都模糊的赵本山，最终在这场形式大于内容的“联姻”中宣告破裂。

对于前述两项投资，刘双平在接受本报记者采访时透露，煤炭经营早已是陈年旧事。所谓进军足球，赵本山并未真正投资。

与前两次投资相比，伴随着文化产业投资的屡试不爽，赵本山的投资开始摒弃原始的冲动而逐渐趋于理性，回归娱乐资本体系。

2009年6月，赵本山飞往美国接受长江商学院CEO的课程培训，他当时宣布，本山传媒将进军彩铃业。2009年12月，本山传媒与台湾东风传媒、华纳音乐、环球热力兄弟影音在北京刘老根大舞台正式签署合作协议，宣告三家娱乐集团强强联手，将打造华人TOPYOUNG偶像组合。

对于上述投资，刘双平告诉记者:“现在还没有深入的想法，目前就是把它们作为相关产业来提携，具体得看未来的实际情况。本山传媒所有的业务都是相关多元化，不熟悉的行业我们不会进入，天下哪有赚得完的钱。”

2010年1月，赵本山海南买地事件开启了业界对于本山传媒未来发展的另一猜想，这也使得赵本山一向谨慎的投资思路似乎发生了转向。

据了解，除了海南的800亩土地是购买之后，用于自建相关基地之外，本山传媒的“刘老根大舞台”的部门门店也是自有物业。

刘双平表示，希望在条件允许的前提下，增加“刘老根大舞台”自有物业的比例。

他认为，持有自有物业的“刘老根大舞台”容易经营成旗舰店。

关于海南购买的土地用途，刘双平称，可能建影视基地或者建剧场，但是目前的情况是有路线图，没有时间表。

从战略层面讲，刘双平对本山传媒海南买地的解释是：“赵老师很喜欢海南的环境；而海南岛，国家又要建国家旅游基地，在当地设点，有利于本山传媒的业务发展和品牌推广。两种因素相加，使得买地顺其自然。”

对于质疑挺进商业地产开发的说法，刘双平反对称：“在中国，土地是最稀缺的资源，这谁都知道的，但是我们的原则是做我们熟悉的行业，即使有所涉足也是与主业相关。赵老师是非常谨慎的人，尤其对于投资方面。”

2009年华谊兄弟上市，引得投资者无数的追捧，而本山传媒作为未来的“潜力股”也被卷入到上市的传言之中。对于本山传媒上市的外界猜想，刘双平称，本山传媒肯定是有长远战略考虑的企业，但是目前在上市这一点上，也是只有路线图，没有时间表。

国务院颁布《文化产业振兴规划》的背景下，刘双平希望本山传媒作为“文化产业的一面旗帜”，能够得到政策扶持的实惠。他表示：“国家的扶持最根本是体现在税收政策上，国家倡导发展文化创新产业，应该从根本上予以扶持。如果可以的话，文化产业可参照高科技产业，在25%的企业所得税中获得10%的税收减免。”

从文化产业到地产投资，本山集团已不再满足于刘老根大舞台的小天地。在这加速延伸的复杂产业链上，需要借助一个具有精巧的商业操作视野的操盘团队。

是家族企业，还是家长制企业？从一开始，赵本山的娱乐帝国就受到现代商业逻辑的质疑。

对此，刘双平的回答有些激动：“这个说法是误传的，赵老师不会这么说的。我们和你们一样，是正规的企业，我们有9+1的总裁班子，重大事情的决策是通过总裁班子来决定的。”

“9+1”是本山传媒内部对其商业运营团队的惯称。在这“9+1”的团队中，总裁刘双平是核心人物。

在本山传媒，刘双平分管旗下的辽宁民间艺术团、中街大舞台及其他连锁剧场、辽宁大学本山艺术学院。2007年之前，刘双平的身份是中央歌舞团的团长助理。由于与赵本山的老朋友相声演员邓小林交好，在2003年与赵本山相识，之后的2007年被赵本山挖到本山传媒做总裁。

刘双平回忆称，对幽默的执著、对旧有体制的诟病以及对本山传媒发展潜力的看好，是他当时进入本山传媒的原因。而当时赵本山对他的邀请，是以“公司的发展需要人才”为由。

除刘双平外，本山传媒的总裁班子还有八人。此前，据刘双平介绍称，常务副总裁马瑞东分管瑞东公司、人力资源部、北京剧场等；副总裁魏国负责财务及票务；刘流分管电视剧、电视栏目、发行及广告；徐正超负责艺术创作；刘文田负责物业、外保、安全；张家豪分管演出；孙超负责对外的相关事务。

2009年8月，本山传媒新增了唐铁军、颜安两名副总裁，分别负责经营管理、法务和无线业务等工作。

据了解，《火炬》《不差钱》等这些观众耳熟能详的小品，正是出自本山传媒主管编剧的副总裁徐正超之手。徐正超曾表示，与本山传媒保持联系的著名编剧不下上百位，除了为赵本山春晚小品创作之外，他们还为本山传媒的电影、电视剧提供剧本。

同时，本山传媒还设有一位工会主席吴海元。吴海元是《乡村爱情》中赵玉田的扮演者吴云飞的父亲，曾是东北当地一名民营企业主，因此他坚持在本山传媒不领取工资报酬。

此前，本山传媒一直被认为是一个家族式的企业。不过，在赵本山身后的商业团队中，并不多见“家族式”的影子。在“9+1”的管理团队中，除常务副总裁马瑞东是赵本山的妻弟外，其他都是职业经理人的身份。甚至在整个本山传媒，赵本山的另一个亲属是其姐夫孙辉，担任刘老根大舞台沈阳中街剧场的经理。

“9+1”的管理团队之外，赵本山的职务是本山传媒的董事长。按照刘双平的说法：“现在本山传媒的所有事情基本上都是由总裁班子和管理层决定。重大事项，赵老师会把握方向。”

但对于本山传媒的股权构成，刘双平并未透露，仅表示，赵本山在本山传媒中占有绝对控股权。

因此，在看似极具现代的商业操盘平台上，未来的隐忧已经若隐若现。外界质疑，本山传媒到目前为止还是过于依赖赵本山的个人影响力，这是一个巨大的风险。

对此，刘双平一再强调：“重大事情的决策是通过总裁班子来决定的。”他以海南买地为例，公司决策方面虽然是由“赵老师把握总的方向”，但决策过程“基本都是按照公司的流程走”“跟别的公司没有区别”。

2009年9月底，赵本山在上海突发脑出血入院。刘双平形容称，当时情形是“一病惊天下”。这句话似乎也反映了本山传媒内部的情绪。

随之而来的是，赵本山对于本山传媒的影响和传承问题如何解决？一旦赵本人退出舞台，本山传媒如何规避这个风险？

1958年出生的赵本山，在其迎来第20个春晚演出之际，也终究会面临退出春晚演出、退出本山传媒“头号明星”的问题。与之相称，赵本山未来仅担当本山传媒董事长的职位，只是个时间问题。

与此同时，本山传媒内部，以小沈阳为代表的“新生代”明星正在迅速崛起。有未经证实的消息称，小沈阳2009年的演出收入达上亿元。

事实上，以“师徒关系为纽带”的模式未必稳定。如何在维系市场条件下，保持核心演艺人员的稳定性，保卫好小沈阳等人，成为本山集团保持核心竞争力的关键。

对此，刘双平表示：“公司的演员分很多类，有二人转、乐队、影视等。二人转是核心演员，但除了二人转演员的部分，很多都和赵老师不是师徒关系。”

刘双平认为公司已经有很好的全国品牌，收入也很稳定，演员结构也处于稳定状态：“本山传媒内部有一套针对员工绩效的奖惩办法，而这一套方针政策是经过员工大会大家讨论通过的。”

刘双平透露：“从未来的发展来看，不排除我们用其他的方式将我们的核心成员笼络住，包括管理层和核心成员的持股模式。”同为文化娱乐产业帝国的华谊兄弟早已引入这一模式，在其上市后造就了许多明星富豪。

在股权纽带之外，另一大隐忧就是产品结构，很可能成也二人转，败也二人转。

目前本山传媒共有100余名优秀的二人转演员。而一家“刘老根大舞台”的核心演员数为10人，本山传媒的第九家“刘老根大舞台”已经确定选址深圳，而100人的演员队伍只能支持10家门店的演出，这无疑使得本山传媒面临人才瓶颈。

虽然，刘双平透露的，据不完全统计，现在东北三省民间有三四万二人转演员，其中不乏优秀演员，只要适当发掘，本山传媒不担心核心演员的供应不足。并且，小沈阳出名后，东三省大批梦想成为赵本山、小沈阳的孩子开始学习二人转。

但即使如此，赵本山曾表示：“二人转之所以很火爆，原因是他们来自民间，和土地连在一起，他只要有点阳光就可以成长。二人转演员不管达到什么程度，二人转都要接地气，跟民间紧密联系。”

但这明显带有农业文明气息的娱乐产品，在现代商业的冲击下还能持续多少时间，这似乎仍是赵本山娱乐帝国未来的问题。

赵本山是很多人的偶像，在人们心目中占据着至高无上的地位。没有他，就没有他们今天的快乐，甚至可以断言，没有他，就没有中国的快乐，人们不知道还能做出点什么能够制造出类似于他给我们带来的笑声。

央视名嘴白岩松曾说，无论何时，我都会义无反顾地关注他，支持他。他是我和父亲的共同偶像，我期待他缔造下一个奇迹！

赵本山，活着的传奇！

（选自 2011 年第 8 期《中国大纪实》，有删节，作者：华文峰）

啼血试验

——朱清时与他的南科大命运

靠猎头公司在全球范围遴选一所大学校长，这种事一开始就刺激了媒体的神经。世界上还没有哪一所大学像南方科技大学这样，在没有开办之时就高调引发世人关注。

2011年，南方科技大学又迈出了中国30多年未有的、却也是风波不断的一步——未经教育部的批准，招收了45名只有高中二年级学历的少年，开始了“自主招生、自授文凭”的试验。

黄灯之后是什么灯

其实，朱清时的悲情一开始就注定了。明知走不通却偏要硬走，高调坚持他的试验，回答“钱学森之问”。虽然有对岸的香港科大现成模式，但香港科大的路与南科大的路是完全不同的，他越来越意识到不仅不能照搬，连仿效的可能都微乎其微。体制的差异、人性的复杂，既让他困惑又让他清醒。

他要做的每一件事情都要不厌其烦地打报告，以求批准。他的试验成功与否，最关键的因素不是教育部，而是深圳这边。他与深圳的关系，说透了就是打工者与老板的关系。老板是出资方，当然说了算。他执行着老板的意图，操作老板的项目。他不是被动性操作，因为这个项目正是他一生的理想所在。经验让他非常看重与出资方的关系。从他上任前要求的四个条件看，无非就是权和钱的问题，这是办学的关键所在。不仅要有君子之言，还要将其立法，写入法规条文中。他认为深圳是特区，有立法权的。

从他走马上任起，就一直着手制订这样的法规草案。他有明确的办学思路。首先就要成立理事会，人权财权都要经过理事会通过，政府不直接管学校，一切通过理事会来体现。只有这样，方能实现“教授治校”“学术主导”。朱清时的这套办学思路显然不是他的独创。蔡元培当年上任北大校长时，也是这个打法，他刚一到位，就马上着手成立校董事会，及时化解了政府方面许多不必要的干涉，并很快打开局面。

可是，朱清时的理事会却迟迟建立不起来。就连《南方科技大学管理暂行办法》也历经波折，差不多折腾了一年半才得以颁布：2011年7月1日后方可实施。不少媒体把它称为第一个大学的“基本法”，但客观而言，这只是行政规章，而不是法律。基本法是要通过深圳人大立法的，这不知又要等到多久。

《南方科技大学管理暂行办法》(简称办法)，将对南科大的定位表述为：南科大以实施全日制学历教育为主。这意味着深圳对南科大的“自主招生、自授文凭”将不会支持下去了。而“教授治校”改为“教授治学”，一字之差，意味深长。

还有人挑剔《办法》：一是很多概念的使用很模糊，似是而非。比如说理事会是管理机构，但是成员由政府聘任，那是不是向政府负责而不是向办学负责？二是缺少具体的界定，停留在大的框架上。三是没有问责机制，那也就是随时可以违背。

即便如此，这个无奈的《办法》也属朱清时的啼血之作。

《办法》的确很难分娩，涉及政府各部门放权，所以争议非常大。从总则、权责，到治理结构，仅管理与监督的第四十条中，有关财政投入制定的三个字就经历了无数的障碍、无数的斗争。这一条是这样写的：市政府将经审定的对南科大的经费投入纳入财政预算，经市人民代表大会审议通过后，由市财政部门(按规定)及时足额拨款。多次争论争取的结果，终于去掉了“按规定”三个字，像去掉“三座山”。别看这是行政套话，但它的可伸缩空间太大了！按什么规定？谁的规定？什么时候的规定？每年拨款都会因“按规定”而扯皮。他们说按什么规定，就按什么规定，说给你拨多少款，就拨多少款。现在颁布的这个版本，是经过教育部审查的，是综合各种意见的结果。因而，南科大并不是很满意。

深圳似乎还没有准备好创办这样一所大学。这绝不是钱的问题，而是理念。当官文化成为主旋律时，各级机关便唯官唯上，而不会唯你朱清时院士。随着对深圳这个城市的不断加深认知，朱清时与老板的关系越来越微妙了。

我们的社会高度行政化，学校也被当成行政机构的一部分，完全按照计划经济方法处理，同一套方法管理国家的所有东西。现在就是用同样的方法管理教育。而朱清时的试验就是要摆脱这些清规戒律，像一节拼力发动前行的车厢，正在脱离静止的车体。

南科大的招生表面看上去顺风顺水，进入笔试阶段。考试题由北京为高考出题的权威部门出题。临近考试时，南科大派出最放心的人去北京提取考试卷。他们分设三个考场：北京、武汉、深圳。

因怕泄密，卷子不能太早提，只能等到临近时，这个时间的火候一定要把握好。朱校长嘱咐前去提卷子的人，一旦拿到卷子，要第一时间打电话告诉他。

肯定所有人都不会想到，到北京按手续提卷子时，考试中心的人不肯给，说是接到上头的电话了，明令不让将卷子交给南科大。

取不出卷子，等于一切努力将毁于一旦。三个考场将坐满应试学生，铃声响了，却没有考卷可发！烈日下的秧苗，等不来雨露浇灌，秧苗会变成烈火的！

据说朱校长在电话里一个劲儿地喘粗气，好一会儿都没吱声。他用一种从未有过的口气问："你问准了吗？是谁打的电话不让取卷子？"

人家也不告诉你具体是谁，只说是教育部的人。朱校长咬紧牙关说，那你们就在那里等吧！我来想办法。

校长那边一直占线，不知道他找了多少人，如何疏通关系。反正，一直到晚上取卷子的人才取到了卷子，才和校长接通电话。

校长当晚不知是怎样调动的各种关系，像一道复杂的数学题，人们只知道结果，却无法得知运算过程的艰辛与繁杂。南科大在招生结束后的总结会上提及这件事时，人们还心有余悸。他们庆幸："幸亏打通环节，总算把卷子提出来了，才赶上最后一班飞机。否则，真是不堪设想！"

南科大的自主招生一开始就不是"自由化"的，招生步骤、考试地点等所有细节，都是以文件方式确定的。这个文件是南科大打给深圳市教育局《关于南方科技大学首届教改试验班招生工作的报告》，第二条"南科大把招生作为当前最重要的工作，充分考虑首届教改试验班独立自主招生的特点，制订周密细致的考试方案，确保招生工作安全有序进行。”接下来，具体安排笔试的时间和地点，“南科大定于 2011 年 1 月 24 日，在北京、武汉、深圳同步进行首届教改试验班笔试。”

在考务工作安排方面，“南科大选派精干人员，成立北京、武汉、深圳考务工作小组，负责落实考试场地、组织学生按时有序地参加考试、协调解决考生的交通、住宿、就餐等问题。考试结束后，考务人员负责将考生试卷送回。”

深圳市教育局作出批示后，又上报给市政府。几位领导都圈阅后，主要领导人也批了“同意”。

这样严密的考试审批程序，这样庄严合法的考试现场，谁会想到，临近时却出现了这样令人难以置信的情况。

我曾就此事找朱校长印证，他说，是这么回事。他说想想很后怕，真不知道他们这些人是怎么了，这样不计后果。三个考场，七百多考生，上千名家长，还有那么多的记者，这要是拿不到考卷当场闹起事来，这责任有多大！要是真闹起来，社会舆论对准教育部，而教育部就会转嫁到我们头上，拿我们出气，我们就更受不了！他叹口气，意味深长地说：“我们输不起啊！深圳输不起，广东输不起，教育部、中国高等教育改革都输不起的。”

这种输不起的话，教育部部长也曾说过。然而，该发生的还是发生了，该出现的还是出现了。该输不起的还是要输不起下去——

进入 4 月中旬，教育部召开了一个决定南科大命运的会议。会议的主要精神，如教育部第四位新闻发言人对媒体讲到的：“教育部支持南科大的教改探索，但任何改革首先要坚持依法办学，要遵循国家基本的教育制度……”

会议要求南科大已招的 45 名学生必须参加普通高等学校招生全国统一考试，并责成教育部有关司局与深圳市有关部门加强沟通，落实……

作为当事方南科大却未被知会，无人出席。

这一天，朱清时正在美国参加麻省理工 150 年的庆典。像他这样曾在这里学习和工作过的人无以数计，而能够受邀出席这样的庆典，显然是一种荣誉。会场并没有多少豪华布置，台上一块大屏幕像条彩色河流，不断滚动着，将这所学校光辉的历史一一回现。而主席台正中那个小巧精致的讲桌立面，MIT 三个简单的字母，凝聚了最不简单的内涵，因而格外醒目。

那真是人类群星闪烁之时。不同年代从这里走出的学子，他们的博士服五光十色，几乎没有相同的，他们迈着苍老而神圣的步子，缓慢地走上宽大的主席台时，形成了会场最耀眼的风景。任何昂贵的装饰材料在这一瞬间都失去了光泽。这些人物当年从MIT毕业后，是在其他学校获取的博士学位。麻省理工从不让学生留校读博，不同学校的博士服在这一刻共同为MIT大放光彩。麻省理工严格控制着招生名额，宁缺毋滥，每年限定只招2 000个学生。这种招生规模，和他们将办学方向定位在培养理工类精英研究人才是一致的。60年来，他们重点培养的精英人才中，为人类作出了巨大贡献。已经去世的不算，仅活着的，每年创造两万个亿的财富，相当于俄罗斯一年的GDP。

所以，150年，从他们这里走出的学生每一个都是人类的精英，人类的骄傲！

朱清时坐在台下，神情凝重，他并没有随着会场的高潮而改变情绪，反倒有几分沉郁，似心事重重。他的思绪是否还魂牵梦绕在南科大？麻省理工再辉煌，也是人家的。所谓研究型大学的理念，他最早就是从这里培植的。他心目中最高的研究型大学就是MIT这样的。60年走出这样的辉煌，而南科大60年之后会是什么样子？作为创校之长，内心有着怎样的复杂情绪？

此番美国之行，为期九天，他肩负着很多任务。他应邀在哈佛大学高峰论坛发言，他要为他的学术团队寻找骨干人员，学科领军人物。他还要去寻找他当年在麻省理工求学时的旧居，还要到世界最好的实验室伯克利的劳伦斯实验室参观，感受当前科技发展的前沿信息。他要在哈佛、哥伦比亚、伯克利三所大学搞三场专题讲座。这么多的安排，对他而言，主题只有一个——南科大。一切都是围绕着他的南科大之未来奔走啼鸣，尽快建立他朝思暮想的学术团队。

朱清时动情演讲：南科大是一个婴儿，是个能够创造历史的婴儿，希望在座的有志者跟他们这个婴儿一同创造历史！他以理想主义光芒，杜鹃啼血般召唤着海外有理想、有志向的学者专家们与之共同奋斗，携手完成人生大业。

在美国的华人一流人才很多，能够叫出名字的就有一串：朱经武、邱成桐、沈元壤、杨祖佑、张翔……这些人都是当今世界上的顶尖级教授，都是南科大渴望引进的。但是，光凭朱清时的个人魅力引进，够吗？他即使讲到吐血，也架不住教育部的一纸规定！他才华横溢的演讲肯定能获取掌声，一流专家们都觉得应该走出这一步。但风险太大！美国有很闲适的生活，很好的研究前景。当年，人们有爱国情怀，一煽乎就会燃烧，可是现在，你怎么忽悠人家，人家也能看清楚。何况，哪个人都有亲朋好友在国内，随时都可以打听到深圳的情况、南科大的情况，教育部对南科大的态度等，他们都很清楚。

邱成桐说，我帮你招人没有问题，你首先得告诉我，你们南科大有哪些比清华北大强的？你们深圳有哪些比北京上海强的？

无论如何，朱清时不会想到，就在他寄情于美国倾心演讲，娓娓宏论他的南科大这块试验田如何阳光万里时，地球的另一端，那间小小的会议室，那些个围成一圈的台面，摆放着一溜茶杯的会场，人们只需将盖严的茶杯盖揭开放下，起落之间，他朱清时的所有访美努力便告灰飞烟灭，如此轻松。

教育部办公厅的这个文件是2011年4月21日正式发出的，深圳市教育局也在同一天下发了《对南方科技大学（筹）2011年招生工作的意见》，口径与教育部完全一致。时间上完全紧跟，严丝合缝。

两个文件，同样的口径，甭说别的，仅让试验班的45名学生参加全国统一高考，就是对朱清时试验的最大否定。因为，朱校长在自主招生时早有承诺，且信誓旦旦："已经考入南科大的45名学生，不再参加全国统一高考。"这些学生中，不乏因为不愿参加全国统一高考而选择南科大的，甚至有的舍弃进北大或清华这样的名牌大学的可能。而一旦南科大再让他们回炉高考，他们会有怎样的反应？

教育部在批准你筹建，发给你14325这个代码，让你有了"合法经营"执照，支持你高等教育改革探索之后，非常明确地要左右你南科大，把你拉回到"正路"。但朱校长认为，这是违背了他的初衷，颠倒了南科大试验的核心价值。

朱校长曾在好多场合讲话都提过南科大遇到的一直都是黄灯。他原话是这样的："我们提出的教授治校、去行政化，得到了国内外教育界的高度认可，并在广东省和深圳市层面取得了共识，新近更得到了国家教育咨询委员会大多数委员的支持。这些观念的核心是大学的办学自主权。我们一路走来，没有碰到红灯，没有碰到绿灯，全都是黄灯。"

然而，他没有说，黄灯过后是什么灯。当红灯猝不及防地出现在他的眼前时，朱校长一片茫然。一种从未有过的疲倦感阵阵袭来，他需要休息，需要调整时差，他仿佛陷入了长时间的时差转换之中。

重压下的躲避方式

五一节期间，朱校长去了最安静的地方——南怀瑾那里。那里有他向往的禅师禅境，他的精神氧吧。在尘世太忙太累的他，太困乏了，他在青山绿水间倒头便睡，没有任何打扰，也没有任何噪声。他可以回到儿时的睡眠状态。他整整睡了三天，才从遥远的梦里醒转过来。

回到深圳，他人看上去仍然几多疲惫。他以前就说过，深圳是个令人紧张的城市，一闻到空气就紧张。而面对教育部与深圳市教育局的双重压力，他的紧张度可想而知。

这是非常重要的会议，市里决策层的领导也出席了。朱清时还是要拼力争取，他要说清楚，为什么不能够让试验班的学生参加全国高考。他啼血般倾诉，却像一块石头用力扔进水中，而水面并没有溅起浪花。领导还是坚持按教育部的文件办，并责成他动员试验班的全体学生参加今年的高考。他没有执行。他说，一个教育工作者，对学生言之凿凿，南科大自主招生，自授文凭，不参加全国的高考。他不能在学生面前食言。这个动员工作，他不能去做。他在最大限度地维护着信念与自尊。他不能自毁名声，自毁全国人民都在关心的高校改革试验。

领导问他："你们学校谁负责学生工作？"他说了一位副主任的名字。于是，当即有人通知这位副主任到场。

副主任到场时，看到朱校长面无表情地坐在那里。领导对副主任下达了指示，让其动员学生参加高考。这样一块烫手的山芋落到了副主任手上，又不能不接，可接了之后却要怎么处理？

这个时候的南科大是最脆弱的，多么需要深圳政府方面的支持！深圳要一步到位办一流的研究型大学，你就必须掌握自主权，而你要是坚持不住，退回到教育部的规范中，那你的豪华别墅猴年马月能建成？朱清时由此更加强烈地体会到行政化的危害。

散会后，朱清时一个人离去，像只孤雁。

随后，深圳的相关领导到南科大召开高考动员大会，全校师生都要求参加。校方负责做学生动员工作的副主任跟上级保持一致性。副主任是2007年就到南科大来的，经历了南科大发展的全过程。在副主任看来，南科大既然已经到了生死攸关的关口，还是应该缓解一下，希望把负面效果降至最低，选择瓦全，而不是玉碎。这样的想法跟朱校长是不一样的。

市里面确实对此事够重视了，一位副书记亲自坐镇南科大，现场办公。说成督阵也未尝不可，而此时的学生们发现唯独少了他们的朱校长。

官方动员学生参加高考，没有声色俱厉，而是好言相劝，一切都是为了学生着想，为了学生健康发展。他们对学生说，参加高考只当作他们学校内部的一次考试，走一个程序，及不及格没有关系，不计成绩，不排名次，也不公之于众。考试成绩只作参考，不会对同学有任何影响，对他们录取率是100%。有不少网民称“伪高考”或“被高考”。

新华报业网有篇文章《45名南科大学生参加高考就变“合法”了吗？》很耐人寻味。文章写道：“45名南科大学生不参加高考，则不‘合法’，可是，如果这次他们参加高考就合法了吗？我们同样可以根据教育部的现行规定提出质疑。”

试验班学生身份是高中生还是大学生？按教育部《普通高等学校招生工作规定》，在校大学生不得报名参加普通高等学校招生全国统一考试。南科大首届试验班今年3月1日开学。教育部的发言人也予以表态，等于认可他们是大学生了。那为什么大学生还要参加高考？

既然参加高考，那你试验班的学生如何报名？教育部《普通高等学校招生工作规定》：“申请报考高校的所有考生，须在户籍所在省（区市）高校招生委员会规定时间地点报名。”那么这些来自13个省的学生回当地报名了吗？广东省高考报名早已结束，他们如何报名？根据《关于做好广东省2011年普通高校招生统一考试报名和建档工作的通知》（粤招201024号），报考条件要求是具有广东常住户口的居民。并且特别明确：“高中阶段户口由外省迁入我省的考生必须回户籍所在地报考。”组织45名学生在南科大设考场是文件所不允许的。何况，他们参加高考就能被南科大“合法”录取吗？南科大不在教育部今年公布的2011年具有普通高等学历教育招生资格的高校名单中，因此不能列入招生计划，这些考生即使参加了高考也只能在统招计划内填报志愿。他们填报哪所大学都行，唯独无法填报南方科大。那么，深圳方面向学生许愿的100%录取如何保证？又如何解

2011 年 3 月 1 日，在等候出发前往广州军训时，不到 11 岁的新生苏刘溢在填写表格。
（陈晔华 / 摄，图片来源：新华社）

释诸多疑点、诸多违规违法？

试验班的45名学生面对高考之压力时，经历了人生最重要的考验。有个学生说，老师在动员他参加高考时说，朱校长是同意让他们高考的。他不相信，老师却说，校长是默许的。并解释说，校长同意文件精神，都签字了。学生困惑："既然校长同意，为何采取消极的回避态度？"他是这样理解他们的校长：压力太大了，可能是人在江湖，不得不为之。但他坚信校长内心是不会希望他们去参加高考的，他说，他们绝不会让校长失望。

这是一个多么难的社会
核能辐射，大地动荡
这是一个多么肤浅的社会
人心浮躁，欲望膨胀

我们很难想象
在创业之都深圳一隅
有一条学苑大道
眷顾着中国脆弱的梦想
这是中国人为自己设下的圈套
学生挥洒着汗水、青春、激情
只为一刻，却付出十年寒窗
我们奇怪：为什么分数可以代表一个人
我们彷徨：经历煎熬却常常失去思想

天生我才
我们不安于平庸
爱国爱人苍白的呼喊在心中回荡……

这是2011年的南科大在五四青年节的晚会上，学生们自编自演的诗朗诵。全诗很长，这是节选。演出中，台下有的老师哭了，同学也哭了。有人说是老师先哭的，也有人说是同学先哭的。

南科大举步维艰，前程叵测。从动员会召开到6月7日高考日，有一个月的时间，这段时间是最令南科大纠结的。

家长们有自己的QQ群，这个最便捷的空间将分布在13个省份的家长们紧密地联系在一起。以深圳方面的家长为主，他们更有知情条件。因此，他们每每是这个群里最活跃的成员。

说到这个QQ群，我要在这里插入另外一个重大事件，几乎是与“被高考”同时出笼的：深圳市委组织部发出在全国公开招聘正局级副校长的通告。这个QQ群就如热油锅里撒了把盐。

家长们在“五一”节期间涌入QQ群，争先恐后表态，对深圳组织部招聘两名正局级副校长的这一做法表达了强烈的不理解。热议了几天后，家长们写了一封给教育部的《南方科技大学首届教改试验班学生家长恳请书》。千言书中，家长们真情表达：

我们南科大首届试验班全体家长呼吁和恳请国家教育部：

第一，指导和要求深圳市相关部门慎重对待南科大管理层的选拔，建议副校长由校长提名并经过特定的专家委员会审查后聘任，并赋予创校校长考察和解聘不合格副校长的绝对权力。

……

还有两条，不想再引述了。他们竟寄希望于教育部矫正深圳市，他们还不知道教育部已经下达了文件，明令他们的孩子参加今年的全国统一高考！假如这些家长当时知道了，他们还会熬夜写下这种信吗？

听说家长们如期找到了朱校长，朱校长并不像他们那么紧张，他平和地说，开始也为这件事深感诧异。为此，他专门去了一趟组织部，组织部门按深圳市选拔干部的一般规则如法炮制了招聘启事，却忽略了南科大"去行政化"的这一办学根本原则。朱校长等于当场给组织部的同志讲述了南科大"去行政化"的意义所在以及目前的困难处境，他说，去行政化是办好大学的关键。比如：派两位管行政的副校长的程序，应该由校长先提名，然后理事会研究，最后才提交给市委方面把关批准。而现在，程度完全倒过来了，与南科大的初衷相悖。这等于说，南科大一边在喊"去行政化"，一边又在搞行政化的这一套举措，社会影响可想而知。

组织部门听明白了朱校长的话，当场表示积极支持南科大。

在处理这件事时，朱校长还是抱有乐观态度的。他认为在学校与深圳政府方面出现的一些分歧是沟通不善的原因，他感觉需要有人跟市政府方面及时沟通。但是，除了他之外，学校里又有谁能够具备这个沟通能力呢？到这些政府部门，如果没有一定的资历，没有校长或院士的头衔，人家会认真听取你的"基础知识"吗？所以，朱校长感叹，他还需要拿出很多精力和时间，去应对类似的沟通工作。

家长们见朱校长这样解释，也便释然了，然而接下来的事情，他们仍然看不懂了：行政化式的正局级副校长招聘并未因朱校长的"沟通"而改变方式，仍然按照官场的那个套路一路操作下去。2011年5月26日《深圳特区报》A4版很醒目的标题：《关于深圳公开推荐选拔职位差额考察对象〈公示通告〉》。开篇写道：经深圳市委常委会研究决定，乔从丰等人被确定为南方科技大学（筹）两个副校长职位差额对象。

家长们掌握的情况是，九名候选人将拿到市委常委会上，最终确定两个人。他们要将这已经确定的两人再交由南科大，让朱校长提名，再经理事会讨论通过。领导已确定了人选，而校长提名、理事会讨论，只不过是走个过场罢了。何况，南科大的理事会至今没有成立起来，而两位正局级副校长人选也未到位。这件事说到底，是与朱清时去行政化的南科大形成了鲜明反差。

对家长们而言，刚刚熬过了正局级副校长风波，又遭教育部高考的迎头巨浪！他们的情绪异常强烈，反对之声不绝于耳。他们有的到学校来了，十分激动。学校出面动员学生高考时，也在主动联系家长们。当然，家长们并非都是清一色完全拒绝高考，也有个别家长同意高考，但是家长们无法左右他们的孩子，孩子们倒是更坚定地维护着南科大的改革方向。

2011 年 3 月 5 日上午，在两会会场休息区，朱清时委员试答“钱学森之问”。
（李柯勇 / 摄，图片来源：新华社）

一场大是大非水火不相容的对峙在南科大形成，这个对峙牵动了中国，也牵动了世界。美国《科学》（*Science*）杂志非常关注南科大，称其为中国高校改革的风向标。其中一篇文章是对朱清时的专访：

《科学》：南方科技大学将在什么方面与中国其他大学不同？

朱清时：我们将废除等级，我们称之为去行政化。

《科学》：这将如何起作用？

朱清时：高等教育的主要问题在于官僚力量。许多教授现在追求的是行政级别而不是学术成就。如果你爬上了高级别，你就能得到金钱、汽车和研究资助。这就是为什么中国的大学丧失了生命力。

朱清时最后谈到可能遇到的风险，是学生可能没法获得由教育部签发的毕业证书。人们正期待一所大学去挑战教育系统，并显示一种有效的改革途径。朱清时说："我已准备好做尝试真正教育改革的第一人。"

这是2009年11月20日刊发的。现在呢？接连发生的事情是朱清时无法预测的。对于《科学》而言，如何感知风雨飘摇中的南科大，这个风向标是往前行还是往后刮，眼瞅到了揭晓之时。

悲情时分

因老师动员学生参加高考，有些学生心生怨恨，与老师见面时竟形同路人，不予理睬，这让老师无比难过，有的老师竟伤心地哭了起来。而老师与老师之间，也因为高考之事，关系出现了微妙的变化。尽管老师们在副主任的领导下，都是口径一致地劝说学生，但是有的老师就会背后跟学生说完全不同的话。人前人后，对高考的态度也完全不同，这是特殊情况下的两面性。而学生们却并不适应这样的两面性，因此，在这样的对峙与斗争面前，学生们颇感不适。比如，有的老师甚至直接挑唆学生不理某老师，而学生们误认为学校的老师已分成两派——主考派与反考派。学生们的兴趣不用在学习上，而用到了斗争站队上面。

校方一位知情人听说学生中流传的“两派”站队之事，啼笑皆非。他认为压根儿就不存在两派一说，全校绝大多数老师都是不同意高考的，哪怕是伪高考，哪怕是走个过场，他们也认为这是对南科大试验班的伤害。但是，上面的压力来了，他们又不能不去照办，总得有人去应付吧！否则，连现在这样的局面恐怕也无法保障。从这个意义上说，他们是忍辱负重，不得不充当被学生骂和被歧视的角色。

这期间，副主任办公室门的标牌被掰掉了。关于这个“事件”说法不一。有人说是学生为发泄不满故意所为；也有另外一种说法，学生不是故意的，当时发现门牌歪了，想帮着校正，结果一掰却掉下来了。学生怕老师误会，不敢再给粘上。副主任却很生气，责令手下的人调出摄像头的内容看录像，查寻这位学生，查出来要好好教训教训。这有点耸人听闻，这是些神童骄子啊，被家长和学校宠还宠不过来呢，显然不令人信服。事实上，标牌确实被弄掉了，副主任也确实没有去追查责怪学生。

越临近高考，气氛便越紧张。孩子们有的离开了学校，没离开的也被老师劝住宾馆了，听说既不愿回家也不愿住宾馆的学生，留在学校时遭到威胁，人身安全都无法保证。这些说法故弄玄虚，笔者当时就联系到仍然留在学校的学生，结果并非像传说的那样紧张，他没有接到任何威胁性的信息。他说学校为高考确实准备了两个教室，等着学生们去参加高考。他说有一个学生想参加高考，但被同学们劝阻住了。

由于“被高考”，风和日丽的师生关系转瞬间乌云密布，不可阻挡地恶化了。老师流泪，学生委屈。家长们意见也大了去了。

好端端的风气弄得跟“文革”站队似的，有头脑的学生不愿这样简单去疏远和伤害相关的老师，却又不得不应付激进老师的“开导工作”，结果搞得气氛紧张，人人不适。

对南科大而言，那是一段沉闷压抑的日子。深圳的闷热让城市的地下道弥散出腐质的沼气。南科大的校门紧闭，保安满脸警惕，严防外人进入，尤其严防记者。有的记者从正门进不去，居然翻院墙窜入学生的住处采访。

在学校环境最复杂时，朱校长没有跟他的学生们紧紧地站在一起。他谨言慎行，只说一切由学生自己决定，让他们自己掌握自己的命运。而他的真实观点却隐而不发，他有意回避，不接任何家长的电话，也不回复任何短信。即便这样，他仍然被学校那边的风吹草动左右着情绪，寝食不安。

有一天他偶回校园，是为了接待法国来宾。这些来宾是国际学界颇具影响的人物，他们到中国来就是要看一下中国最好的高校。他们直奔南科大而来，这让朱清时很欣慰，尤其在他处于最困难之时。学生看到了他们久违的校长，雕像一样弥散的尊严。他们只是远远盯着，却没有人走上前去问问校长是否同意他们高考。因为孩子理解校长的处境，他们不想给校长增加麻烦。

朱校长中午通常都在食堂就餐。在学生眼中，生活中的朱校长与面对媒体的朱校长判若两人。在媒体上能够把话说得振聋发聩、惊世骇俗的朱清时，平时更多的时候是不爱讲话的，眸子透出的只有执著而无欲望。到了吃饭时，他悄悄进来，食堂很大，桌位排布很多。他寻到里面的一个安静处，将背对准食堂入口。不断进来的人，只能看到他的背脊，一袭青衣，两处硬朗的肩骨。

原先是师生合用一个大餐厅，现在分开两个了。前来打饭的人很多，寻找不同的空位坐下，却没人过来与他同桌。因为起初有人过来陪他，他却告诉对方，他不喜欢吃饭时跟别人在一桌，他希望一个人静处。

于是，再没有人会过来跟他同桌用餐了。喧嚷的食堂，因他的背脊而肃静。他很快吃完，起身自己收拾餐具，放到应该放的地方。然后，微低着头，不瞅任何人，而任何人瞅他，他也不会察觉。他从坐下吃饭到起身离开，独来独往，无人相随。

一位学生说，他们从来没有在校长吃饭时过去打扰他，即便在他们最想找校长的时候。

据说当时家长们要求见校长的呼声非常之高，在家长们的眼里，校长是无法取代的，除了校长，他们谁也不相信，谁的话也不听。校方一度想将校长找回来应付复杂的局面，但是他们权衡再三，还是没去惊动他。老师、学生、家长在没有校长的学校里熬着。

善良的人们只能祈祷朱校长保重身体，而学生们天真地相信，只要再挨过几天，挺过高考就是胜利，就会渡过所有的难关。

这期间，笔者与朱清时通过电话，他声音低沉倦怠，他说他在合肥。我问他深圳方面去学校动员学生参加高考的事情，你想怎么办？他缄口不语。我生怕他把电话挂了，便说："按照我对你的理解，你是不会同意的。你肯定不会让试验班的学生参加高考对吧？宁为玉碎，不为瓦全。”他只回答了两个字：“是的。”然后，马上就说我们以后再说吧，电话挂了。

他不便表态，他不想因为他的出面讲话而使矛盾复杂化，他人为地关闭了媒体的大门。可是，一周左右，他突现媒体发表见解了。那是5月28日，他在合肥对记者鲜明表态：“纳入高考轨道这一举动，将颠覆南科大树立的‘自主招生、自授学位’的改革核心。”

又是一语惊人。有人曾问过他，既然那么谨慎回避，为何又出面表态了呢？他说，他本来一直想回避下去的，因为教育部发言人站出来将事情公开化了，那么他也不得不出来表明态度。如果教育部发言人不讲，他是不会率先将事情捅开的。

或许由于试验班的学生们看到了校长的鲜明态度，更加坚定了拒绝高考的决心。一位学生写下了这样一段话：“老师今天对学生做工作，说缓一缓，还是参加高考吧，以后还会为中国改革作贡献。但我终究无法认同。中国的教育现象，大部分在于无所作为。这是一个体制的泥潭，现在你跳进这个泥潭，以后你再怎么挣扎都无济于事，不如现在拼搏，即使你摔一跤，摔断了腿，你仍然可以蹒跚前进。”

网上流传南科大学生《致所有关心南科大发展的人们的一封公开信》，言称：“我们学校遇到了前所未有的困难。最紧迫的高考问题。”

2011年3月20日，首批自主招生的45名学生与教授及嘉宾在开学典礼上合影。
（刘智先/摄，图片来源：新华社）

“我们学校的建校本意即是此，既为教改探路，也为培养创新型人才寻求经验。在这里的同学绝大多数都怀着这样的心态：即抛下铁文凭，捡起真本事。在现在无数毕业生疯狂报考公务员的情况下，我们从未担心过自己的职业和未来。因为我们都怀着一颗‘试验’的心态，我们想在培养自己的创新思维和独立思考精神上作出努力……

“我们对自己的选择坚定不移，对南科大的未来充满希望。但是我们同时也是无助的，我们仅仅是学生……”

我还看到《学生家长们给朱清时校长的一封信》，开篇就说：“尊敬的朱校长：我代表45个孩子和家长恳请您千万不要辞职。选择南科大，我们是奔您而来的，是对您人品、学识有信心，如果您不堪压力离去，那就意味着南科大的失败，中国教育改革的失败！”

结尾说：“我们家长的态度就是听朱校长的，朱校长让我们参加高考我们就参加，让我们不参加咱就不参加，我们的目的只有一个——在朱校长任期内把我们的孩子教出来。参不参加高考，纳不纳入体制，对我们45个孩子来说不是致命的打击，朱校长的辞职才是致命的。”

家长们够敏感了，他们是从哪里得到了朱校长要辞职的消息呢？抑或仅仅是出于他们的猜测或担心？有位家长说，学校有人把所有事情推到朱校长的身上，因为他在媒体表态。而拒绝高考成了媒体的狂欢，所有人借机反政府，这显然是扣帽子。

不管怎么说，形势严峻。政府下了很大气力动员学生，却没起到作用。政府方面如何下台？

朱校长所谓的高校改革，无非体现了两大亮点：其一“去行政化”，其二“自主招生、自授文凭”。这两点犹似暗夜里擎起的两把火炬，照耀万里，格外醒目。然而，火炬可能太刺眼了，接连发生的招聘正局级副校长，教育部下令要求试验班学生参加高考，就等于直接冲着他的两大火炬亮点扑去，要将其扑灭。这真是一种深刻的讽刺。在他看来，这完全是大是大非的问题，绝不可以让步的。一个如此自尊自爱的人，他坚信他的试验的崇高价值，他相信他的老板会跟他一同创造中国高教改革的奇迹的，却不承想，这么快、这么短的时间，老板的态度就变了。

他曾说过这样的话：他这个年纪出山，是要创办一个不一样的大学，而如果办成一般性的大学，那就不需要他了。现在，上面的做法是行政化的极致表现。明明高考是要遵守法规的，但是他们教育部就可以无视他们自己制定的这些法规，他们一言九鼎，可以凌驾于任何法规条文之上。这不是典型的谁官大谁说了算吗？这就更加印证了在中国要想真正办好一所高校，去行政化有多么重要！

而朱清时的试验到目前为止，遭遇到的最大最难逾越的屏障也在这里。既然南科大已经“被高考”“被行政化”，那么，他这个校长还有什么意义继续做下去呢？何况他的家人和亲朋好友，早就在劝其退而无鼓动他进的。

按约定的时间，上午 11 点钟我赶到他的住地迎宾馆。他对时间的掌控十分精确，说好一小时采访，就定准为一小时。从多次与他的交流当中，我在分析判断他的抉择，他极有可能选择辞职——士可杀，不可辱。这是他的性格。

迎宾馆是深圳最资深的一处接待点。创业初期，到深圳来的政要大员们都要在此下榻。然而，随着时令的转换，这里早已被麒麟山庄取代。那里依山傍水，风景优美，是最好的迎宾之所。而深圳更为高档的国宾馆，也将于今年下半年落成。

时令五月，天气依然有些阴湿。鹏城一夜风袭，伤出满地落叶。

六号楼位于院落的前端。从标示牌上看到桃园、松园、竹园、兰园等名字，可惜这些诗意的名字却被眼前的陈旧落寞所取代，昨日风光早已不再。从保安方面看，稀松平常，显然这里已经很久没有政要大员光顾了。

六栋挨近东门的市井闹区。小楼不高，外墙以淡粉色瓷砖贴面，一看就是 30 年前的建筑风格。门庭是一个挑檐式雨搭向上方倾斜，因其长度厚度与地面高度的比例失调，显得压抑。迈进这样的地方，是不会给人敞亮通透感的。

一楼是个不大的家庭式的客厅空间。右手前台，类似宾馆服务台。正面墙壁镶嵌着灰白色的大理石，上面是小平同志题写的金色大字：“深圳的发展和经验证明，我们建立特区的政策是正确的。”落款是 1984 年 1 月 26 日。这个题词当年对于深圳有着生死攸关的作用，是镇城之法宝。然而现在，却没有人关注了。

旋梯而上，沿细长走廊竟至尽头。一扇纱网遮蔽的外门，拉开，方可敲门。

里面没有回音。我看表，距约定的时间还有两分钟。等了等，再敲。过了一会儿，听见里面传出疲沓的脚步声，门打开时，见到朱清时校长。他不像在校长办公室时那样仪表端庄，神采奕奕；而是像刚刚睡醒，头发有些凌乱，像刚被霜打的细软茅草，衣服也多有起皱处。他让我坐在沙发上，倦意未消地搓了几把脸，睡眼惺忪地表示歉意："刚才不知怎么睡着了。"说这话时，他像个平易近人的蜀地老头儿。一副清清瘦瘦的轮廓，从侧面瞅，面颊处还留有枕纹的痕迹。我说，真不好意思，应该让您多休息一会儿。要不，我下午再来？

他说，没关系。要是真想睡，也是睡不着的。然后，他喃喃道："不知怎么搞的，一直很困。"

他肯定是晚上的睡眠不好，听说他平时入睡前要服几种混合安眠药才能睡下。南科大这么多的事情，这么大的压力，他怎么可能睡安稳觉呢！他下意识地理了一下凌乱的头发，这与电视上那位纵横捭阖、谈笑风生、容光焕发的明星式委员形象无法叠印。

他说，你喝水吧？我给你倒去。我说不喝。他便给自己倒了一杯茶，他说，浓点儿，提提神。

这是一个套间，与他的办公室相比，显得窄小而阴暗，是很旧的房子了。外间屋是客厅，里间是卧室。一张大床靠近窗户，这边是卫生间。这种格局是最简单的招待所布局。卧室里的东西有点简陋，有一幅画挂在衣帽架上。那是一幅古画，类似八大山人的风格，画面极简，一棵树，一块石头。树就是树，石头就是石头，细品，树有树的风骨，石有石的神韵。

这让我想到第一次去他的校长办公室时，满屋都有墨韵飘香。拓碑书法用镜框装裱，沿墙排列至门口。而正在忙碌得不可开交的他，见我驻足在一幅书法前凝眸时，便凑过来给我指点讲解："这是去年春节时南怀瑾送与我的，嘱我每日诵读，'庚寅元日，南公怀瑾夫子授黄石公《素书》原始章第一此句嘱予，每日诵读之可也，并命某抄之以置座右。'"

"贤人君子，明于盛衰之道，通乎成败之数，审乎治乱之势，达乎去就之理。故潜居抱道以待其时。若时至而行，则能极人臣之位；得机而动，则能成绝代之功。如其不遇，没身而已。是以其道足高，而明重于后代。"

黄石公这部谋略书被称作中国谋略第一书，据说昔日张良就是靠读懂此书辅佐刘邦成就霸业的。南怀瑾先生在《历史的经验》一书中对此书有着深刻的解读，他将这样的智慧传授给朱清时，让其视为座右铭，而朱清时悬挂于此，每日对视。以他这个年龄肩负南科大使命，显然已不能"极人臣之位"，但他能"得机而动，则能成绝代之功”吗？他是否早已从中悟出自己的进退哲学：“审乎治乱之势，达乎去就之理？”

我与他的第一次交往，就从《素书》的这段座右铭引发开来。我说，去行政化，这在当下中国也是具有“绝代之功”啊！

朱清时会意地一笑，他说自己并不想有什么绝代之功，只要不留下骂名就万幸了！你知道现在行政化的现象有多严重！就连和尚都有正处级、副厅级什么的，滑稽得很！

谈古论今，他率性悠然，而一旦进入采访，他便立刻绷紧，他每次都问我需要他回答什么问题。他似乎习惯了对于问题的解答，而我需要的不是对于问题的解答，而是对他的感知，对他深入细致的了解。如果说第一次相见，从这段古训当中引发他的就职理想，那么，这番相见，想到那句“达乎去就之理”，莫不是预示了他的去意？

可能是天气阴沉潮湿，房间里也有种阴森的潮湿感。

他在给我倒水时，我发现他的腰间扎着一条宽带子，行走时好像腰部有些不适，步态也显僵硬，且小心翼翼。他有肾结石，到深圳来以后日益严重了，尤其天气不好的时候，腰部就会有反应。本来今天是星期天，他难得休息一下，结果，他还强挺着接受我的来访。只有一小时，我很珍惜。我该跟他谈点什么呢？

我只能从最平常的话题谈起。我问他，你到深圳来就一直住在这里？

他说，是的，一直住这里。我说，你老伴不跟你过来，是不是因为住在这里不像家的样子，不习惯？

他浮现出一脸的苦笑：“我怎么给你说呢？”

不是猎头公司当初承诺提供200平方米的安居房吗？你怎么不搬去住？

提到那200平方米安居房，他说，刚到深圳时，他就住在这里。他以为只是暂住，顶多几个月，就会按照猎头公司向全球招聘校长时讲好的待遇那样，提供一套200平方米的安居房供他居住。所谓安居房，就是有产权的那种房子！以现房或者货币的方式兑现。结果，他来了之后却发现房子迟迟没动静。有一天，他突然发现一份报告，是打给市教育局，提请市政府给他朱清时签合同的申请报告。他仔细看时，这个报告是已经被各级领导批复回来的请示报告。上面是关于落实他的待遇批示，他顿时惊呆了。明明是市政府让猎头公司提供给候选人待遇承诺的，双方早已讲好的条件，这是国际诚信度的事情，怎么会忽然变成了“请示”？

再看房子。由于朱清时的户口不在本市，有关部门按照住房补贴，每月按6 400元提供，或者给他提供周转房。这个报告是让他确定后开始执行，这样的报告报给了所有领导，而且都有签字同意，就等他本人看过后签字生效了！

他不能接受！他认为这是个原则问题。如此重要的承诺，怎么会说改就改了？全球招聘等于全球性的影响，如果这样朝令夕改说了不算的话，他朱校长还怎么面向世界招聘教授？他本来以为深圳市的现代化水平最高，为了吸引人才到位，承诺很高的条件，以示优待，而当你真到位就不这样了！如果大家知道了朱清时这么有影响的全球遴选校长都受到如此对待，那国外的专家们谁还敢相信你深圳的承诺？所以，他当即拒绝签这个合同。

大半年过去之后，新市长上任，房子有了着落，朱清时才接受合同。

房子是在香蜜山小区，小区中诸多高楼排列得森严壁垒，其中两栋是属于市政府的，他的房子就在这两栋间。虽然也是200平方米，但产权归政府，免租金给他住。要等他工作五年后，如果表现优秀，政府可作为奖励奖给他。如果政府认为他表现不够优秀，那么房子也就不会真正属于他的了。这也与当初猎头公司的承诺不一样了，但他不得不作出让步。还有工资方面，他也作了让步。

他不希望为自己的待遇问题占去过多精力，因为学校等待他的事情太多了，他必须全身心投入。他将太太从合肥那边接过来，马上动手请人装修房子。结果，房子装修好了，太太却发现了一个重要的问题：偌大一幢楼，到了晚上怎么没有一家灯光呢？而打开水龙头，全是浑浊水锈，这样要放多久才能放干净呢？两栋大楼空置，只有他一家居住，没有保安、没有物业，他这才明白，深圳给他提供的这套房子是在一栋无人入住的楼区，如悬置荒岛。

太太抱怨他粗心粗到了如此程度！而他却说太太的心很细，发现了只有他们家一处灯光。

常人最关注之处，他却有着惊人的忽略。于是，只能将房子闲置，继续留守宾馆。老伴前后来过三次，不喜欢长住这里。

朱清时在这里已经住了将近两年，每天他都要给老伴打个电话，以免惦记。而今天他就是因为打晚了电话，老伴打过来了。他告诉老伴，因为记者采访，他没顾上打电话。老伴一张口就是这样的口吻：“又见记者了？不是让你不要见记者吗？你已经说得够多的了，你多见一次记者、多曝一次光就多得罪一次人，你就又要多消耗一些的！”他只能细语呢喃，安抚老伴。终于，放了电话。

他苦笑着说，老伴在这里时无法替他分担，他还要想方设法让她过得好，让她心情好，不在一起，他的压力会少一些。打个电话，好好好，就算了。在一起时，常常会为一个问题争论好几个小时。

以前，我做的事儿她不管，你当校长是你单位的事儿，回到家里是家里的事儿。可到了这里，她不能不过问，替你担心。她认为，到时候人家让你下台，不如现在见好就收，全身而退。

太太是他的入团介绍人，也是他的中学同班同学。那时候他发奋读书，是“白专典型”，被列为批判对象，却因当时的副校长党支部书记艾淑斌的庇护，化险为夷。她深受学生拥戴，被称为“艾妈妈”。在她的关爱下，朱清时获得了全国数学竞赛一等奖，在政治环境恶劣的年代加入了共青团，从此奠定了他的人生路，也奠定了他的爱情之路。艾妈妈在十三中（华西中学）保护了好多家庭出身不好却自身奋进的学生，并将他们送进大学，成为国家的有用人才。那是1963年，考大学是非常看重政治表现和家庭出身的，而这一切都体现在学校的鉴定上。那些地富反坏右的孩子，原本是无法沾边重点大学校门的，但因艾妈妈的一支笔，救了这些有才华的学生。除了朱清时考进中科大外，还有一个同学是右派儿子，也进了北京一所重点医学院。为此，朱清时等学生们一直对他们的艾妈妈感恩不尽。

童年给朱清时的人生留下了刻骨铭心的记忆。父亲天资聪颖，1936年考入华西大学，当时只招七人，父亲考了第二名。1940年毕业后，美国教会人员动员他们去美国。母亲闻讯后，带着两个哥哥从乡下奔波了两天两夜赶到了成都。已经准备好远行的父亲只好放弃出国，在成都租房安家，那时候朱清时还没有出世。

没去美国的父亲却在后来的日子里突遭厄运。他是学社会学的，进了政府部门工作，加入了国民党。解放后，新政权留用旧政府人员，父亲便当了会计。因他处世不够圆滑，守规矩，花钱省，使领导不高兴了。在“三反”运动中，遂被定为国民党残余分子钻进革命队伍，成为专政对象。

朱清时说：“在我整个青少年时代，父亲的问题一直是个沉重的包袱，沉重地压在我的心上。我还记得父亲被判管制一年的消息传来那天的情景，对于读书人家这是盆难以忍受的污水，当时全家人绝望地抱团大哭。”

兄妹七人中，他排行老四。他说他特别佩服母亲，母亲从未对他有过什么言教，绝不像现在的家长对孩子耳提面命，苦口婆心。因为她每天要为七个孩子吃饭奔命，根本无暇跟孩子们说话，但母亲的身教却深刻地影响了他的人生和性格成因。他说有一次，他跟着母亲去探视父亲，母亲怕父亲轻生，隔段时间就要去探监。母亲拉着他从白天走到黑夜，一直走了十六七个小时，硬是从成都走到了金堂县的父亲劳改之地。蜀道之难，在他幼小的心灵里留下了深刻的烙印。

母亲非常能干，非常辛苦。为了养家糊口，她每天干最繁重的活儿。铺路需要碎石，她去河滩捡鹅卵石，一锤锤敲碎，按立方卖，那些碎石浸透了她的汗水。她还去给工人洗衣服，那衣服全是油腻腻的，相当难洗。她挣的全是辛苦钱。有一天很晚很晚母亲才回家，一进门看到屋子里很冷，灶膛没有生火，孩子们没有吃饭。疲惫不堪的母亲突然绝望地将手里的东西扔到地上，失声痛哭起来……他的两只大眼睛充满惊惶，这是他见到母亲唯一的一次哭泣。

他们全家那时住在一个破庙里，只有最穷的人才会住在这种四面透风的地方。没有门，用一个破草帘子一遮。母亲怀着弟弟，当晚分娩时家里来了亲戚，母亲吩咐亲戚烧一锅开水，拿剪子在开水锅里洗一下，放火上烧一下，然后剪断脐带，把带血的脐带团起来，开始擦洗婴儿。这一幕浴血的生命降临场面，都在这间简陋的破庙中完成。这一切都被他那双大眼睛盯牢。曾看过他童年时的一张照片，面部瘦陷，眼睛奇大，黑白眼球间有着一种深刻的忧郁和敏感，绷得很紧的嘴角凝聚着一种顽强的意志。那张照片仿佛是在这样的场景下摄取的。

人的表情很怪，有时童年时的一个表情奠定了人生的主调表情。

母亲第二天就起来做活，没有躺下休息一天。那种生命力，太顽强啦！他认为现在的妇女再无母亲那种生命能量，他认为这是人种在退化。母亲为他们七个孩子奔命，不但没被拖垮，相反还能腾出精力为政府做事情，成了积极分子。她有文化、有热情，能讲能做，深受欢迎。她还被评为先进人物，被报纸电台宣传。他从电台里听到过母亲的先进事迹，深为母亲而自豪。

他知道母亲挣钱非常不易，很懂得珍惜东西。母亲派他们做事儿，做好了，让母亲满意了，就会给他100元的奖励，那时的100元相当于现在的一分钱。他会立刻跑去街头，租看连环画。成都当时有一条街全是旧书摊，他最喜欢到这里看书，这是他童年的百草园。他没有别的兴趣，只喜欢埋头读书。他一看就是大半天，忘记了一切，却独独无法忘记饥饿。

11 岁时，他进了十三中读书，开始独立生活。

或许因为这种独特的经历，他对中科大少年班的神童非常理解。他认为有些孩子从小就与众不同，不喜欢交际，不喜欢凑热闹，只喜欢安静，从小就有成人的读书能力和定力。

正是在书摊上的读书经历开阔了他的视野，让他爱上了自然科学、爱上了文学，也让他的知识面得以拓宽。看到现在的学生拥有那么多的书，他说，当你有一本书的时候，会非常珍惜，捧在手中；有十本书时，就会放到书架上；而有一百本书时，你就再也不翻了。只有当你买不起书时，你才是真正读书的时候。

穷人家的孩子早当家、早立志，这在朱清时的身上得以证明。他是典型的逆境立志、逆境奋斗出来的骄子，他完全凭借自身的努力而改变命运。正因如此，他才崇尚真才实学，求真求实。

这种依傍奋斗，创造人生价值的坚定信念，在他出国深造的那些年，凸显得更加清晰。从 1979 年，朱清时被选为中科院首批出国进修人员，到美国华盛顿圣巴巴拉大学从事激光光谱研究，到转入麻省理工学院从事半导体激光光谱红外线多光子离解等的研究，到 1981 年 6 月第 36 届国际分子光谱学讨论会上，邀请朱清时做分会讨论的主席，这期间不过两年。但是，他却达到了人生的一个新的高度。他说，那天，站在主席的位置上，已完全忘记了因家庭出身而遭受过的种种屈辱。

他还说，在一次学术会上，我的老师向与会者介绍我时说："他几周内做完的工作，美国学生通常要干上一年。"这样的评价对他太重要了！他坦言："给我的自尊心带来的快乐，补偿了第一年生活中的全部苦恼。"

他的励志人生，顶着压力，改变命运，激发着强烈的成功欲望。这是他人生中的主调，也是中国知识分子实现人生价值的生命轨迹。他坚信这样的人生观，并以此教育和影响学生。中国的大学教育质量不高，其原因就是因为国家文凭成了万能通行证，用不着提高质量，只要混到文凭就好使，就决定了前途。南科大文凭没有国家担保，完全取决于真质量、真本事，文凭自己的含金量由社会检验。哈佛、剑桥、MIT，社会认可，市场认同，而不是国家文凭的保险箱。他就是希望试验班的学生们能够在南科大靠自己的奋斗得到真文凭，去竞争、去说话，从而证明自身的价值。说到底，这也是基于他这样的人生经历或经验。然而，这些孩子会不会都成为你朱清时这样幸运的成功人士呢？

都云漫漫人生路。其实，说到个体历程，还是很简短的。从成都到合肥、到青海、到美国、到大连，再到合肥，直到深圳……就这几个驿站，20多分钟就讲完了一生的经历。

人生苦短，但叹息和感慨却绵长而久远。

一边要负重，一边还要忍辱，还爱面子，还有不容轻慢的自尊。要讲究策略，读懂政策，还要善于跟人沟通，尤其要跟有权力的人沟通。要有行政工作经验，要善于团结人，要体恤关心下属，要宽容，还要有人格魅力，还要……唉！南科大到了最困难时期。他如此慨叹。

我不知道该怎样安慰他。我问他是否还要靠安眠药入眠，他说是的，要靠几种药。他到深圳近两年来没有体检过。此前，每半年他都会作一次体检的。他说，反正我现在也没时间休息，看到体检结果反而影响心情。

我问他下一步怎么打算？朱清时说，作为一个校长，在做一件事时他看懂了，但他不会放弃，他是一定要坚持做下去的。比如居里夫人，她作实验时，知道很多放射性物质会损害身体，却绝不会因此放弃实验，直到受害而殁；还有干将莫邪夫妇铸剑，明知道剑到最后炉火还差那么一点，铸剑不成，莫邪跳进炉膛内，因此而完成一双惊世宝剑……

那天，由这个话题而谈到了悲情的梁湘。朱清时说："假如梁湘再回来，他还是会选择继续干的。"

握别时，感觉他的手好凉。

故事还没有结束

几乎所有关心南科大的人都在为外患担心，谁会想到却发生了意想不到的"内忧"：《南方周末》的《南科大内忧》和香港科技大学三位教授的揭露式文章《要改革，不要口号》，一石激起千层浪，让风口浪尖上的南科大遭受到了致命的打击！

"高校的'自主招生权，自授文凭权'只是'表'，而教授质量、教育质量、管理质量才是‘里’。无论国外还是国内，从根本上能支撑高校‘自主招生权，自授文凭权’的是一个学校基于教授质量、教育质量之上的‘质量信誉’，而不是具有这些权力本身。

“南科大既没有管理团队也没有学科框架；既没有学术团队也没有学生教育培养大纲方案；既没有清晰的学校定位也没有清晰的发展路径图；既没有内部管理规章制度与问责机制也没有外部监管问责法规，也就完全无从谈起建设一个现代研究型大学所必需的教授质量、教育质量和管理质量的具体问题。但沉浸在偷换概念的口号喧嚣之中，完全远离了办一个现代研究型大学的正途，实在于南科大筹建无助，于深圳建南科大的初衷不符，于国家高教改革无益！”

港科大三教授如此犀利的文字，有人称“檄文”，有人说“图谋不轨”，有人称快，有人愤懑。

问题是客观存在的，不是杜撰；文字情绪或许过激，但却论述清晰有力。以改革光环照耀的南科大，之所以能够令人眼亮，无非是拥有院士或名教授讲课，一流的师资、一流的教育环境、一流的教学质量。这也是朱清时校长雄心豪言的支撑理由。因而，家长和学生们确信这是可以培养一流人才的保障。可是这篇文章针对要害而去：教育质量问题。全职教师只有两人，而各个团队都没建立，各项制度也都没健全，仓促安排教学，连45名学生正常的课时计划都没作好，经这样的剖白，南科大顿陷一片诟病之中。

网友们针对三教授的文章发出一片热议，支持与反对针锋相对，泾渭分明。

支持者认为这是难得的一篇好文章！分析和论述透彻之至，将非常有益于中国的高等教育改革；全面分析了南科大筹建以来一些严重的内部问题，同时也道出了内部真相，以供公众和媒体参考。

反对者认为三教授缺乏对中国国情的了解，缺乏对国内高校的调查和行政管理经验，属于站着说话不腰疼！

还有相对中性的看法：朱校长的想法是摸着石头过河，边做边完善制度。三位教授的想法是手中有粮，心中不慌，先有制度，然后才开始做。双方都是正确的，因为都肯定制度是必须要完善的，分歧只是在时间的先后。

无论持什么样的意见，人们还是希望看到朱校长的态度。他们认为朱清时校长应就这几位教授所指的问题给予书面回应，也能让每一个关注、关心南科大的人更深刻地了解南科大。

果然，朱校长针对三教授的文章站出来说话了。这是20天后，仍然由《南方周末》披露——

朱清时首先谈到做框架问题。香港科技大学请了20多人做专家顾问，成立了一个委员会，来帮南科大搭建整个框架。他们希望将框架搭好后，以后就“一个萝卜一个坑”地填。但朱校长认为这行不通。有哪个大学的框架是让别的学校来定？哈佛大学的框架能让麻省理工学院来定吗？港科大的框架能让港大来定吗？港科大的框架是吴家玮请了六七十个人一起讨论，争论许久才定下的。这也是教授治校的理念。

“我们真正的区别，不是要不要制定这个框架，而是怎么样制定这个框架。我一直鼓励他们做，但先不确定。等到我们的骨干进入之后，大家一起确定，让骨干有参与感、有发言权。所以在会议上，我就说：‘大的框架，李晓原先生先做草稿，但定稿应由副校长与核心团队来确定。’我与他们最主要的区别是：一定要先引进最骨干的人，比如副校长、院长等。”

记者问，实验室也没有建好，教学楼也未完全建好，老师也尚未完全到位，为何这么着急把45个学生招进来，是否会误人子弟？

朱清时举了张伯苓当初办南开大学为例，初期一个系只有一个教授，数学系是姜立夫教授，物理系是饶毓泰教授，这个教授什么课都讲，学校的几个工友就是管理团队；学生也不多，但照样培养出了陈省身、吴大猷等大师。他说南科大招收45个学生，用中科大的经验、用深圳的财力，聘用最好的老师，就能够把学生教好，一个班，并不难。现在我们就一个班，如果有六七个好老师，那么两三年的课就能够上得很好了。外人担心会不会把学生耽误？但学生和家长都很支持，没有哪个大学的新生能受到这样好的待遇。

接下来，朱校长说，不必把所有的东西论证好了才能做。要等所有的东西论证好，那是要办个几千人的大学才需如此。像45个人的班，如何运作，甚至连教学大纲、课程设置都只需按常规先试，这些他是很有数的。

在这个问题上，朱校长认为家长们最有发言权。他们的文化水平都很高，敢把孩子送到南科大来。他们的孩子学到了真本事，见到了大师。

朱清时在回答记者为什么要摸着石头过河搞试验班时，他说，因为中国的改革一定要有机遇。他认为这种机会稍纵即逝,(如果等上三五年)那就难说了。这种“自主招生、自授文凭”对教育制度的冲击太大，尽管只是少数几十个人，但是如果做成，榜样的作用很大。如果我不赶快招，等到现在就根本没有机会了。

教育部的态度一变，深圳市要与教育部保持一致，那我们就失去机会了，那就不知道要等几年了。

朱清时认为中国社会处于急速转型期，不像香港那么几十年保持大致不变，所以香港科大的创始人可以按部就班地准备。他们很难理解我们，像我们这一代人，在中国生活几十年，深深知道成功的第一要素是机遇，这也是我们与三教授的区别所在。当历史大变革的时候，机遇最重要，比计划更重要。

朱清时说:“我在中科大时，对学生讲得最多的就是，成功的第一要素就是感知机遇、抓住机遇、把握机遇。这是在中国国情下，要做成一件大事最为重要的。”

记者直逼朱校长:“那么港科大三位教授的公开信里，有没有合理性的成分?”

朱校长肯定地回答有合理性的成分。那就是要科学规划，事先考虑，避免失误，避免走弯路，合理地结构各种课程体系，这些是可取的。他说:“我完全接受。”

朱校长在第一步“去行政级别”迈出去之后，第二步就要为南科大真正“去行政化”铺垫路基，这是体现在学校的框架建立上面。他并不先建行政团队，而一定要先建好学术团队，这样才能达到“教授治校”之目的。这两个团队的标志性人物是副校长到位，他责成李晓原先作好框架，却要等到学术副校长到位后再审定他的框架，这就是他出于对学术副校长的看重。三教授显然对此不高兴，他们与朱校长的主要矛盾，还有报酬方面的问题。

但是，他们为何偏偏选择在南科大最低谷时，撰写这样的文章?家长们说，这是“落井下石”。大多数人还是关心着文章的出炉背景。

我从南科大了解到，始作俑者为《南方周末》，他们的记者想从另外一个新颖的角度曝光南科大。为了有看点，媒体总是要挖空心思找看点、找新角度的。曾经跑南科大，为宣传南科大写过文章的记者，忽然就想起了要找香港科技大学前来帮着筹建的教授们，想听听他们对南科大学生集体拒绝高考的看法。结果，一联系才知道他们早已在试验班开学前就撤离了南科大。三教授表示有满腹话要讲，恰好又是报纸最需要的，于是一拍即合。记者们写了文章，也约他们写文章，整版推出，将朱清时的南科大一下子推到了最为尖锐的矛盾漩涡之中。堡垒最容易从内部攻破，何况堡垒正处在最脆弱的时候。

这便是文章出笼的客观背景，假如不是报纸约他们写，他们大概未见得就会去写那篇文章的。要说在客观上起到"落井下石"的作用，倒也不为过，但首先是因"被高考"而落井，其后才有下石。假如没有"被高考"，可能所有的矛盾都不会集中发生。

南科大一位知情者说三教授不能算是内部人士，更不能算核心人物，理由是他们从未与南科大签约。开始，他们是主动找上门来的，积极性颇高，正好南科大与港科大也有合作意向，他们就作为港方派过来帮着筹建的人员。南科大这边希望他们全职过来工作，成为核心成员。聘期两年，发全薪。但他们不愿意以全职工作的方式，感觉有点冒险，另外也不想放弃港科大那边的薪水，所以就没有签约，而是提出有偿咨询服务的形式，希望拿咨询费，这样他们可以两面得钱，两全其美。他们提出每人每年80万,三人240万元。学校同意了，打报告给政府报批，政府方面却迟迟未批。这期间，他们与我们在办学方面的分歧就越来越明显了。后来，政府有了意见，认为改为有偿咨询性质变了，即使咨询收费也要有明确的任务，要逐个立项，要有考核等严格的制度。政府不同意给咨询费，这是他们撤走的前提。

那他们为何对朱校长这么大意见呢？

知情者说，在他们的眼里，朱校长很强势、很主观，他们认为都是校长一个人决定的。

据说三教授在撤离南科大后，还专门去了深圳市政府，找到有关人谈了五个小时。

关于朱清时与香港科技大学三教授分歧之争的文章，比比皆是。《南都周刊》有篇熊丙奇的文章，他从大处着眼，论述了港科大应该怎样帮助南科大。文章认为港科大的教师，"在南科大办学中应该发挥的作用并没有得到发挥。而且，他们把教育部、深圳市、朱清时的办学责任混淆了。"

文章陈述了港科大原校长吴家玮在接受媒体采访时说，他发现内地的一些做法跟香港以及国际的做法不大一样，"比如我是南方科大校长遴选委员会的成员，但是委员会只开过一次会，放在国际上，那是要开无数次会的。"

熊先生指出:“那么，吴家玮先生是否在做遴选委员时就提出质疑，要求深圳必须赋予遴选委员会充分的权力，而不是只开一次会，走一个形式？作为专家，如果不直接对政府提出意见，而是默许，那不是纵容吗？”

对港科大三教授的质疑，熊教授直言:“为什么朱清时校长高喊去行政化的口号，而实际上却在所有的重大决定上唯个人意志定夺？这一责任在谁的身上？毫无疑问，不在朱清时身上。所以，港校的外援对于南科大来说，最大的贡献应该不是帮‘朱老板’干活，而是帮助南科大建立现代大学制度，督促南科大制定大学章程，建立大学理事会（董事会），形成独立运作的校长遴选委员会、教授会、学术委员会，而不是旁观，然后表示失望情绪。总体看来，南科大的内患始于外忧，把南科大变成‘四不像’的不是朱清时，而是极不明朗、纠结的教改格局。”

面对如此复杂的大环境，确实不是哪个校长个人问题，而是体制问题。假如体制的问题解决了，真正到了“去行政化”“教授治校”那一步，不仅朱清时可以得心应手，三位港科大教授也都可以干出名堂。而在这样的体制下，你处处被掣肘，你连“自主招生、自授文凭”的权力都争不到的话，你还能侈谈保证教育质量吗？他们三人认为“高校的‘自主招生权，自授文凭权’只是‘表’，而教授质量、教育质量、管理质量才是‘里’。”这话在香港那边说没错，在这边从道理上说也没错，但从中国的国情上说，就“外行”了。你没有这个“表”，就无法达到那个“里”的!

有人撰文《河水里能否游出一条金枪鱼？》，金枪鱼显然是属于海里的，但未必就不能从河里游出来，如果在海水与河水的交汇处，就完全可以游出金枪鱼来的。香港就是这样的咸淡两合水之地，因而香港科技大学就是游出的一条金枪鱼，光彩夺目，稳居亚洲大学首位。至于一水之隔的深圳，一直想与香港联手建“双城”，但两大城市间的差异显而易见。从城市高楼来看，深圳差不多已攀升过香港了，尤其从皇岗口岸入关时的那段山区空旷如野，像过去的深圳；而回头一望，深圳楼群云中扶摇，让人误作香港。

深圳是受香港影响最多最大的城市，但深圳何时才能具有咸淡两合水呢？只有具备了这个条件才可以高喊——创建一步到位的世界一流研究型大学。

塘朗村口的高校改革虽然连篇累牍，但大多只是过眼烟云，流于肤浅，而真正内在深刻意义却鲜有人探究。尤其是“去行政化”，对于中国的体制改革而言，甚至对于中国的政体改革，有着怎样的潜在推进作用？

南科大只有几个月，还算是个婴儿。30年前的蛇口也是婴儿，而且是试管婴儿。那里发生的姓社姓资的“蛇口风波”，那个将铁板一块的中国震裂开一个口子的蛇口让历史铭记。从蛇口到塘朗村口，同处一座城市，同属一个南山区，塘朗村口的改革距意识形态更近，因而敏感度更高，受到的阻力更大。

一位资深的教育界人士对塘朗村口与蛇口之改革意义有这样的见解：“如果说蛇口是在一块合法的荒地上进行了第一犁的开垦，那么南科大就是在一片非法的禁区上进行首次排雷，就算他排雷开拓了一条小径，也并不能改变这块禁区的性质。”

南科大注定不会走远的。有人说，对南科大而言，一场悲剧比一场励志的正剧更有意义。然而，人们最为南科大担心的还是苦了那些学生，他们有的少小离家，无法把握自己，而南科大作为大学，又不可能像中学小学那样去管理，而被家长和学校管理习惯了的学生突然海阔天空地自由了，他们成长中的问题，尤其心理方面，

位于深圳的南方科技大学校园。（梁旭/摄，图片来源：新华社）

将是一个迫待解决的问题。这 45 个孩子如果是 45 个“天才”的话，那么现在剩下的这 44 名会不会坚持下去，健康成长？

朱清时曾面对全国的电视观众，激情地将话说得太满，他要让 45 个学生个个成才，让世界承认，他以为请来世界一流的教授就能够保证学生个个成才。他的思维还是中国家长的只要学习好，就能够拥有美好人生，就能够出人头地。中国人对少年人的培养过程，捧杀是最可怕的。而这 45 位南科大学生是否有捧杀的条件？是否有足够的管理与心理疏导？尤其心理咨询对他们是非常重要的。出现了这个淘汰的学生就说明在这方面的疏忽，中科大天才少年班也有类似问题。无论宁铂还是干政，还是另外几个天才，后来都不同程度地出现问题，尽管他们的走向不同，但心理方面是他们的共同问题。中国没有一本真正的少年心理学经典，也没有一位真正大师级的少年心理学专家。尤其在激烈严酷竞争的当下，这种“软性”心理学未必比“脑白金”等健脑保健品更能够被家长和学生认同。

中科大为少年班成立了心理咨询中心，专门有老师和心理医生为学生进行心理疏导。而南科大虽然也有十多位老师围着学生转，但真正的心理工作显然是薄弱的，不能令人满意。

在高考风波过后，那些抗高考情绪激烈的学生，学习成绩一路下滑。有知情的同学说，他们的心思已经不在学习上面了。那么在哪方面呢？在斗争方面。听了这样的话，我不禁倒吸了一口气，他们一定是出现了心理方面的问题，应该及时进行心理咨询。

在一名山东学生掉队之后，剩下的 44 名学生中，最近又听说苏刘溢也离开了学校。朱校长说，苏刘溢确实回家了，但绝不是退学。

苏刘溢是塘朗村口进驻的第一位客人。他因年小聪明出尽风头。他在南科大招生前就先进驻南科大了，那时候全校只有他一个学生。他在南科大经历了“自主招生、自授文凭”的全过程，咨询会、考试，直至选拔 45 名学生开学入校的几个过程中，苏刘溢一直是被媒体关注的小明星。

有一张照片是学生们的集体合影，这张照片刊发在美国的《科学》杂志上。45 名学生围在刻有“南方科技大学”几个蓝色大字的巨石周围，颇有象征意义。巨石是从新校区基建工地上运来的，花岗岩质地，造型像一颗巨大的心脏。望着聚拢或趴伏在这块巨大心脏上的首届试验班的 45 名学生，深感这是一个耐人寻味的镜头。

这45个学生既是天之骄子，又是前途未卜的“试验品”。是伟大的试验，还是悲情的试验？

这是一个非常炎热的中午，无风，闷热。校园里不见一人，难得有这样的平静。笔者从这块巨石面前走过，有种异样的感觉。

学校规定不让学生接受采访，虽然那时他们还没有面临“被高考”，但校方是不希望外人打扰学生们的，因为自开学以来，几乎每天都有媒体来关注他们。

我小心翼翼地朝学生宿舍楼走去。

一进到学生宿舍楼，就有种温馨感。墙上写有“我们的书院，我们的家”之类的话语。看来，真是如校长所言，采用书院式管理。一个客厅式的空间，沙发上坐着一位眉清目秀的学生。我走过去时，他非常有礼貌地跟我示笑，他称我为老师，我称他A同学。他说话小声小气，似乎怕惊动别人。我问他何以坐在这里看书？他言，怕打扰同寝室睡午觉的同学。他们都是两人一个房间，男生在四楼，女生在五楼。

A同学告诉我，他是从报纸上看到南科大的招生消息，也上了南科大网站，按照《2010年南方科技大学教改试验班自主招生简章》的要求报名。要有两名推荐人的推荐信，还要本人亲笔撰写一份个人陈述。那么多人竞争，他说想不到自己会这么幸运。他说他很怕考试，能够考取南科大，实在是自己的幸运。

我跟他打听苏刘溢，他说他可能在午睡。神童也要午睡啊！

A同学说他很佩服苏刘溢，这么小的年纪，理解能力却很强，大家都对他非常好。我们边说边来到图书楼。天气太热，找到一个没人的座位刚坐下，楼道那边就过来一个小男孩。短袖灰衫，牛仔裤腿吊得很高，似乎撵不上他正长的腿骨。平顶头，背双肩包，可能书包太沉，他的两手扣抓住胸前的两条带子。A同学冲小男孩招手，小男孩却警觉地站定在那里，远远地打量着我，不肯过来。显然这就是大名鼎鼎的苏刘溢了。

我过去要跟他聊聊，他却不给面子，面露急色直奔电梯，他对A同学说他要去上课，到时间了。

A同学请求他跟我拍张照片，他仰头想了想，不大情愿地站过来了。他额头有一层细碎的汗珠。拍完，他就又往电梯口奔。A同学告诉他，下午国学课是分两组上的，他是分在第二组，是第二节课上，要三点钟才到上课时间的。苏刘溢疑惑地问他:“你根据什么这样说?”

A同学答:“老师通知的啊!”

“那我怎么没接到通知?”他的手已扒住了电梯门。

“那就算我通知你了!”

“我不!我还是先上第一节!”瞅着他执拗闪入电梯的身影,当即就让我联想到宁铂,那个30年前的中科大神童,曾引发了一场举国神童热。后来,听说他已出家当了和尚。据说宁铂当时上课一直不开心,不喜欢天体物理,他想转系,老师并没允许。就是说,他一直在被迫去学自己并不感兴趣的课程。大凡神童,多有怪癖,而苏刘溢也显然有与众不同之处,他上课不老实,喜动,像个顽童。但朱清时却慈祥地说,根据他的了解,苏刘溢确实在和哥哥姐姐们一起上大课时比较不适应。他才11岁,也没在小学和中学上过学,都是靠自学,确实是比较特殊的。所以,学校决定对他采取特殊的照顾和特殊的培养方式。

南科大已经退学了一人,真不希望苏刘溢是第二人。退学的那个学生不珍惜院士或专家上课,沉迷在打游戏机中,而且性格也孤僻,不与人交流。他的成绩无法跟上试验班的步伐,只好遭到淘汰。

对于朱清时而言,试验班里的学生是他最为器重的,因为他们承载着他的改革理想。假如这些同学不断地出现离去的情况,那么朱清时该怎样解释他曾经放言的“个个成才”?

不久前,南科大学生陈杳因为穿着一件特殊T恤而被媒体关注。白色T恤上面显赫地印着校长朱清时的肖像,和他一贯倡导的原则——“让大学去行政化,回归学术至上”。陈杳说,这是他们班上同学自发制作的。

同学们确实爱戴他们的校长。在我与A同学的多次聊天中,我深知他们是怎样从抵制高考中走过来的。他说,学校老师之间太复杂了,原来他相信的人现在已经不敢相信了!他在判断人的能力上,正在告别幼稚。

我欣赏他不仅有数学的头脑,更有社会思维与哲学的思辨。他在评价港科大三教授的文章时,充分肯定了建立成熟制度之说,但他又能辩证地理解朱清时校长。那天,他忽然对我说,“没了朱校长,南科大会是什么样子呢?”接下来他自答,“全国人希望的南科大,就连深大都不如了。为什么在中国办一件事就这么难啊?为什么这样子,老是斗,老是斗,非要自己绊住自己?身在中国真需要一颗强大的心。”

记得我们头一次见面时，他就向我表达了他对朱校长风度魅力的倾慕，发生了这么多风雨之后，我想知道他目前对朱校长的看法。我问：“那么，你现在会怎么看校长呢？长大后是不是还要做他这样的人？”

他答：“我还是选择成为朱校长这样的人。希望能在他这样的岁数，能活出这样子的风度！”

随后，他补充了一句：“现在什么人的话我都不相信了，我只相信朱校长的！”

拿孩子赌明天，这是对中国家长最为严酷的考验与鞭挞。如果说，45个孩子是朱校长的口号试验“人质”，那么，孩子的家长、孩子家长的家长，都是人质串上的，多长的一串人质啊！他们要比孩子承受得更多。即便那句“可怜天下父母心”，也难比这些备受煎熬的家长的苦心。每家只有一个孩子，他们经不起失败。不论外界如何评价，我们最应该相信的还是家长们的声音，他们才是最有发言权的。

朱清时可以欣慰了，即便再大的外患内忧，家长们始终不离不弃与他紧紧地站在一起，这种信任的力量是千金不换的，何况还有学生们的崇拜。

点开任何一个搜索页面，都能找到朱清时在凤凰卫视、在南科大咨询见面会上的激情演讲，他信心满满，表示要让南科大的学生受到最好的教育，让社会承认，而不是凭借教育部的大印文凭。他认为只要他们努力为学生提供最好的教育、最好的师资，学生们个个成才，就可以成功！那时候，他犹如站在神坛上，怎么讲都有道理，而短短几个月后，他遭受了众多指责，经历了太多的风霜。他那容光焕发的面容显见衰老，愈加瘦陷的眼角，堆起的细密皱褶似在诉说万般愁绪。这位65岁的清癯老人夜不能寐，遽减十多斤，而他的嗓音也再难高亢明亮起来。

从2002年开始，朱清时一直作为高教界的异类出现在媒体里。他公开批评学术造假成风，公开反对高校无限制地扩招，呼吁改革高考制度，别人不敢说的话他敢说……他总说大家都坐在一列火车上，都知道车开错了方向，却没有人指出，也没有人跳下去。

有人说：“在这些潜规则盛行中国、无人敢站出来说话之时，朱清时的率真和勇敢使他成了媒体的宠儿。”媒体的传播为他赢得良好的声誉，而他太太却为此提心吊胆，一再提醒他远离记者、远离媒体，不希望他多说话，一多说话就会得罪人。这不，在高考之后，他又感慨地说了这段话："我没想到学生能想得那么清楚透彻，那么有勇气。教改那么深刻的问题，他们一目了然，他们让我觉得中国教改是有希望的。他们甚至比很多成年人、官员和老师都要有勇气得多，我觉得那些官员和老师在他们面前应该汗颜。"尤其最后这一句，能不得罪人吗？被得罪的人恐怕是不会"汗颜"的，只会生气。

2011年3月20日，南方科技大学校长朱清时在开学典礼上致辞。（刘智先/摄，图片来源：新华社）

内忧外患，腹背受敌。南科大是弱者，朱清时亦是弱者。对于一个自尊自爱的弱者而言，对于一个肩负高校改革重任，一个去行政化的唐·吉诃德式人物来说，他即使不像开始那么完美，也绝不至于破碎。人无完人，人们不该嘲讽，不该网骂，而是应该给予更多的同情与理解。既需要"为政者的宽容"，更需要广大网民的宽容。总之，需要与人为善。

我们太容易交恶了，囤积一些善良的土壤，让朱清时平安着陆吧！毕竟，他是被历史和时代推到了风口浪尖上，毕竟他的南科大试验让我们看到了在中国目前的体制下，去行政化关山重重，而想一步到位、一厢情愿地去创办一所研究型的一流大学，有如天方夜谭。南科大是只燕雀，是被绑着两条绳子的燕雀，这两条绳子有任何一方拽紧，都要跌倒而决不可能挣脱！

朱清时不希望跌倒，南科大仍在喋血挣扎。在6月24日的新闻发布会上，南科大又与香港科技大学的陆为、许宗祥、徐虎三名副教授签约，他们签约后均为全职教师，负责以后学生的专业课及学科建设。这是南科大第一次正式与香港科技大学方面的教授签约。

朱清时在接下来的发言中称，今年南科大计划招聘330位教工，主要是教授，其中20至30位为领军教授，50位讲座教授，120位左右的教授、副教授和助理教授。本次计划招聘的人才当中，将招聘100名左右的博士后。

接下来，7月6日，南科大召集了相关教授、学生及家长参加座谈会，专门讨论学校的发展规划。

再接下来，7月16日，将召开首次理事会会议。这说明千呼万唤的理事会终于浮出水面……

这一个又一个的举措，说明脱皮掉毛的南科大正在努力摆脱着内忧。若论朱清时的失误，最主要的就是他对深圳的判断理解有误，他不该将这个城市过去的闯关夺隘与现在简单类比。过去这里确实能够杀出一条血路，先斩后奏，如机场先营业再获批准；深圳证券公司也是先开始运营，后获“准生证”。但是，南科大现在想这样先干起来，再获取上面的认同批准，这显然只是朱清时的一厢情愿。

这个城市现在进入了饱和与“平稳”状态，已经不是“摸着石头过河”的那种环境了，更何谈“杀出一条血路”？虽然深圳人也在不同场合高喊“杀出一条血路”，但那只是口号。不求有功，但求无过，这是当前城市的官场心态。中国官场影响升迁的原因，不会因为你没有作出多大功绩，而只能因为你出了什么差错或乱子。所以，不出乱子就是心照不宣的定律。

朱清时的失误，还表现在对基层行政工作经验的缺失方面。他面对媒体可以穿云破雾、指点迷津、光芒睿智，而在具体复杂的人际关系方面，缺乏换位思考的习惯，在巨大的压力下容易产生误解。而一旦有了隔阂，他又不善于主动与人沟通，不善于礼贤下士。这有性格方面的因素，也有意识方面的原因。反正他像一块超乎尘世浊浪的岩礁，已习惯了受到风浪的簇拥，而决不会主动迎合风浪，哪怕再娇媚的浪花。所以，让他去管那些员工的琐事，包括港大三教授所言的每一个员工薪水什么的都要亲定，实在是难为他了。你能要求他在一脚魔界一脚佛界间游刃有余吗？

不管朱清时有这样或那样的不足，他毕竟完成了一次人格的洗礼与重大试验。他一直说他是在为回答“钱学森之问”作着这样艰苦的试验，但他没有意识到，在这个试验过程中，他对自身的意志品质、人性深度、职位能力，都来了一次全方位的检验。他的学生是“被高考”，他朱清时是“被试验”。媒体既将他和他的南科大托举到巅峰，也将其抛入深谷。内忧外患：外患人人皆知；内忧，却让人惊异。外患伤的是南科大，内忧伤的是朱清时。外患越大，越能显出朱清时的本色，越有利于他的光彩；而内忧，即使再小，对他也伤害惨重。

朱清时的“被试验”，其意义决不局限在他的个人得失方面，而是为我们的民族提供了一个生动的读本。

拒绝了高考，上面一直没有采取措施，处在“缓判”阶段的南科大面临着巨大的压力，犹如即将到来的暴风雨！朱清时一再强调他的南科大试验注重过程，不管结果如何，过程是最有意义的。无论上面最终会给南科大一个什么样的“说法”，但朱清时的南科大试验已经行将落幕了，朱校长不大可能将变了味的试验继续下去。只不过当下，他面对咄咄逼人的港科大三教授指责，面对内忧所带来的社会舆论压力，他的性格不允许他退却、不允许他当逃兵，他必须迎难而上，将被诟病的教学方面的事情搞好，搞到令人信服的程度。那时候，他可能从落入的水中挣扎上岸，爬到一个相对高的地势，他就会体面地宣布辞职！

大学去行政化确实意义重大，因为一批批智商更高的人乐此不疲地投入其间，让原本纯净的学术环境更加复杂化。不知道朱清时之后，还要多久才会出现一个真正的一流的研究型大学？才能培养出大师级人才？才能打掉文凭的铁饭碗？才能将大学官场化改观，真正让其回归到原点——“独立之精神，自由之思想”？中国人什么时候才能不唯官而唯学术是瞻？

笔者在开篇将朱清时的人生说成是一张保持棱角的纸，但经过这场特殊的啼血试验，晚年的朱清时在塘朗村口却遭到一次残酷的折叠揉搓。而他的南科大，形象化地说，是深圳抛出了一个色彩鲜艳的气囊，朱清时接过来，将气囊做大，做向更高、更炫目的山坡。

山坡上已不是豪华的别墅，而是高悬着一个五彩缤纷的气球。

（选自 2011 年第 9 期《北京文学（精彩阅读）》，有删节，作者：刘元举）

小升初：拨不开的迷雾

这是一部小升初（小学升初中）家长必读之作，也是近年来揭示九年制义务教育实况的力作。作品全方位描写有关小升初大战令人惊异的内幕，你必将为那些孩子和家长所经历的日日夜夜所震惊。年复一年的小升初大战为何持续不断地愈演愈烈，这种令学生和家长心力交瘁的大战何时能够停息？

我真苦！

现在的小升初啊！
真是比战场
还战场！
最苦的
可不是
老师
家长
而是我们
一群快要
枯掉的花朵
救救我们吧！
我们需要
快乐的水分
来滋润我们

可千万不能
让我们
一群祖国的花朵
枯掉！
唉——

这是一位六年级小学生的原创诗《我真苦！》，这首诗在备战小升初的学生中间悄然流行，读后让人心情沉重，感慨万千。一句句虽略显稚嫩却发自肺腑的呐喊，道出了教育之悲、社会之痛。

2011年6月19日，众多学生和家长在查看南京一所外语学校"小升初"招考电脑差额派位名单。（董金林/摄，图片来源：新华社）

对于大力提倡素质教育的中国教育来说，这首抒写着孩子的忧愁与痛苦、呼唤童年的自由与快乐的诗歌俨然是个绝妙的讽刺。如今，在小升初推行免试制度的教育现状下，在我国绝大部分城市，"小升初"的竞争激烈程度却堪比中考、高考。在北京，甚至有人总结：小升初最难，中考最容易，高考介于两者之间。

几乎每个重视孩子教育的家庭在迎接小升初的时候，都会不可救药地被卷入它的轨道。它让孩子们奔波在占坑、培训、无休止的考试、苦练特长、参加各种竞赛的"战场"上，看不见硝烟的战争让他们逐渐成长为训练有素的战士，失去了尽情撒欢、恣意欢笑的童真，更考验着广大家长的权力、财力、脑力、精力。托门路找关系、买"学区房"、打探消息、为孩子报读各种培训班、找家教辅导……有门路的家长长袖善舞，孩子可能省点力气；没有门路的家长则拉着孩子在考证、培训的路上，一路狂奔。

作为跑了几年教育口的记者，眼见着北京教育主管部门年年出台政策遏制小升初的乱象，如各种证书不再成为中学录取学生的依据、小学生不能考公共英语、中学不能举办与升学挂钩的考试、电脑派位、推优、理清体制改革校、整顿占坑班等，而小升初的混战局面并没有变得海晏河清，被卷入其中的人们在怨声载道的同时依然疯狂。

一、 等待密电召唤上岸的日子

一个草长莺飞的周末，在位于海淀区的一家知名培训机构门口的咖啡馆，我再次见到李欣，两个月前，在同样的地点采访过她。记得当时她慢条斯理地讲着如何全家总动员的情景，讲到周末睡过了头，自己为了赶时间陪女儿参加某机构的"活动"，居然穿了两只颜色不一样的袜子时，笑得前俯后仰。尽管每到周末就陪女儿去培训班上课，不过一看还是一位性格开朗的乐天派妈妈。

不过，这回见到她，我却吃了一惊，只见她黑眼圈浓重，说话声音嘶哑，大口喝着自带的金银花茶，"这几天睡不着觉，着急上火，嗓子哑了。"当问及佩佩的情况时，李欣的神色明显暗淡了下来，"我天天开着手机，随时等密电召唤我们上岸，可眼见着都到了4月份，培训班的好多同学都被点走了，孩子的情绪受到影响，最近上课积极性都差了。不瞒你说，我最近做了好几回噩梦，都梦见最后被电脑派位到我家附近那所学校了。”

“现在我特别后悔对女儿的教育方式，如果时间能够倒流，我一定让她少学些乱七八糟的东西，如果能早两年学奥数，哪用现在遭这样的罪！”李欣不停地抱怨，嘲笑自己变成了祥林嫂。

其实，在不了解小升初的人眼中，佩佩备战小升初的时间并不算晚——五年级下学期。

就在佩佩进入五年级下学期的第一次家长会上，李欣开始感觉到恐慌。当李欣走进教室时，意外地发现孩子的新班主任竟然是自己多年没有联系的高中同学王敏然。

会后王老师悄悄拉住李欣，谈起佩佩的情况。李欣如数家珍，谈起佩佩三年级时在区里的绘画比赛中得到二等奖，书法比赛得到三等奖，自拍的DV短片受到专业摄影师的表扬，在报刊发表过诗歌。孩子兴趣广泛，尤其爱好阅读，还每年都寄一部分压岁钱给一位贫困山区的小朋友，热心参加公益活动等。李欣滔滔不绝地讲了半个小时：“孩子聪明善良，前几天还因为宣传环保节水知识接受了电台记者的采访呢。”

然而，这位自以为教育孩子非常成功的母亲却看到王老师越听越紧锁眉头：“还有呢？奥数相关竞赛成绩、英语水平怎么样？”

李欣一下子被问住了，告知女儿数学成绩还不错，但对数学没有特别的兴趣，除了上学之外没有额外学习过奥数，英语仅仅上过三一口语辅导班，但是和孩子的书法学习时间有冲突，上了一段时间也停了。

“哎，你怎么这样糊涂呢？到了明年小升初，如果走不通特长生这条路的话，所谓兴趣、特长都没用。记住，奥数和英语才是最重要的，你得抓紧时间给孩子报培训班了，你总不能等着没有一所学校和你们签约，孩子等到电脑派位吧！别指望着学校能帮你什么，现在提倡减负，孩子学那点东西根本应付不了好中学的选拔。”

班主任一语点醒梦中人，李欣回家后就打开电脑浏览各个小升初论坛，发现很多孩子从三四年级就开始为小升初作种种准备，甚至全家总动员。想到女儿至今没有一项“硬”成绩，李欣为自己的迟钝大意自责不已。

在接下来的两周里，李欣开始四处搜寻打探小升初的信息，在多方咨询比较后，给佩佩在一家知名教育培训机构报了一个英语班和数学班，并且在几番痛陈利害之后，佩佩答应放弃学了半年的油画课，噙着眼泪把画笔锁在卧室的抽屉里。“仅仅半个月的时间，我们全家就经历了一次教育思想的重大转变，被裹挟进了小升初的洪流。”李欣说。

此后的时间里，为了让佩佩能顺利进入心目中的好学校，李欣密切关注着小升初的一举一动，在报纸、电视、网络上看到小升初的信息都要细心地保存下来，连逛街的爱好都演变成了每天逛几大培训机构的小升初论坛。李欣说：“几乎上瘾了，要是连续两天都不去论坛看看，心里就会发慌，就怕漏了什么重要的信息。我爱人同事的孩子去年被人大附中录取了，我们还特意请人家来家里吃了好几顿饭，好好取了一下经。”

像李欣一样为了小升初全家总动员的家庭，在北京极具普遍性。为了追逐有限的优质教育资源，避免最差的结局，小升初不只煎熬着孩子一个人，而是父母齐上阵。

两名学生走进武汉一家培优机构。（郝同前/摄，图片来源：新华社）

当五年级的课程结束后，佩佩没有感觉到放假的轻松，这个暑假在她的记忆中是无休止的课程、测试，和妈妈李欣鬓角悄悄渗出的几根白发。经过多方比较，佩佩确定了三所目标学校（一所市重点、两所区重点），并且为了广种薄收，共报了四个坑班，其中有一个所谓的“金坑”，三个“银坑”，再加上在培训机构的各种班，佩佩要上七个专门针对小升初的课外班。

“许多学校的考试都是通过自己的坑班或者关联的培训班进行，外面的孩子甚至连报名的资格都没有。上了不一定就能考上，不上肯定是彻底没有机会。”李欣这样总结上坑班、培训班的重要意义。

高运转、高强度、高压力让佩佩有了一些进步，不过到了10月份的时候，出现成绩裹足不前的现象。李欣意识到孩子上了太多课，忙于应付，顾此失彼，做不到重点突击，而且坑班的主要目的是选拔，学得非常简单，考试却很难，而在培训机构的培训班中还能扎扎实实地学到一些东西。这才放弃一个坑班，并且停听两个坑班的课。

从9月份开始，佩佩正式踏上了无休止的考试之路：坑班考试、高思杯、巨人杯、走美杯、三一英语六级……“我们得随时开着手机，不知道培训学校还有坑班什么时间召唤你活动，有几次第二天考试，都是头天晚上9点多才通知的。”李欣讲到，这半年来自己都患上了手机强迫症，连去洗手间都把铃声开到最大。

小升初的力量过于强大，已经在悄无声息地改变着孩子、改变着家长。佩佩原来养的两只小狗被送到奶奶家寄养，失去玩伴的她有时沉默着蹲在小区的花园边看蚯蚓。渐渐地，李欣也发现不用为孩子丢三落四的毛病操心了，每次考试前从准考证到笔、证件等佩佩都会准备好，并且在电脑里专门建了一个文档记录考试结果公布的时间和查分电话，每次考试的分数、大概名次。

“看到以前活泼可爱的孩子，渐渐被考试累得话少了很多，面对孩子的迷茫、困惑、疲倦，我却冷血般无动于衷。一天到晚永不停息地逼着她学这学那，我特别心酸，但是也没有办法啊！毕竟多一分努力就能多一分早点上岸的希望。”逼着女儿学习的李欣感觉自己变成了女魔头妈妈。

在大大小小的陪考经历中，李欣最难忘的是去年元旦假期，孩子除了正常上课外班，更是在两天连续经历了两场大考。一场是所谓的八校联考，另外一场是坑班的选拔考试。佩佩头天晚上10点多才到家，随便吃了点儿东西，将近11点才上了床，第二天清晨6点又从睡梦中被摇醒，揉着惺忪的睡眼急忙穿衣起床，去奔赴某区重点的坑班考试，这两场考试花了佩佩七个小时的时间。第二天考试结束，李欣和其他几百名家长冒着零下五六度的严寒，在考场外夹道迎接刚刚经历苦战的孩子们。李欣多么希望佩佩会笑逐颜开、蹦蹦跳跳地出来向她报喜啊！然而一见到佩佩神色凝重的样子，李欣再也不忍心问她考得如何。

从去年9月份开始，重点中学陆续点招。一开始李欣还镇定自若，自己的孩子不是牛孩，不会有那么好的运气受到那些顶着耀眼光环的学校的青睐，但对于孩子考上目标学校还是有把握的。然而，随着小升初论坛上家长不断汇报孩子的好消息，听着孩子班里的同学陆续被点招，李欣开始坐不住了。当佩佩因为差了五六分，与最心仪的学校擦肩而过时，李欣掩饰不住内心巨大的失望，患上了十二指肠溃疡，在医院足足躺了一周。眼看着到了4月份，只有一所不太中意的民办中学表示愿意签约，等待中的密电迟迟不来，李欣的嗓子又开始闹毛病了。

正说着话，佩佩噙着眼泪走了进来，我们连忙问她发生什么事了。哄了好久，佩佩才讲到，刚才上课老师统计被点孩子的数据，一个班20个人，近半数孩子兴奋地将手高高举起。“妈妈，我什么时间能被点啊，我不会被派位吧？”佩佩嚅嗫着，仿佛能从妈妈那里得到答案。

李欣的眼圈一下子红了：“孩子没事，先头部队过江了，大部队还都在冲呢，这个月一定会有好消息的。”

看着孩子低头沉默的样子，我不忍心再继续采访，匆匆告别了这对母女。在写下这些文字的同时，也默默地祝福她们。

一位家长在回顾孩子小升初的经历时，深有感触地在日志中写道：“每个人都希望保持个人尊严，但自从孩子出生后，虽然辈分提高了，可家长的尊严却时常受到挑战……当孩子面临小升初，您才真正面临丧失尊严的考验，当您弱弱地询问牛校保安是否收简历时，您得到的大多不是尊严！”他清楚地记得参加某校的讲座时，校长告诉家长说：“什么是尊严？就是当某名校校长给您家打电话，欢迎您家孩子到他的学校里去学习时，这就是尊严。”

当我对郭涛讲这位家长关于“尊严”的这一段议论时，郭涛深以为然。他已经在新公司上班两个月了：“这两个月我不能听‘小升初’这个话题，一听就感觉紧张。经历小升初，孩子和我都好像扒了层皮……孩子被点招了，再也不用四处求人，看人脸色了，又能恢复正常生活了。我开始了新工作，孩子恢复喜欢的跆拳道训练，我们靠自己的努力迎来了‘尊严’。希望还在挣扎的孩子们早点上岸，也早点过孩子该过的生活。”

去年夏天，因为原单位搬迁，交通变得极为不便，再加上妻子要照顾病重的岳父，无暇分身，考虑再三，他决定暂时放弃工作，全力帮助儿子研研度过小升初阶段。

研研目前在海淀区的一所区重点小学就读，虽然成绩不错，但是因为太调皮，屡屡被老师责备，在班里没有一官半职，更谈不上三好，推优无望。不过华数杯赛获得二等奖，巨人杯、高思杯等综合排名也在前20%，就是以这样的基础，研研与其他孩子一起迈入了小升初这条滚滚洪流之中。

“这样的成绩还不错啊，你们应该不会太着急，按部就班准备就可以。”听了郭涛的介绍，可见研研是个成绩不错的孩子。

郭涛却摇头苦笑：“你觉得你的孩子拿了不少证书，而牛孩多的是，比你的孩子拿的证书还要多得多。华数杯、迎春杯等一等奖，各大机构的杯赛名列前茅，经得起金坑的层层筛选，语数外综合成绩拔尖，这样的孩子才叫牛。我们的孩子就是一般孩子，所以面对小升初，作为家长，心里很茫然；作为孩子，更茫然、更累！我们在六年级的目标是数学的迎春杯、希望杯，最好能拿个二等奖以上，三一口语需要考过六级，作文最好也获个杯赛的奖，这样也许能上个好中学。”

因为对自身的定位比较清晰，因此研研丝毫没有放松，在外面同时上着机构和学校的坑班。此前在巨人的尖子班上课，还有其他机构的一个奥数班和一个英语班。为了能够一举中的，还在六年级时报了一个海淀区重点的坑班。

陆续参加各机构杯赛，研研的成绩喜忧参半，数学方面高思杯排进了参赛人数的前5%，学而思杯和巨人杯有些松懈，排名只挤进了前10%。语文方面，春蕾杯获得三等奖。

当一些学校点招的消息接踵而至时，闹得很多家长心惊肉跳。虽然研研的目标学校与上述无关，但不间断的刺激使郭涛羡慕之余还有深深的遗憾：孩子如果能在学习上更投入一些，也许现在已经解脱了。

在11月的时候，郭涛又去给孩子报了个中小机构的杯赛，在与机构负责人的攀谈中，那位负责人压低声音向他透露，其合作学校竟有他们最想追逐却又始终报考无门的一家重点中学。郭涛听了窃喜，仿佛看到孩子在那所学校上学的情景，赶紧填表，交了一千多元钱。等报完名后坐在车里仔细回想那人的话，感觉有很多水分。事实证明，那次杯赛对孩子的升学毫无意义。

"面对海量的信息以及千变万化的培训市场，小升初也在逼着家长打一场信息资源战。花冤枉钱倒不心疼，心疼的是又折腾了孩子一趟。"郭涛讲到，类似的事情发生了两三起，都怪自己的信息不准确。不过，随着自己对孩子小升初参与程度的加深，对各类纷繁芜杂的信息已经能理性地判断，再没有盲目交钱的事情发生。

12月，郭涛一家是在纠结中度过的。研研参加了两次市重点中学的考试，这两所学校只接收传说中的牛孩，显然超过了研研的水平。因为难度太大，成绩不理想，研研明显情绪异常，一谈到课外班和考试就烦躁不安，表示不想再去上课，也不想再去考试，直接等待派位。

为了舒缓研研紧张的神经，郭涛狠狠心，让研研放弃一些可有可无的考试，停了半个月的课，带他去踢球、游泳。研研经过一段时间的休息，心情明显好转，也恢复了信心。郭涛说："说实在的，浪费一天我都觉得心疼，但是我怕孩子弦绷得太紧，会断掉，万一患上厌学症怎么办？让他缓一下，攒足劲再冲。"

郭涛庆幸自己的明智之举，而经过多方打探、听取过来人的建议，郭涛更加重视坑班的作用，甚至放弃了临考前周末的机构课程，让研研全力冲刺，准备坑班的考试。

当研研参加完海淀区某重点坑班考试，一脸兴奋地对他说"极有希望"时，郭涛当天晚上激动得几乎没合眼，因为这是研研的目标之一。等到成绩公布日前两三天，研研妈妈开始焦虑，不停地唠叨："咱俩一起去取成绩吧！""还是你去吧，我不敢看。""取到成绩马上给我打电话。不不，还是别打了，我的心都快跳出来了。"……

一家人商量了半天，还是郭涛身负重任，只身去了培训学校。有不少家长前来取分，平时陪读、彼此成了熟脸的大家顾不上打招呼寒暄，都忙着扫描手里的小字条。研研的总成绩比估计的还要高十几分，排在十几名。按照往年的经验，肯定在这所学校的招生名单之中了。

郭涛强压下内心的喜悦，苦着一张脸推开家门，研研娘儿俩看到他的表情，脸上不约而同地蒙上一层灰影。郭涛见状，不敢再装下去，赶快拿出孩子的成绩单。

晚上5点多，郭涛的电话响了，电话上显示“禁显号码”，郭涛正纳闷儿，不想里面传来的是“我是××学校的老师……”，核对了研研的姓名后，说请家长明天来学校一趟。听到这个消息，研研抱着爸爸妈妈哭了，郭涛当晚喝了一瓶葡萄酒，醉了。

二、有关坑班、培训那些事儿

对于小学生来说，如果从六年级开始才为小升初作种种努力，那么说明他的家长不称职，因为这时间才开始起步，已经远远落后他人。尽管国家规定小升初不需要考试，但要博得重点学校的青睐，文体特长、英语、奥数等都需要几年的学习、培训。

“小六年级还没结束，小五已是硝烟四起，小三小四跃跃欲试。”这句话形象地道出了小升初的硝烟弥漫。小升初的战役从小学三四年级开始就悄然打响。

2月初，101中学培训班发布了“坑班”扩招考试的结果，其名义叫作“小学综合素质培训班”的招生涵盖了三、四、五年级。王依然的孩子就在名单之中。

早在去年秋天，孩子还在读四年级的王依然在听取多名同事传授备战小升初的经验后，就决定趁早下手。经过半年多的学习，她对孩子目前的成绩非常满意：“早飞的鸟儿有虫吃，孩子才学了半年就看到明显的进步了。孩子考过了PETS2（相当于一个优秀初中生的英语水平），围棋考级顺利，奥数成绩也不差，老师说冲击尖子班很有希望。最值得高兴的是‘走美杯’前两天刚出来成绩，二等奖呢，孩子特别有信心，对我说等到五年级争取拿个一等奖。”

说话间，王依然从包里拿出一张周末安排表，孩子的时间几乎全被培训塞满了。王依然的孩子周五晚上开始上三一口语的班，王依然17点30分下班赶紧带着孩子去赶18点的课，两人常常来不及吃饭，经常饥肠辘辘地挨到20点30分左右。周六上午上围棋课，儿子进步很快，王依然对他学围棋也抱了很大期望，说不定学得不错，将来走特长生这条路。孩子12点下课，13点要赶到新东方上国际英语，通常王依然会去买些快餐给他在路上充饥。直到16点多下课，母子俩才能踏踏实实地去吃一顿饭。周日孩子还要上奥数竞赛班、写作课。

看着儿子背着沉重的书包奔波于各个培训班之间，王依然虽然心疼，但也别无选择地做一个狠心的妈妈。孩子班里的同学周末几乎都是在培训班度过的，有的报的班更多，所以孩子没觉得 10 岁的年纪该尽情玩耍，而是很配合母亲的安排，乖乖地上培训班。

通过王依然的叙述，我感觉得到她作为母亲的自豪，有这样一个乖巧、听话又上进的孩子。但是，心里却又有一丝悲哀，每次站在培训机构门口采访那些刚下课或刚考试完的小学生时，我看到的都是相似的神情，稚嫩的脸上挂着与年龄不相称的早熟，小小年纪都在谈着“奋斗”“拼搏”。对于失去游戏、失去玩耍伙伴，塞满学习、考试的童年，可能有过反抗、有过不情愿，结果却是默默地接受这样的安排，提前体验着成人世界竞争的残酷。

在叙述佩佩、研研等孩子的小升初经历时，也许有人对很多词感到陌生，这些小升初五花八门的专用术语让人看得一头雾水。其实这些看似熟悉却又陌生的词语

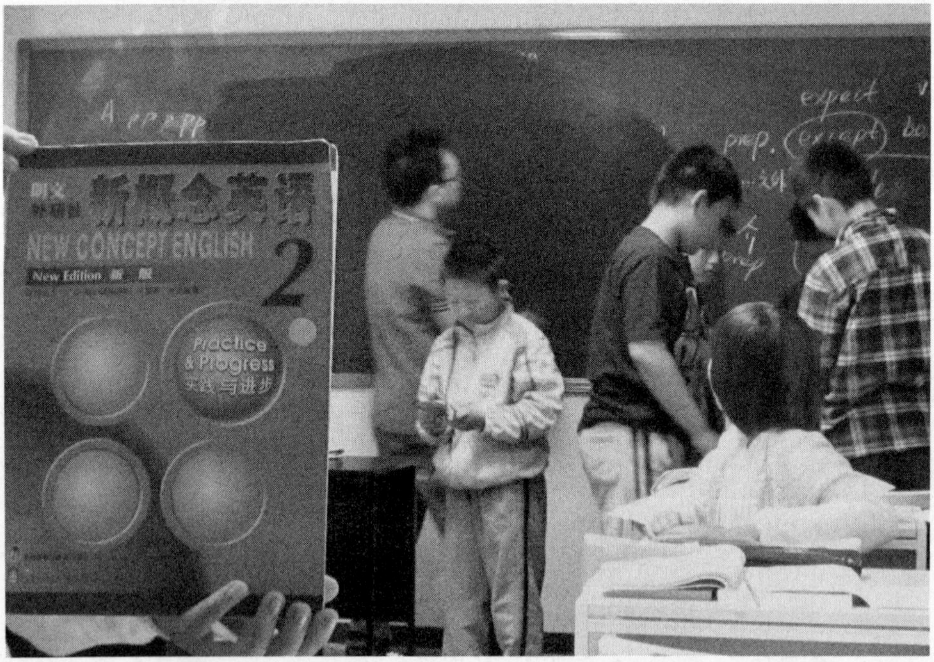

在北京一家校外教育机构的小升初“占坑班”，小学生学习课外教材《新概念英语》。
（赵琬微/摄，图片来源：新华社）

已成为小升初一族不可缺少的“接头暗语”。择校是每年家长们线下四处奔波、线上互相取经的重要目的，但是直接点一些学校的名字或者透露信息，帖子就会被删除或被封杀，甚至被追责。面对这种混杂而敏感的状况，家长们便挖掘智慧，日积月累竟形成了一套独特的小升初暗语。

在小升初的暗语里头，本市部分重点中学和几大培训机构的名字或者使用开头拼音字母来标志，或者使用意思相关但面目全非的名词来取代。如人气最为火爆的人大附中，其暗语是“RDF/RB/人民解放军”；人大附中西山分校则称为“RF/人分/人民解放军西北抗日联军”；四中的暗语是“SZ/新四军”。101中学有了“101空降师”的响亮称谓；清华附中和北大附中分别称为“龙军”和“御林军”；十一学校的代号为“钢十一连”；八中被命名为“八路军”；三帆中学有了洋味十足的“三角洲部队”的称号；十三中分校除了“禁卫军”的名字，还有“一毛三”的外号；五中分校也拥有“半毛”或“军情五处”的雅号。

为了保证生源的质量，重点中学会采用不公开、不透明却很有效的招生方式——点招。这在很多区县，特别是在教育强区的东城、西城、海淀区尤为明显。在小升初的暗语中，学校点招被称作“下订单或入伍通知”，考试选拔则美其名曰“活动”或“诊断”，学校通知录取结果是让家长们吃下定心丸的“密电”，随后便是“签约”和最终被录取的“收院治疗”。被录取后意味着“上岸”“天亮”“过江”。

学生们为了被“点招”，最好的途径是参加“坑班”。所谓“坑班”，是一些中学，特别是重点中学或培训机构针对小学课程开办的培训班，这些学校通过或明或暗的途径向家长们传递着这样的信息：学校会从这些班中选拔优秀人才。因此，参加这些课外班的孩子在报考该校时就有了“优先权”，孩子们报名参加这类培训班，随后便有“占坑”一说。

但是，并不是所有的坑班都能让家长如愿以偿。根据学生被重点中学录取的情况，坑班在小升初家长的心目中又有“金坑”“银坑”“土坑”和“粪坑”之分。“金坑”是指与最顶尖的中学录取关联性最大的培训班，而且这种培训班又确实与这所中学有最紧密的联系，不上这个培训班就不可能通过“点招”被录取。“银坑”学校的知名度、录取力度次之。“土坑”指的是在重点校里最一般的，即便上了这所中学，未来进入好的高中、考上好的大学并没有多大的把握，占这种坑的人数比较少。“粪坑”基本上就与升学、录取没有什么关系，可对方又不明说，只让你交钱培训，属于误人子弟，信息不对称的家长容易上当，也是最让人憎恨的坑儿。

虽然坑班被教育主管部门放进了“大力整顿”之列，2009年北京市教委首次以文件形式，就培训班的问题提出治理意见。为躲避风声，有的坑班暂时停办，但是不久又重整旗鼓，卷土重来。之所以难以废除坑班，是因为坑班在京城小升初的市场上有着让人欲罢不能的魔力——“坑班”内的孩子具有“优先”被重点中学选择的权利。对于无权无财无关系的家庭来说，如果堵上坑班，等于堵上了平民孩子升入理想学校的希望。

其实小升初也有一套官方的术语体系，现行的入学方式包括电脑派位、对口入学、推优、特长录取、共建等多种合法渠道。但是对于大部分家庭来说，他们更认可的，也更能走得通的还是比拼孩子的硬实力，通过“坑班”、培训机构的层层选拔，叩开理想学校的大门。

因为“金坑”“银坑”的名额有限，加上坑班的主要目的是通过考试为中学选拔生源，而非培训提高水平，很多家长还把目光转向口碑很好的民办培训机构举办的培训班。这些培训机构跟学校有着千丝万缕的联系，孩子的成绩若是能在机构的考试中排名靠前，就有可能被推荐到名校去。

小升初带动了一个庞大的产业市场，产生相当可观的经济收益，并呈现泛滥蔓延的态势。重点中学直接或间接开设的各类“坑班”，各大培训机构都从中赚得盆满钵满。

家长们热捧培训市场，自然也有着充足的理由：为了择校，必须增强孩子的实力，凭本事考上一个理想的学校。虽然近两年各地都出台了很多政策遏制择校，但客观事实是，政策的出台并没有从根本上遏制择校之风，反而增加了家长择校的难度。就像2010年小升初时，有很多家长为几个坑班被整顿恐慌不已，“好在风声就紧了一阵，坑班又恢复了，不然我们上哪儿找路子让孩子上好学校？”一位孩子考上北京八中的家长对记者说。

虽然多所知名中学的负责人都明确表态，学校通过电脑派位、对口入学、推优、特长录取、共建接收学生，没有与任何培训机构达成招生合作协议。但是，各大重点中学通过“点招”招揽优秀生源已经是个公开的秘密，再多的类似表态，家长们只是将其看成是官样文章。而为了招揽生源，培训机构在宣传时也极力渲染他们与重点中学的良好关系。

各类培训机构的宣传不乏夸大其词的成分，有的甚至掺杂了很多水分。但是，家长遇不到学校，面对的只有坑班和机构，消息封锁、乱消息迷惑，甚至被骗的事情，出现在家长身上就一点都不奇怪了。

尽管可能会让孩子多跑不少冤枉路，家长多花许多冤枉钱，但是事实证明，有的培训机构确实有本事、有能耐。

据业内人士反映，西城区有一家口碑极好的知名培训机构，跟西城的各个小学都有交流合作，其组织的培训班从三年级起办，成绩不错的学生可以由所在的小学推荐参加测试。经过选拔考试成绩优秀者，会受到同区一些重点中学的认可。

在其网站上可以看到："培训学校对2010届数学班（一分部）小升初学生的去向进行了跟踪调查，结果如下：本届学生总数833人。反馈信息人数787人，反馈率94.5 %。其中进入市、区重点中学或示范高中校727人，占反馈人数的92.4 %。"

这样的口碑，这样的成绩，不由得家长不怦然心动。

北京市于1998年实施了小学免试、就近升入初中的政策。但此后的几年内，一些重点学校对在"迎春杯"等数学竞赛中获得好成绩的同学格外关注，不少家长开始把"迎春杯"等杯赛作为孩子进入重点中学的重要途径。随着2004年、2005年"同方杯""迎春杯"等杯赛陆续被叫停，取而代之的是坑班的崛起，培训机构、培训班的兴盛。

北京小升初呼出了五大培训机构的杯赛——"巨人杯""学而思杯""高思杯""水木杯""四中网校杯"。

自2010年10月开始，五大培训机构各类杯赛就掀起了2011年小升初点招的小高潮，时间节点比去年同期整整提前了两个月。这五大杯赛的结果是，一些重点中学分批点招了一部分优秀学生，一批学科成绩拔尖的小六学生因此顺利"上岸"。杯赛的另一个结果是再次刺激了那些还未"上岸"的小六学生和家长原本就紧绷的神经，"我快被逼疯了！""我这么努力怎么还没有学校要我？"孩子们承受着这个年龄不能承受之重，迷茫、失望、伤心，甚至愤怒的情绪，蚕食着他们的童真。

从今年3月底到4月初，巨人教育连续举办了40场"巨人杯"家长会，场场爆满，座无虚席。4月9日，在总部举办的活动中，该校的副校长孙树涛给家长们描绘出了美好的前景：机构能给“巨人杯”优秀者更多机会，包括仁华学校名额、全国总决赛资格，尤其是小升初的推荐机会。仁华学校几乎是进入某顶尖名校的唯一途径，巨人学生则是仁华学校的最主要来源。“巨人杯”测试还将列入学员档案，进入北京市小升初的优秀学生推荐系统，其成绩有可能成为向市区名校推荐的依据。从2010年10月25日小升初活动开始，截至2011年3月30日，共有推荐活动13次，包含市级名校9所、区级名校4所，累计推荐13 204人次，1 108名小升初的学生如愿以偿。

如此美好的前景，诱惑着家长们疯狂地追捧杯赛，追捧培训机构。

培训机构成为不容忽视的教育力量，大多数家长在教育市场上被一股股的力量推动着，口袋里的钱源源不断地涌向了据说能增强孩子“功力”的地方。

郭涛还清楚地记得去年暑假带孩子去某机构总部报“小升初综合素质班”的情形：偌大的大厅里挤满了填表的孩子、交钱的家长，人们推推搡搡，俨然闹市一般，争抢着有限的名额，谁也顾不上心疼两千多元的学费。研研紧握着爸爸的手，额头渗出细密的汗珠：“爸爸，我一定认真学习，争取超过很多很多人。”那一刻，孩子真正感到了竞争的残酷。

郭涛给记者细细地算了一笔账：研研五年级时课外培训费用近两万元。升入六年级后“小升初综合素质班”费用2 200元；“走美杯”“华赛杯”考辅班各近600元（分别只上三次课）；小升初英语暑假班、寒假班共计4 500元；三一口语六级班1 400元；三个坑班培训费5 000元。

“现在被点招了，不用再花钱了吧？”我问道。

郭涛苦笑着说：“还要上‘重点中学分班测试’培训班呢，一次课就一百多。不花不行，上个好中学，但分不到实验班，该多让人失望。”

根据北京市统计局公布的官方数据：2010年北京城镇居民人均可支配收入为29 073元。以此计算，郭涛每年花在儿子课外班上的费用占到一个普通北京居民全年可支配性收入的60%以上。而在某小升初的论坛上，家长们参与的一项关于孩子小学期间课外培训费用的调查显示，有80%以上的家长表示花费在五万以上。

家长们舍得把大笔的金钱砸进课外培训班里，目的非常明确——择校。

“现在如果舍不得花钱，等到时候拿十几万都找不到路子，提溜着猪头找不着庙门，想哭都来不及。”一位家长如是说，这也代表了很多小升初家长的心态。

在北京一家校外教育机构开设的小升初“占坑班”，一些小学生利用周末时间学习。
（赵琬微／摄，图片来源：新华社）

三、有一种“集体占坑”叫共建，有一种通行证叫“条子”

“这是一个最好的时代，这是一个最坏的时代；这是一个讲信用的时代，又是一个欺骗的时代；这是一个光明的时代，又是一个黑暗的时代。”用狄更斯《双城记》中的这几句话来形容小升初，很是贴切。

有一位家长痛心地讲到，她的女儿在经历一次次考试选拔的煎熬却依然看不到曙光时，伤心地号啕大哭：“学校教的不考，考的学校不教，整天学奥数，我的脑子快炸了！”的确，小升初考验着家长，学生使尽百般武艺，备受煎熬，但是对于无权无门路的普通百姓来说，在某种程度上也是相对公平的，只要孩子足够优秀，靠硬实力可以受到重点中学的青睐。在他们眼里，小升初的规则既是“坏得让人咬牙切齿”，又是“透着熹微的曙光”，尚有坑班、培训班等稻草可抓。这个时代令人矛盾、纠结，又爱又恨。

但是，对于某一部分人而言，小升初却是“最好的”“讲信用的”“光明的”。他们的孩子能够顺利升入重点中学，不受行政区域、学籍、实际居住地、户籍的任何影响，甚至成绩不够优秀也没关系。这种一路绿灯享受优质教育资源的路径不是《国家中长期教育改革和发展规划纲要》实施并取得实效后的教育图景，而是仅仅面向一部分特权家长及学生。

有一种“集体占坑”叫共建，有一种通行证叫“条子”。

共建是小升初的合法渠道之一。所谓共建生，就是政府机关和企事业单位为了满足员工的子女入学，通过单位赞助钱或物的方式与知名中学建立“共建”关系，从而使双方“互惠互利”，单位员工的子女可以轻松地享受极为紧缺的优质教育资源。早在上世纪70年代，这一做法就在我国各地中小学中出现，并解决了那些由于工作原因无法照料孩子学习的家长们的后顾之忧。然而时至今日，共建却饱受诟病。

用北京市政协教文卫体委员会特邀委员、北京一中原校长王晋堂的话说，共建单位可以简单地总结为，要么“来头大”，要么就是财力雄厚，可以给学校赞助款。共建已成为最大的“占坑”，而且不是“占一个坑”，是“集体占坑”。

讲到“共建”，在一家私企做技术工作的王洪斌的表情马上变得义愤填膺：“这实在是一种双重示丑。一方面，重点学校对我们普通家长喊着教育公平、严格按原则录取学生；另一方面悄悄地给‘共建生’打开校门，这不是赤裸裸的攀附权力、追逐利益吗？”

王洪斌的愤怒源自女儿的质疑。王洪斌的女儿王品听目前就读于西城区的一所区重点中学，她是凭着坑班的选拔获得就读资格的。去年5月份的时候，眼看着市重点中学点招了一拨又一拨，接近尾声，而王洪斌一家等待的密电迟迟没有到来，小姑娘的自信心备受打击。

有一天，品听放学回家后脸色异常难看，在王洪斌的再三询问下，品听怔怔地望着他说：“爸爸，你为什么没有本事呢？你要有权，我还用受这样的苦吗？”原来今天和女儿同桌的小男孩悄悄告诉她，已经和××中学签约了。品听简直不相信自己的耳朵，那所学校可是所有小学生梦寐以求的，只有特别牛的孩子才有希望被点招。而同桌的他成绩一直属于中下游，平时也没有参加课外培训，怎么会被录取呢？小男孩一脸得意之色："我爸爸的单位和学校是共建关系，今年有六个名额呢。"

听完女儿的叙述，王洪斌陷入了沉默之中。王洪斌出身山东胶东农村，一直靠父母节衣缩食读书，自己读高中时每天至少一顿饭是馒头就着大葱蘸酱，每天早起晚睡，是凭着勤学苦读考上大学的。每每说到这些，王洪斌都会看到女儿崇拜的眼神。在女儿的眼里，爸爸就是"励志模范、是偶像"。王洪斌没想到会因为自己没有权势而受到女儿的质疑，更为自责的是竟然因此拖累了女儿，打碎了自己为女儿精心编织的"有志者事竟成"的成功梦。

这件事情让王洪斌和女儿的关系发生了微妙的变化。尽管后来女儿还是被目标校之一的一所区重点学校录取了，但是王洪斌发现，动不动就跟别人说自己有个好爸爸的女儿很少在新同学面前提起他了。

相比王洪斌女儿艰难的择校之路，董华鹏一家无疑是幸运的。2 月初的一天，在国防大学一栋商务楼下，我遇到了做科研工作的董华鹏，他正准备接在培训班上课的女儿。他说："买了两千块钱的超市购物卡，还有托人从胶东带过来的海参，打算过了元宵节就去拜访一下人家。您是不是觉得我很功利？没办法，一切为了孩子。"他口中的"人家"，是一位在北京某局担任副局级干部的老同学。

董华鹏和这位当领导的同学虽然每年见上一两回，但止于"君子之交淡如水"。从前年孩子上五年级开始，董华鹏在周围亲朋好友的影响下，突然意识到"关系"在孩子升学问题上的可贵性。作为埋头搞研究的知识分子，周围的朋友几乎没有和权力打交道的，想来想去只有这位老同学。于是，在以后的日子里，每逢重大节日，他总会略表心意，期盼着老同学能在女儿升学的问题上帮自己一把。

"从上学到工作这么多年，从来没求过人，没想到到了不惑之年，得不惜颜面为孩子上学的事送礼求人。"董华鹏苦笑着说。

不过，现在再见到董华鹏，他的说法又变了："做人还得活络一点，不能死要面子活受罪，必要的时候牺牲一点颜面却能达到目的也是值得的。"

原来董华鹏的女儿在一个月前成功"上岸"，在他的人情攻势下，老同学给了他女儿一个"共建生"的名额。"按照我女儿的成绩，绝对考不上那所学校，尽管还要花六万元择校费，不过也值了。"董华鹏一脸欣慰之色。

其实，董华鹏的“假共建”行为属于北京教委大力整治的行为。2010年北京教委表态，今年本市将严格控制共建生的数量，原则上不得超过去年，特别要治理“假共建”行为。一些区县要求对各学校共建单位数量和接收共建子弟的数量和比例进行摸底，原则上不再审批新的共建单位和共建学校。

这样的表态并不让人踏实。有不少家长质疑：“且不说在某些语境下，‘原则上’会演变成什么。原有的共建单位没有一个退出机制，是不是意味着它们还将一直‘共建’下去？”

事实证明，“共建”依然有属于它的舞台。有学校负责人在接受媒体采访时无奈地解释：“尽管区里可以控制不再审批新的共建单位，但在现实情况下学校也很无奈。比如某个部门要解决子弟上学而想与学校共建，如果学校不同意，这些部门就会通过日常的检查等工作挑出学校存在的很多问题，学校为了不把精力疲于应付这些部门的检查与纠正，只能答应‘共建’。”

共建已经成为一种互利。这几年与优质中学共建的单位从原来的部委机关发展到现在的各行各业，如房地产商、中小企业，甚至街道、派出所等也与学校建立了共建关系。不同单位与学校的共建门槛有所不同，比如共建费用问题，每个学生不同单位之间相差十万乃至几十万元。2009年，中央电视台的一档新闻栏目透露，有一所区级重点中学就有62个共建单位，更别说那些市级重点中学了。

近几年，社会上呼吁取消共建的声音不绝于耳，这也多少影响了共建生的录取。

家长任先生透露，自己所在的单位与一所区重点中学共建，该校今年给单位的共建名额比实际需求少了十几个：“因为名额有限，不能满足单位所有孩子的需求，所以我们的孩子还得参加考试，也得上培训班，要是成绩不行，人家照样不要。”

当一位家长听到我转述任先生这段话时，说话的语气充满讥诮：“这是得了便宜还卖乖，他们的孩子即使要参加考试，也有着七八成的机会，除非孩子成绩特别差。而我们的孩子呢，和一两千名孩子竞争数百个名额。两相对比，算算录取机会的差别有多大？”

面对小升初，不管是“拼爹”还是“拼孩”，人们都有着不满。

不论人们对共建的意见有多大，甚至有专家建议取消共建，但是必须承认的一点是，共建是得到官方认可、可以暴露在阳光下的小升初的合法渠道。相比共建，有一种通行证虽然见不得光，却肆无忌惮，畅行无阻，这就是“条子”。

“条子生”也就是后门生。取消了统一入学考试后，小升初却变得错综复杂，不仅让家长无所适从，同时为招生学校提供了不透明的可操作空间。某些具有特殊社会关系和背景的家长总能行使一些“规则”，让自己的孩子获得满意的升学机会。现在，不仅在北京，就是在全国范围内，优势教育资源逐渐向强势背景家庭倾斜的趋势越来越明显，学校俨然成了“拼爹”的又一战场。

“我们现在只能寄希望于特长生了，孩子成绩不行，拼奥数、英语肯定比不过别人，画画不错，得过市级二等奖，我们只有这点拿得出手的成绩。”谈到孩子，薛立唉声叹气，她也曾思前想后，把亲戚朋友都梳理了一遍，看有谁能说得上话。好不容易找到父亲当年的学生如今在某事业单位当领导，他自己的孩子就读于东城区一所市重点。不过，这位熟人却表示爱莫能助：“前两年是人家学校有求于我们单位，所以给了几个名额。这几年没什么联系了，我的话也不顶用了。”

采访中，很多家长表示，实现教育公平任重道远。有的家长反映，一些学校对外宣称教委小升初的政策还没出台，请家长耐心等待，其实一些关系户早已联系好孩子的上学事宜。

重点中学的校长也在头疼，一到招生时节，领导的条子生、亲朋好友的关系生、票子生压得他们喘不过气来。一位中学校长表示，主管单位、行政机关、驻地派出所……哪些部门都不敢得罪。但是重点中学的名额是有限的，为了学校的声誉，他们最想招的是优质生源，不能将大部分名额给关系户。无奈的他只好玩起“捉迷藏”，一到招生季节就以手机坏了、出差等理由推搪纷至沓来的条子，各种吃请。

2010 年 3 月份，北京市教委有关领导表示，针对备受家长们关注的小升初政策，北京市要求所有学校小升初方案、录取名单都要公布，一旦有“关系户”“条子生”都将被晒出来：“公示录取名单后，家长们所担心的‘关系户’，将都会被拿出来晒一晒、看一看。”

“政策是好的，可是我们看到哪所学校晒关系户、条子生了？”一位家长质疑道。

《中国教育报》曾刊登过一篇名校校长的自述《谁说我“牛”，我也有一肚子苦水》，从其只言片语中我们窥得“条子”何以横行无忌：

我是一所名校的校长，每年遇到的择校生非常多，各方面的“条子”络绎不绝，从省、市、区到上头都有，哪年都得有600多张。今年，我粗略统计了一下，已经超过了这个数。

这些“条子”让我非常头疼，可是“条子”又不得不办，因为它涉及学校和教育的一些潜规则。我把“条子”分为了几类：一是来自政府机关；二是教育行政部门和教科研管理部门；三是社会上的管理部门，如公安、消防、财政、卫生、综治办、工商、税务等，还有就是一些关系单位。这些部门我哪一个都得罪不起，只得采取一些“手段”对付——“躲”。躲是我最常采用的一种方式。

当然，有很多“条子”是必办的，像政府部门的主管领导以及其他要害部门的“条子”，即使再难也得想方设法去办，而这样的“条子生”一年总会有几个。

办完“条子生”，我第一件要做的事通常是给各方面的“大仙”道歉。有时候是通过电话解释今年领导交办的“条子生”完成情况，有时候则要低三下四赔不是；教师节、各种聚会等都成了我解释和道歉的场所。即便这样也难逃“厄运”：见了面损你几句，给“小鞋”穿，或者该给的先进称号“泡汤”了，该拨付的正常经费拖着不办等，多了去了。你说，我这是为什么呀，还不都是为了学校！平时大家看我们做校长的风光无限，哪知道校长也有一肚子的苦水呀！

凭良心说，办“条子生”也不是没有好处。像给政府官员办了事，人家就得领你的情，自然就会在一些事情上对你倾斜，如拨付资金、各方赞助等都会纷至沓来。我就曾经和市里几所名校的校长一起运作过资金，操作下来能有数百万元之巨，每个学校都得到了巨大的利益，这些资金之所以能够运作到学校，根本原因还是由“条子生”而来的各方关系。

作为一个教育工作者，我虽然痛心于教育的现状，但面对众多“条子生”却又不得不低头。因此，我的良心会时时受到煎熬，灵魂备受鞭挞，有时候，我真的不知道该怎么办！

小升初考验着孩子，更是家长们依靠权力、财力角逐的战场。对于没有权力的家长来说，还有一条路走得通——砸钱。花钱的地方多的是：小到给孩子报班的几千元，择校的几万、十几万，为了找关系的人情费，大到几百万的学区房。

家住石景山的王蔷，小时候最羡慕的就是有着城镇户籍、吃公粮的人，期盼着自己哪一天也能变成城里人，这是那时候努力读书的最大动力。自从落户北京之后，她好久没有为户籍的事操心了。可是，当2009年孩子升入六年级，面临小升初时，她遇到了一个难题，孩子想读的中学在海淀区，尽管王蔷的家距离海淀区只有一街之隔，但是石景山转到海淀读中学的难度远大于跨过鸿沟。

在过来人的指点下，王蔷想到了迁户口这个法子。由于不是直系亲属，几经周折最终把户口改迁成功："我们给人家送了三万元表示感谢，还签了一份协议，写清楚迁户口的缘由，重点说明孩子对人家的财产没有继承权，给人家带来很大麻烦。"王蔷的孩子最终如愿以偿，升入了北方交大附中。

"我这300万花得值了。"家住西山华府的林玲掩不住一脸的笑意。在许多小六孩子疲于备战的时候，她的女儿却有时间学古筝，热衷于参加学校的合唱团活动，因为西山华府的配套学校是人大附中分校，孩子根本不用为升学的事情发愁。

为了孩子升入好学校，又不忍心让孩子太过劳累，林玲选择了买学区房这条路。她卖掉了丰台区100多平方米的三居室，又贷了50万款，买了西山华府一套98平方米的房子："不管政府怎么调控，学区房的价格肯定是只涨不跌，资源稀缺决定了它的抗跌性。我的房子已经涨到四万多了。"

四、"丛林法则"让孩子过早地告别纯真时代

当小升初被各种规则绑架后，在看不见硝烟的战场上经历着残酷的竞争，亲见成人世界种种不光明的东西，甚至各种尔虞我诈的手段，过早、被动地接受优胜劣汰的"丛林法则"，这些已经浸染着孩子的心灵，令他们过早地告别了纯真时代。

家住西城区的高女士的儿子小磊去年被推优到一所市重点中学。小磊读小学时，在班里有个最要好的朋友庆庆，两个小伙伴从一年级开始同班，两人都活泼好动，聪明开朗，学习上齐头并进，是班里的尖子生。由于先生工作繁忙，高女士负责接送孩子，每一次放学，小磊和庆庆都是一起蹦蹦跳跳地跑出校门。有一天放学后，高女士先是看到庆庆沉着脸独自走出校门，过了一会儿小磊才走出来。小磊告诉高女士，学校要评选区、市三好学生，参评条件是"连续三年三好生，要求全面发展的学生"。他们班包括小磊和庆庆在内总共六名同学符合条件，可是分到的名额只有三人，下周六名同学需要在全班同学和老师面前发表竞选演说，由全班同学投票选

出前三名。等到老师讲完，眼见自己和庆庆一下子变成了竞争对手，两人心里都有些别扭。

在接下来的两天，高女士去接小磊时，有几位小磊同学的家长悄悄拉住她，跟她说传言六名候选学生中有两位家长和班主任关系特别好，帮助班主任解决过私人困难，他们给高女士支招，让她抓住这个周末的时间“活动活动”。高女士这时开始后悔，怎么没有早点和老师搞好关系？回到家里，高女士和先生商量了一晚上，也没决定要不要给孩子的老师送点礼。她调出班主任的手机号码，最终还是没有拨过去。高女士心想：如果竞选公平，小磊应该能榜上有名。毕竟小磊的成绩在年级名列前茅，得过几个市级竞赛奖项，在班里人缘又好。自己别想别的路子了，避免弄巧成拙。

等到竞选结果出来，小磊得到的票数最多，直接晋级市三好，而庆庆却落选了。小磊下课后主动过去安慰庆庆，庆庆推开了他的手。

随后几天，高女士去接小磊时，发现有的家长在背后对她指指点点。一位她比较熟悉的家长说出了缘由，家长们听庆庆妈妈说，她暗中给每位任课老师送了礼，所以小磊的票数才最高。气愤不已的高女士在晚餐时说起了这件事，小磊听了，突然问她，自己这个三好生是不是真的跟妈妈送礼有关系？高女士赶忙澄清，却不清楚小磊是否相信自己。

最让高女士难过的是，再也没有看到小磊和庆庆玩闹着一起跑出校门，两个小伙伴心里结下了疙瘩。去年5月份，小磊被推优到现在的中学，庆庆则读了一所区重点。升学后，两人再没有联系。

回顾孩子的推优之路，高女士感慨万千：“我们是推优政策的受益者，可是如果可以选择，我宁愿孩子不要荣誉证书，而是拥有纯洁的友谊。”

推优这个可以决定孩子命运的入学方式不是落地有声的国家政策，而是北京市教委为了给一些成绩比较好的小学生选择优质中学的机会，同时也是给一些优质学校提供一个合法的渠道，获得相对优质的生源，从而推出来的一项政策，获得一定荣誉称号或综合素质全A者才有资格参加“小学优秀毕业生”的推荐。2008年在北京西城区、海淀区等四个区首先试点推出，自2009年后增加到了七个区，各区的推优比例也在逐年增加。从确定推优实施细则方案的区县来看，基本上都采取按照一定的标准分梯队筛选的方式进行。不过，这项政策自出现以来就伴随着争议，很多小学生反映推优政策让同学关系变了味儿，部分家长则对于指标中潜在的人为因素和不确定性提出了质疑。

在一所市重点小学担任六年级班主任的周老师，对记者讲起班里学生及家长为推优作出的种种努力。

北京出台推优政策不久以后，她就发现自己的手机时常响起家长的电话，或是邀请她吃饭，或是殷勤地问候，以前有的家长不太配合班级的工作，现在班里有活动总有家长热心帮忙，献计献策，跑前跑后。最让她感到不安的是，每逢过节，总能收到家长的礼物，这其中有几百元的速录笔，数千元的商场、超市购物卡，高档化妆品，黄金手链，数万元的名牌包。周老师收到这些礼物感觉烫手，除了留下贺卡、鲜花等小礼物，别的都红着脸退回去了。有时候却被家长误认为礼物太薄，下回又送给她更贵重的东西。本以为自己不收礼这种行为维护了师道尊严，但是有几回她却听到同一办公室的老教师私下议论自己年轻不懂事，不光得不到好处，还容易得罪人。有的家长也认为她不好相处。周老师时常陷入苦恼之中，内心纠结。

“荣誉称号、综合素质评价、班干部都是推优的重要条件，能不能具备这些条件与老师尤其班主任有很大关系。老师的权力变大了，在家长眼中就成了重点公关的对象，因此滋生了很多腐败现象。我身边就有一些老师因为接受家长的好处，做出对学生不公正的事情。”周老师讲道，她最不忍心看到的就是推优制度对于孩子心灵的摧残和污染。

在北京市一所重点中学门口，家长带孩子登记参加“特长生”测试。（赵琬微/摄，图片来源：新华社）

她发现有的孩子在面对老师时嘴巴特别甜，爱表现，抢着帮她拿讲义，下课闲聊时刻意夸赞自己，俨然一个小大人；班里很多学生有“官瘾”，大大小小的职务都有学生争抢，有的孩子还主动找自己“求官”，或者为了当班干部动员家长给自己好处；每到评三好生或者评选班干部时，班里的气氛就很微妙，有的学生给同学们送小礼物，处于竞争关系的学生还会搞小圈子小派别，甚至出现拉票、贿选现象……

推优把孩子、学校都推到了风口浪尖上。

2010 年小升初，家住五棵松区域的李雪在孩子推优无望后，拒绝了电脑派位，花了八万元送孩子读一所口碑不错的民办中学。“我的肠子都快悔青了，本来孩子上小学时我们有关系，稍微花点钱就能进五一小学，不过当时我们想小学教育的关键是给孩子创造一个宽松的环境，快乐成长，就进了片区内的太平路小学。没想到两个学校的推优名额有这样大的差距，五一小学是 100 人左右，太平路小学才二十几个人。要是当初选择对了，说不定孩子能赶上推优，读所好学校，真是一步错，步步错。”谈起孩子，李雪的语气充满愧疚。

李雪讲到，没有被推优给孩子造成了很大的精神打击。孩子原本就淘气，得知推优结果后更是不守纪律，班主任多次向她反映孩子的胡闹行为。批评他时，他还满不在乎地说：“我是差生我怕谁！”

“推优太不公平了，我不相信才十一二岁的孩子就有好坏之分。一推优就把孩子分成了三六九等。推优生能享受优质的教育资源，剩下的学生就只能通过其他途径进好学校，不然就等着派位。其实，孩子的潜力大着呢，得慢慢挖掘，怎么能在小学毕业就给他们盖章认定呢？这符合义务教育法吗？”李雪的话，也正是很多家长质疑推优的理由之一。

21 世纪教育发展研究院院长杨东平在多个场合批评推优制度。他认为这种做法背后的价值，实际上是面向少数优秀学生的，选拔激励少数优秀学生，但对于大多数学生却是一种自尊心和自信心的伤害。

不少教育专家、教育工作者对推优也有一些冷思考：第一，推优本身有违教育的原理，教育应当提高学生个性化的发展空间，而不是去比较他的好坏；第二，推优入学有悖于“九年义务教育阶段小学升初中实行免试就近入学”的法律规定，义务教育是普及教育，不是选拔教育，在享受优质教育面前应该人人平等。但推优入学却是一种满足中学“变相选拔学生”的方式；第三，推优入学扩大了校际差异，有的学校能全区选优，有的学校只能片区选优，优秀生源向重点校集中，薄弱校则面临“门前冷落车马稀”的尴尬，容易形成恶性循环。

说到小升初，还有一条路子被家长追捧——特长生。特长本来在中小学普遍存在，只是现在和升学挂钩，变成了一块敲门砖。

近几年来，每逢5月份，一些具有文艺、科技、体育等专业特长的学生，可以到本区内所报志愿学校参加专业测试，成绩优异者将被学校提前录取。这就使得那几天北京很多重点中学门庭若市。

小升初的政策变化频繁，尤其是特长招生，有的学校特长招收的种类总是在变，家长们不得不四处搜集信息，从海量的公共信息中抽丝剥茧，寻找重点中学青睐哪些项目的蛛丝马迹。不用说传统的钢琴、小提琴、绘画等，就连围棋、跆拳道、小号、长笛等冷门项目，培训班也是招生火爆，据说这些“兴趣”对小升初有帮助。

素质教育希望培养出快乐成长，具有较强综合素质的孩子。然而，只要“素质”能被量化测评，强大的应试培训就能如流水线作业般批量生产，培训出“素质高”的孩子，从而满足应试教育的期待。

潘先生怎么也想不明白，凭着绘画特长升入重点中学的女儿，如今见了画笔就烦，要知道这孩子从两三岁开始就喜欢涂涂画画。一心希望女儿在绘画这条路上走下去的潘先生急了，可是无论他怎样苦口婆心地劝说，孩子就是不愿再拿起画笔。有一次孩子实在被他逼急了，大吼起来：“六年级时我上了多少次课，累得胳膊都抬不起来了。我是喜欢画画，可是再好的菜也不能顿顿吃，现在见到颜料就犯晕。”潘先生听后无语，没想到逼着孩子走特长这条路，虽然考上重点中学，却丢掉了可能陪伴她一生的兴趣。

专家针对这种情况分析道，功利目的的引导造成的后果就是孩子学了一门知识之后就会厌倦这门知识，掌握了一门技艺后就会厌倦了这门技艺。所以，所有的教育内容现在都变成了孩子厌倦的对象，关键就是跟功利目的联系得太密切了。

在采访中，我还听到有家长抱怨：“真搞不清这些学校为什么这么折腾孩子，特长招生总在变，去年是古筝，今年居然是二胡，孩子这不是白练了吗？还耽误了学奥数、英语，真是欲哭无泪。”

特长招生中掺杂着复杂的人为因素，让很多学生、家长犯晕，他们实在摸不着学校的脾气。而一味地抱着升学这个功利目的去学习特长，在很大程度上已经背离了培养和发展孩子兴趣爱好的初衷。

其实，在小升初的种种途径中，按照政策，大部分孩子应该走的路是“电脑派位”“就近入学”。可是，还有相当数量的孩子现在心里是忐忑不安，他们最怕的就是“充军发配”。

小升初免试就近入学，是义务教育法制定过程中的一个重要成果，但是现在在实施过程中却打了很大的折扣。在电脑派位之前，重点中学已经通过种种途径基本招满学生，即使没有招满，所剩名额也寥寥无几，有学生戏称:“通过派位进好学校就像中彩票一样难。”

电脑派位这一彰显公平的政策居然变成了学生以及家长眼中的鸡肋，是最坏的结局。因为如果没有被推优，也没有特长，更不是共建单位的家长，没有“条子”，那就只能等待派位。据统计，只有大概不到1/3的弱势阶层的家长，最后服从电脑派位。

说起小升初，过来人总结了一个必经的“四部曲”，叫“四月比信息，五月比孩子，六月比家长，七月比钱袋”。而我的采访也遇到了重重困难，很多家长对记者避之不及，他们怕媒体的曝光会帮上倒忙，万一那些顶风作案的不叫考试的“活动”被报道后遭到教委的叫停，他们的心血就白费了。他们只想在眼前的这场不见硝烟的战斗中，把各种明规则、潜规则吃透和用足。

小升初把孩子、家长折磨得苦不堪言，不少人开始想念“以分数论成败”的旧时光。“按分数高低升学，最起码是公平的，不比权力、票子，就比孩子的成绩，这样该多好。”一位家长如是说。

一项在2 000余名家长中开展的网络调查也显示，超过八成的家长赞成恢复“小升初”统一考试，认为用考试成绩作为录取依据，更有说服力。

对此，北京市教委有关负责人表示，我国《义务教育法》规定，义务教育阶段适龄儿童、少年免试就近入学，不得通过考试或测试选拔录取学生。家长建议小升初复考，反映出大家对教育公平、升学公平的一种期盼和呼吁。但恢复小升初考试，以一次考试成绩的优劣来决定学生的前途，也并不公平，况且恢复考试会使考生和家长的负担更重。

对于小升初是否会恢复考试，政府给出了明确答案。3 月 24 日，《北京市中长期教育改革和发展规划纲要（2010 ~ 2020）》正式发布。北京版纲要描绘了未来十年的教育蓝图，对群众关心的入园难、教育均衡发展、课业负担等热点问题进行了规划。其中一项重要举措是：未来十年，仍然坚持小学、初中免试就近入学的原则，小升初不会考试入学。

的确，这样的建议是既不合法，也不合时宜的。但是，百姓们不祈求更好的制度，而期望回归“最不坏的制度”，这本身已经说明了小升初问题的严重性。学者熊丙奇指出，“最不坏”成为最后的期待，公民的权益、社会的信任，已在底线之外。

其实，北京如今的小升初政策也是几经波折。从 2001 年起，具备各类特长成为进入名校的敲门砖，办班开始流行。2006 年教委把停办各类实验班提上工作日程，但这并没有使择校风刹车，却导致考试从公开走向地下。2007 年出台的电子学籍和 2008 年出台的推优派位以及此后两年的扩大推优比例，对遏制择校仍然成效不大。

人们不禁要问，是谁造成了北京的小升初困局？

有一种观点是“妈妈们搅乱了小升初市场的一池春水”。一句“不能让孩子输在起跑线上”，不知害了多少孩子，坑了多少家长。

2 月 23 日，在教育部的新闻通气会上，教育部基础教育司有关负责人称，人生犹如长跑，起步早晚并不能影响一生的发展。因“不能让孩子输在起跑线上”而选择所谓好的初中、好的小学，乃至好的幼儿园，虽可以理解，但并不符合科学的逻辑，不值得宣传和推广。他说，这句话在某种程度上是一种忽悠。

这句话起源于培训机构的商业宣传，却逐渐演变成了家长们的一种教育理念。著名教育专家孙云晓曾说过，我们的社会现在出现了一种童年恐慌的现象，就是当儿童面对巨大压力时不能理解，也不能承受而出现的一种较持久、较强烈的焦虑心态。这种恐慌似乎已经蔓延到了家长，或者儿童的恐慌根本就来自家长的恐慌。

小升初的乱象把家长们逼到了一个疯狂的地步，担心享受不到优质的教育资源，会影响孩子的一生发展，这种恐慌驱使他们带领着孩子为了一个好学校的名额拼杀。

虽然家长的择校推动了小升初乱象，但究其根本原因，是小升初制度设计的不合理，缺少规则，标准混乱。不少家长表示，家长通过种种努力给孩子择校，也是无奈的选择。他们害怕排位的不透明、不公开，让孩子落到校风差的学校，而不得不挤上独木桥来争夺很少的点招机会。面对一部分人靠权力、金钱破坏小升初的规则，普通家长能做的只有带着孩子全力地拼搏、挣扎。

小升初乱象让北京的中学更加“贫富不均”。一些示范校，过度占有优质的教育资源，又集中了大量的优质生源，走上迅速发展的道路。而一些普通校则陷入了“生源不转变，学校无法转变——学校不转变，生源难以转变”的怪圈。

熊丙奇指出：“取消小升初统考，实行就近入学，方向是对的，但前提是公办学校之间的差别不大。实际上，一个地区的小学和小学、中学和中学之间的差距是比较大的，教育资源不通过分数、考试配置，就会通过权势、金钱配置。”

应该说，北京市教育部门这几年也出台了不少措施，试图遏止这种恶性循环。2005年，北京市出台了《关于加强初中建设工程的意见》，提出争取用五年时间，提高初中校整体的办学质量和水平。2006年，市教委又开始尝试示范高中向基础薄弱初中校分配招生名额的改革试验，以此来平衡各校生源。2010年，市教委表示，利用实施义务教育学校绩效工资改革的有利契机，建立起干部教师的流动制度。教育资源的均衡化问题已经引起教委的高度重视。

进入4月底，北京市各区的小升初政策陆续公布，但是重点中学的招生工作之前已经进行了大半，有的学校甚至接近尾声。

人们在为小升初乱象纠结的同时，也在思考着破题之路。

针对小升初困境短期内难解的观点，杨东平表示，制度和教育资源的不均衡，导致很多家长不得不择校。他认为择校费的根源在于制度。全国各大城市，北京、南京、广州、西安、成都等地的“择校费”现象都比较严重，但如郑州、哈尔滨等地却比较正常。杨东平说：“所以这个事实本身就说明了一个好的教育政策，促进义务教育均衡发展的政策是可以实行的，实行了以后这个现象是可以改变的，不是说不治之症，不是说没有办法。”

小升初的混乱局面与缺乏问责机制也有一定的关系，至今没有官员因推进教育均衡工作不力被追责，没有中学校长因办坑班、纵容择校问题被查处。针对目前中小学义务教育阶段的择校现象愈演愈烈，应将各区县的择校率作为区县教委的考核指标。

专家们一个普遍的观点是，破题的关键在于实现教育资源的均衡化。

中央教育科学研究所所长袁振国认为，当前义务教育发展的重中之重，就是要促进义务教育的均衡发展，这是解决“小升初”以及择校问题的根本之道。要通过我们的共同努力办好每一所学校，教好每一个学生。对于任何违反国家规定，通过“占坑班”以及其他的方式来吸引生源的做法，教育部是非常明确地表示坚决反对的。

对于如何实现教育均衡，王晋堂指出，教师流动是教育均衡的根本举措、关键一环，舍此，教育均衡就是一句空话。没有教育资源（首先是教师资源）的均衡配置，就没有义务教育的均衡发展。教师流动有利于教育均衡和公平，教师流动将结束择校乱收费现象。

如今，小升初最大的弊端在于淘汰选拔机制，这造成了义务教育阶段的教育不公平，而教育不公平也就是社会不公平。

一位家长讲道：“我最大的心愿是希望孩子能够接受公平的教育，小升初没有任何选拔，‘免试’‘就近’，享受‘平等接受义务教育’。我们希望起点公平，孩子们进入学校的机会是公平的；其次要过程公平，学校老师对所有的孩子一视同仁；此外，结果一定要公平，别让义务教育阶段的升学受到权势、金钱的影响，我期盼着坑班、培训、权钱交易寿终正寝的那天早点到来。”

熊丙奇指出：“教育要从公平起步，以公平结束。要转变教育的公平理念需要政府的投入，也需要公民意识的提高。”

小升初考验着政府及教育者的智慧，人们期待着早点结束这种混乱状态，还教育应有的生态，还孩子一个快乐的童年。

（选自2011年第6期《北京文学（精彩阅读）》，作者：于忠宁）

日本大地震亲历记

2011年3月11日，日本当地时间14时46分，日本东北部海域发生里氏9.0级地震并引发海啸，造成重大人员伤亡和财产损失。

在灾难面前我们显得如此弱小，我们引以为傲的各种文明成果在天灾之前竟是如此的不堪一击。天威之下人类是如此的脆弱，弥足珍贵的生命如同蝼蚁一般被轻轻一碾就变得粉碎。

地震不算多大的事儿

等我在松屋连锁店吃完晚饭回家之后，妻子表现出了一定程度的退让。至少是妻子先向我开口的，虽然只是语气平静的一句："昨天地震了，7.2级。"

我并没有说话。这要是放在国内也是一件不可思议的事情，7.2级地震已经算比较大的了，至少我应该问一下事态有多严重，以后怎么办等等，但在日本，这又变成了一件再正常不过的事情。对全体日本人而言，地震没有会不会发生的问题，事实上平均每个月东京都会有一次以上可以明显感觉到的地震。要是连续几个月没有任何震感，日本人反而会交头接耳，最近怎么这么久没地震了？是不是老天要玩一次大的？

这绝不是一个玩笑，而是所有在日本生活的人，包括我在内必须面对的严酷事实。我还很清楚地记得去年夏天，也就是国内如火如荼地举行着世博会的时候，日本几乎所有的电视台都在播放一个世纪大猜想：按照历史规律，日本大地震基本上是关东和关西轮流发生，而上一次造成严重伤亡的阪神大地震发生地属于关西，而且已经过去了很久。所以，理论上下一次的大地震应该会发生在关东，其中包括人口密集区域——东京。所有地震专家都众口一词地说，地震没有发生与否的问题，只有究竟在何时发生，破坏性究竟有多大的问题。

在媒体面前，专家们甚至预测了东京地震一旦发生，会带来何种严重的后果，会有多少人死亡等问题。去年夏天我刚来日本时，的确被吓坏了。我按照日本人的习俗买了一个地震包放在床下，里面有容易储藏的食物、水、手电筒、避难地图、收音机、雨衣和一双手套。据说那双手套的作用是一旦自己被埋在倒塌的房屋下，可以用来保护开挖废墟的双手。

就是这种严酷的生存环境造就了日本人崇尚集体和秩序的国民性。个人在天灾面前渺小到微不足道，只有依存于集体才能获得生存的机会。

无论当初觉得地震有多可怕，在日本生活久了的人都会慢慢习惯这种严酷的生存状态。所以，当我听妻子说前两天发生了地震时并没有表现出任何程度的惊慌，事实上妻子也没觉得地震在日本算多大的事，至少前几天我在国内的时候，她从没在电话里提到这件事。现在提到这件事，应该是为了缓和气氛没话找话吧！

当然，日本人和我对地震表现淡然，并不表示不在意这件事。事实上，整个日本对地震的周详准备详细到了社会生活的各个方面，比如从幼儿园阶段就开始常抓不懈的地震教育，还有无处不在的震灾避难地图。通常学校因为地势开阔、建筑牢固，都是常设的避灾地。这其中最关键、最重要的一项准备是：所有建筑都有很好的抗震性能。

绝大多数日本民宅和美国民宅一样，属于 2 ~ 3 层木质结构。不过和美式民宅不一样的是，日本民宅承重结构往往就那么三根左右的木梁或者钢梁，而墙壁则只是在内外两层装饰板之间填满泡沫类轻质隔温、隔音材料。这样的结构导致地震中整个房屋会以坚固的房梁为核心剧烈摇晃，好像整个房屋就挂在房梁上一样。事实上稍微大一点的风，甚至正常体重的人走下楼梯引起的共振都会让日式民宅整体发生可以感觉到的摇晃，而就是这种摇晃化解了地震的冲击波。就算是房屋整体倒塌，只要你躲在靠近房梁的地方，轻质的建筑材料和不高的楼层很难造成人体的致命性损伤。

与卓越的抗震性能相比，日本民宅有一个较大的缺陷，那就是抗战争打击性不强。当年，原子弹能对广岛和长崎造成那么大的损害，除了原子弹的威力的确巨大之外，和日式房屋这种结构在爆炸中极易摧毁（和地震如同海浪一般的往复波不一

2011年3月20日，在日本重灾区气仙沼，一只怪兽小玩具被扔在遭到严重破坏的房子前。
（黄晓勇/摄，图片来源：新华社）

样，爆炸冲击波只朝一个方向走），以及极容易引发继发性火灾有关。

相比之下，中国为战争所作的准备要充分得多。北京和天津十层以上的建筑几乎都有坚固的地下室，哪怕是真的发生核战争，很多人会在地下室得以幸存。

当然，日本也有一些公用建筑是钢筋水泥结构的高层建筑，比如医院、银行、商场等公用建筑，只不过和民宅相比，数量自然是少得多。日本的公用建筑往往防震性能更好，能抗 8 级甚至更高级别的地震，因为所有的公用建筑在设计时都考虑了地震发生后容纳灾民的应急用途。

日本为地震所作的准备并非一朝一夕，它是建立在经受了无数次地震之后总结出来的经验之上的。在日本待了一段时间后，我很快发现日本虽然每年都会因为地震失去一些生命，更确切地说是每个季度都会有人丧生，但是很少有因为房屋倒塌致人死亡的，基本上是因为继发性灾害，比如说被山崩掩埋或者被海啸卷走。

我居住的地方地势平坦，既没有山体，也远离海洋，所以慢慢地我对地震也处变不惊了。如果真有那一天，最多也就是被轻质装饰板埋了，我把自已和妻子挖出来罢了。

这样想的话，那双手套还真的很有用，想到这里，我的嘴角有一丝苦中作乐的微笑。

日本为地震作的第二个重大准备是全国性的地震速报网络。虽然目前为止地震精确预报不可能，预报最多也就达到“今后三天内,7 级以上余震发生概率 70%以上”这种水平，但是日本却不惜工本建造了这样一个庞大的网络。

所谓地震速报，根据的是地震一旦发生后，地震波传播的速度并不快，至少比电波每秒 30 万公里的速度慢太多的简单原理。这个速报网络的起点当然是遍布日本的无数台地震传感器，中央数据处理器在气象厅的地震速报部门。日本人把这种网络的终端整合到了每一个日本家庭必备的电视机上，有很多新式电视机即使处于待机状态，速报一到就会自动开机。于是，我经常在电视机上看到类似这样的消息：“静冈 6 级地震，地震波即将到达，会引起房屋剧烈摇动。”有时候还有数秒的倒计时。

必须指出的是，这只是地震速报，和地震预报是两个完全不同的概念。日本真正开启国家地震预报计划是在 1965 年，虽然这延续了 40 年的预报计划没有成功预报出一例，却在客观上推动了日本地震观测技术和网络的完善。到1994年，日本仍是世界上唯一在地震预报上保持着庞大研究计划的国家，政府在东海地区布下天罗地网，坚信它可能预报出该地区的下一次大地震，并对公众发出警报，但期待中的东海地震却迟迟未来，却在其他地区接连发生强震。1995年阪神地震发生前的几个月，日本一位资深地震专家坚称下次地震发生前一定会观测到前兆异常。

但当阪神地震突然到来时，时任首相的村山富士还躺在床上，40分钟后打开电视才知道发生了地震，他甚至不相信这是真的，因为没有人向他汇报。这给了日本40年来的地震预报计划最沉重的一击。1998年日本再度公布了“地震预报新蓝图”，新蓝图将基于地震发生后的速报预警系统推上了前台，日本气象厅以1995年阪神大地震为契机，将全国的强震观测点扩大到了600个，科技厅也在全国铺设了由1 000台强震仪构成的地震观测网。

这种系统只能在地震已经发生后起作用，而不是在地震发生前，而这样不惜工本能争取到的时间其实只有几秒钟罢了。几秒钟微不足道，但是在从小训练有素的日本人中间，足以找到房间中最安全的地方暂时躲避，比如房角或者桌子下。（多嘴一句，个人觉得由于建筑结构的防震性能国内和日本完全不一样，躲在桌子下被日本人奉为宝典，但在中国可能不适用：由于日本房顶的结构非常轻，普通木桌子足以抵挡倒塌的墙壁和房顶，若在国内被压碎的桌子可能反而会增加人体的损伤。）

既然生活在日本，我对他们的地震速报系统再熟悉不过了。因为三四级这种震感不明显的地震也要作速报，所以几乎每周我都会看到这种速报，时间一长，我也就麻木了。

当然，对7.2级地震没作任何反应还缘于我们所知的另外一项地震知识：在95%的情况下，一次剧烈地震后余震只会越来越轻，所以我没有对妻子的地震消息作出任何反应，毕竟我还余怒未消。但是当时我绝对没有考虑到的是：有5%的情况，一次剧烈的地震会有一些不那么剧烈的地震作为前震，这次东日本大地震就属于这种5%的罕见情况。

不过第二天起床之后，我意识到妻子缓和气氛的用心，于是在出门前对妻子说：“昨天没给你准备盒饭，今天中午你在外面吃吧！”说完，走出了房门。

“聊出来”的“2012”

今天我和单位请了假，因为我必须到位于品川的东京入国管理局去办一些事情：我的护照到期更新了，相应的在留资格、入境记录也要更新。到品川的东京入国管理局办事的外国人，特别是中国人很多，几百人排队是日常情况，所以我领到号码进入队伍后就开始打开了手机QQ，和国内的朋友有一句没一句地聊起天来。

网名“花叶”的朋友是国内出版界的，我近期还有个出版合同在她那边，这次回国一直就和花叶保持着通讯往来。见花叶在网上，我们俩刚才不咸不淡地聊了几句关于中华文明复兴的问题，聊着聊着花叶忽然转换话题，问道：“听说日本地震了？最近世界地震很频繁啊？”

我微笑了起来，向花叶解释道日本地震很正常，如果一个月没地震，大家还会嘀咕：“怪啊，最近为啥没地震了呢？”听得她花容失色，立刻怀疑起现实版《2012》马上就会来到人间。

我开玩笑道：“‘2012’真要来的话，日本地震就算是内部测试吧！”

话音未落，我忽然发现脚下的大地开始抖动起来，几乎是下意识地，我看了下入国管理局办事大厅的吊灯，发现吊灯摇晃得很厉害，比地面抖动的幅度明显大得多。

这又是在日本久经地震考验得来的知识。一般情况下，如果震中就在脚下不远的地方，地震波会是上下垂直方向，而远离震中，传来的地震波以水平方向为主，吊灯就会作像钟摆一样的摆动。

所以我开始的时候并没有太在意，毕竟日本地震太多了，我十分镇定地给花叶发了个消息：“地震了。”

但花叶的反应多少有些出乎我的意料：“开玩笑吧！有事忙，下了。”

我有点哭笑不得，此时，我脚下的震感却没有消失，反而越来越强，我只好匆匆发了句：“真地震了。”我迅速站到了墙角的位置，如果建筑物发生倒塌，这里是最可能生存的地方，无论天花板怎么塌陷，墙角处多少都会有生存空间。

大约在感到地震十秒钟后，我发现事情完全不对劲了：地震波一阵强过一阵地袭来，吊灯晃动得越来越剧烈，就连密封性能良好的铝合金窗户也开始哗哗作响，高处的电器、文件开始往下掉，而整个地面变成了海面的一条船，起伏不定。人如果不靠着墙，完全站不稳。

很明显这是我来日本之后经历的最大一次地震了。当时我的心里只有两个念头：第一，这次老天打算玩多大？自己的一条命，包括东京上千万生灵是否涂炭全在上天一念之间了；第二，她现在在哪里？她在想什么？

好像只过了几十秒，又好像过了一个世纪，我发现窗玻璃没那么响了，但地面还在摇动。这就是高层建筑减震器在发挥作用了，减震弹簧能减轻冲击波，但是也无疑能延长震动的时间。

数百人此刻安静得几乎听得见彼此的呼吸声。正在气氛压抑得让人难以忍受的时候，头顶一根自来水管受不了压力“砰”的一声断开，水洒了我一身。身边一个推着婴儿车的妇女终于忍受不住，一屁股坐在地上，号啕大哭了起来。

我看得出这是自己的一个同胞。虽说日本人和中国人都是黄皮肤黑眼睛，但我就是能一眼看出哪个是中国人，哪个是日本人。此时，哭的这个一定是中国人，而且才来日本不久。

我来不及多说什么，一把将婴儿车里的孩子抱在怀里，一只手拖起女人，低吼了一句：“走！”就飞快地往应急通道跑去。地震和火灾的时候不要坐电梯，有楼梯的应急通道就是逃生通道。

走到门口大厅的时候，我看见了在门口多次见过的日本老保安。以前，我从不主动和他打招呼，他只是个向你点头微笑或者说上一句“你好”的和蔼老头儿。每次他和我打招呼，我都是神情倨傲地点一下头，因为我很有点儿瞧不起他。绝大多数老人都凭着公司优厚的退职金和国家的养老金过着富裕的生活，说日本是老年人的天堂并不为过，银发族才是日本最有消费能力的群体。旅游的人群当中以退休的人为主，年轻人既没有时间也没有钱，甚至电视广告形象代言人的年龄都平均比中国的要大20岁以上，像他这种几十岁了还要出来打工的人简直就是失败者，好几次我看见他用最便宜的饭团做午餐。但在此时，就是这位我眼中的失败者，用自己的身体挡住大门，低声向每个几乎是从他身上跨过去的人喊：“快！！”

我的眼睛有些湿润。大厅一片狼藉，地震中的纸张、文件、电脑散乱了一地，其他比老保安地位高的人都已经走了。老保安一定是知道电子门禁系统一旦关上单凭人力就很难打开了，而地震后停电是说来就来的事情，所以他用身体挡住了大门。

高科技有时候就是一个魔鬼。当我们为自动感应门的方便沾沾自喜时，却忘记了一旦灾难来临它就会变成我们自缚的茧。每次经过老保安时高昂着头的我，跨过老人双腿时感受到了他的颤抖，这种颤抖让我的灵魂也颤抖起来。一个无名的日本人，一个在危急时刻坚守职责坚强不屈的灵魂，一下就把我中产阶级的孤芳自赏比了下去，一下就照出了我灵魂里的“小”来。

走出楼房的我，很快发现周围有很多因为地震下楼避难的人，不少人都是西装革履典型的办公一族打扮，看得出应该是附近港口、进出口公司的工作人员。所有人都尽量站在不妨碍交通的地方，不仅是机动车道没有人，就连人行道也留出了足够的通行空间，因为可站的地方不多，不少人甚至站在了绿化带的灌木丛中。

而四周的高层建筑，还在减震器的作用下舞蹈。周围相邻的三栋高层建筑以不同的角度和频率相互靠近又拉远，看上去怪异之极，而远处目力可及的据说建好后会有 600 多米的“天空树”，现在建好的部分已经高达 400 多米的超高层建筑，在地震中更摇晃得如同风摆柳，让人担心会不会随时折断。

匆匆和带着孩子的妇女在地铁站分手，我拿起手机试图联系妻子，发现手机通讯已经中断，怎么打也无法和妻子联系上。试了无数次之后，我终于把一个最简单的“OK？”短信发了出去，但是没有收到任何回信。我不知道是因为通讯原因还是她已经出了什么事情，来不及细想，我跳上自己的丰田 RV4，打算一路往千叶——我妻子的单位所在地奔去。

海啸，可怕的魔鬼发威了

从家里出发到品川的方向和妻子上班的方向正好相反，现在我要去妻子的单位几乎是要绕整个东京湾一周了。我从道路电子信息牌看到第一个关于地震的消息说是宫城北部发生了 6 级地震。这是个我无法相信的消息，6 级地震别说发生在远在几百公里之外的宫城北部，就算东京是震中，也不应该有这么大的反应。现在通讯已经受到了影响，道路损害情况我现在不明，我也不知道自己能否顺利地赶到妻子的单位，到了后我能做什么，能不能进去？我只是本能地希望尽快得到妻子是否安全的消息。

车一路往北开，关于地震级别的说法在不断更新中，而且数字越来越吓人。地震一分钟内的速报是一个低得离谱的6级，很快到了7级，然后变成了一个比较稳定的8.8级。这已经很吓人了，要知道地震7级和8级之间的能量差不是一两倍，而是数十倍。但是，不到30分钟美国方面的测量数据就出来了，里氏8.9级。

听到这个数据，我的心情开始沉重起来。虽然我没有看到身边有人员伤亡，开车途中我唯一见到的是东京湾台场附近有一栋高层建筑在地震后冒出了黑烟，而且我并不确定起火是否与地震有关。事实上，事后统计东京因为地震一共死亡七人，绝大多数都和高处物体意外坠落有关。不过我很清楚，里氏8.9级，那绝对是一个能排到人类有地震纪录以来前十位的数字，较大人身伤亡是不可避免的。

但是那时候的我还是比较乐观的。宫城北部前两年也发生过8级以上的地震，死亡人数不到50人，当时的我以为这次伤亡也不会超过100人，毕竟日本是全世界为地震所作准备最为充分的国家。而且地震之后日本人自救恢复生产的速度快得惊人：地震后大约15分钟，我就看见建筑工人重新登上脚手架开始工作，直升机已经开始升空巡视，救火车也已经在道路上呜呜地怪叫着，巡视并防范着次生灾害的发生。

不过，我还是有些担心妻子的安危，毕竟妻子从事的工作太特殊。放射性物质的处理本来就是一件需要聚精会神的事情，一点点震动都可能造成灾难性后果。一路上我开着车飞奔，因为在第一时间就上了公路，我并没有发现明显的交通阻塞情况，东京一侧道路的损毁情况也不严重，一路上最多看到了几辆家用轿车保险杠有损伤的痕迹。

震后四五十分钟时，海啸开始袭击东京湾。日本是一个岛国，天然良港非常多，东京湾就是其中之一，它的三个方向被半岛和大陆包围着。袭来的海啸并不算剧烈，至少不至于冲垮建筑，但是正好在东京湾海边公路开车的我还是和海啸来了一次亲密接触，一米多高的海浪在我的背后向我追击而来，我几乎是本能地拼命踩油门并且把方向盘往另一侧打。海水还是无情地拍到了车身上，但是我和车都没事，危险过后我继续往妻子的单位开去。

海啸袭来时我开始觉得自己对地震后果的预测可能过于乐观了。日本为海啸也作了力所能及的充分准备：震源地岩手县的宫古市田老地区历时近半个世纪，耗资数亿美元建筑了一条高十米，宽三米的混凝土结构——“海上万里长城”，这条防浪堤被吉尼斯世界纪录承认是人类最大的海浪防浪堤。但是在天灾面前，人类所作的一切努力如同儿戏，十余米高的海啸腾空而起，向岩手、福岛、宫城等地袭去，深入陆地十余公里，轻而易举地推开战机、卷走汽车，把四列运行中的火车如同玩具一样抛到一旁，更将数万座房屋夷为平地，也将万千生灵带回海洋。这场剧烈的海啸甚至在太平洋横行一圈到达美国后，还将至少五人卷进了海里。

据目击者小林报告，岩手防浪堤在这次海啸中唯一的作用是：海啸预警发布后数十个高中生爬到防浪堤高处准备观察海啸奇观。海啸即将到来时女生已经觉得不妙，开始尖叫，但男生们坚信这个世界第一的防浪堤不会有问题，而十余米高的海啸轻而易举地将这道海上长城推倒 580 余米，将堤上数十人全部卷进大海。

事后统计，宫城县一共有 10 992 栋房屋被海啸卷走。

人类自己释放了核魔鬼

上帝就这样和人类开了一个冷血的玩笑，他用自己的方式嘲笑了人类的自以为是。在灾难面前我们显得如此弱小，我们引以为傲的各种文明成果在天灾之前竟是如此的不堪一击。天威之下人类是如此的脆弱，弥足珍贵的生命如同蝼蚁一般被轻轻一碾就变得粉碎。

让人类用自己的文明成果作茧自缚只怕是这次地震中上帝开的另一个巨大玩笑了。日本因为资源匮乏，所以明知地震频发却仍然拥有 18 座核电站，55 个核反应堆。平日的东京人在这些核电站的供应下充分享受着电力充足的好处：东京的电力价格比国内大多数地方更低。这样造成的一个现象是，东京各种场合，包括地铁站等开放空间，一年四季从来不停用空调，冷的时候开热空调，热的时候开冷空调。甚至，哪怕是冬季最寒冷的时候，我的家和单位暖气充足到我只需穿一件短袖。

核电站，这个人类最高的智慧成果之一，让东京四季停止更替，冷暖不再重要。但在这次地震中核电站却演变成了比地震海啸更令人恐惧的危机。有趣的是，我所担心在妻子身边发生的辐射危机并没有在地震中发生，但另一场辐射危机已经在我担心妻子的同时开始酝酿了。地震袭来后福岛第一核电站的核电机组按照预定功能自动停止了运转，但继发的海啸却将核电站外部电源回路和备用发电机组摧毁殆尽。

2011 年 3 月 21 日拍摄的日本宫城县气仙沼市地震废墟。（宋振平／摄，图片来源：新华社）

于是，发电的核电站居然因为没有电而无法向核反应堆供水冷却核燃料棒产生的余热，海边的核反应堆离奇地在海啸之后因为缺水而温度不断升高，造成了核燃料棒熔化和多次爆炸，最终酿成了这起整个亚洲有史以来最大、世界核电站史上也屈指可数的核电危机。

而这场地震也引发了经济上的一场地震。东日本大地震发生时亚太股市尚未收盘，一起看上去孤立的日本地震事件诱发了整个亚太股市跳水般的暴跌，石油、期货、国际货币市场无一不对东日本大地震作出了直接而干脆的反应。而在电子产品生产方面，日本一直占据着产业链高端的位置，诸如 LED、内存、相机等领域无疑也爆发了一次世界性的大地震。

大阪的地铁可能会因为福岛一家小作坊的停产而被迫减少 50%；全世界的手机制造商以及不可一世的苹果，可能将焦急等待的目光聚到宫城一家名不见经传的

Kureha公司身上，因为他们生产的锂电池关键性聚合物占到全球产量的70%。日立空气速度传感器的停产，更导致了全世界的下游厂家停工待料。世界太小，地球上的每一个伤口都让我们疼痛，唐山大地震、汶川大地震离我们并不遥远，灾难的警钟并非只为日本人敲响。

而距震中较远的我并没有意识到事态有如此严重。开车途中所见，东京受地震的直接影响还在我可以接受的范围，我没有看到一栋建筑物倒塌。车快开到东京和千叶县交界处的时候，道路出现了几处比较大的龟裂，前面的车开不过去了。

龟裂与千叶县的地质结构有关。千叶县不少道路是填海建造的，表面已经被水泥固化的地面下其实是浸透了海水的烂泥。这样的结构在地震冲击波的作用下，涂满沥青的地面好像鸡蛋壳很容易破碎。

车是开不成了，手机通讯还没有恢复。把车停到服务站的时候，我发现公用电话还可以使用，每一个公用电话前都有人在排队，我相信这样的地震国内媒体一定也会在第一时间报道，我也需要给母亲报一个平安。不过转念一想，在没有妻子的确切消息之前这个电话我没法打，母亲得知地震消息后一定会问起儿媳妇的安危的。所以，我拎起随身的背包向最近的地铁站徒步行进。

走到地铁站的时候已经临近日本上班族的下班时间，地铁站已经停运，站台满是等待乘坐地铁回家的上班族。而站台的电视上已经发布通告，地铁短期内无法恢复运营，建议大家就在公司或者政府安排的临时休息地过夜，不要勉强回家。但急于回家的人仍然在月台上排着整齐的队伍，期待着奇迹出现。

而我无法继续等待下去，毕竟地铁重新运营还没有时间表。我查看了一下地图，到家应该还有十来公里的样子，而这个时候不仅是地铁、公共汽车停运，塞车也开始越来越严重，的士不仅很难打到，还如蜗牛一样在道路上慢慢爬着。所以要想尽快赶到妻子的身边，我还是只能步行。

灾难中爱的慰藉

天色渐渐暗了下来，路边商铺的电视机正在报道，整个东京地铁停运，造成数百万人滞留。官房长官（职务类似中国的总理）枝野幸男发表讲话，请求大家不要勉强回家，政府在重要交通节点周围都设立了由学校或者其他公用设施充当的临时休息点，电视上不断播放着休息点的具体地址以及电话等实用信息。部分人群开始散开，但地铁依然满是等候的人群，没有暴躁、没有抱怨，大家都很理解地铁需要检修后才能运行。去接丈夫的车辆造成了东京有史以来最大的塞车，所有道路无边无际地堵着，一眼望不到头，但是整条道路听不到不耐烦的喇叭声，听不到一声抱怨，你能听到的，只是决定步行回家的丈夫们坚定而又整齐的脚步声。

机动车道一旦堵死，汽车的行进速度连步行都不如。明知寸步难移，但没有车辆熄火等待，所有车辆都开着大灯将道路照亮。在照亮别人丈夫回家的路时，也一定会有别人照亮自己丈夫回家的路吧，所有在汽车上焦急等待的妻子们一定是这样想的。

所有丈夫们的心情只怕也都一样吧！日本，特别是估计一定会有大地震发生的东日本，已经无数次预想过地震发生之后的情况，而地铁无法运行就是其中一项。很多东京人，就如同会在家里准备一个地震包一样，也会在单位准备一些食物和换洗衣服，预备地震后不能回家的时候使用。但现在的情况是，余震不可避免，通讯又陷入混乱，每个丈夫都需要知道家里是否安好。平常不苟言笑，除了养家糊口之外很少有时间做家务，几乎没有时间和亲人交流的日本大丈夫们集体用坚定的步伐展示了爱、责任以及自己温情的一面。要知道东京的上班族平均每天需要坐一个小时的地铁上班，现在改用步行的话，很多人到家恐怕都要天亮了吧！

我就在这沉默的脚步声中，在这由丈夫对妻子的爱、妻子对丈夫的爱会聚成的滚滚洪流中前进。虽说对家人安危的担心，还有对余震的担心让我多少有些焦急和仓皇，但这由数百万人共同构筑的爱的洪流还是给了我温暖和继续前进的力量。等我走到千叶境内，好不容易用公用电话和妻子通上话，却发现妻子也正朝我的方向赶来，两人其实已经相距不远。

没想到“女科学家”（我和妻子开玩笑对她的称呼），在地震后居然也会干出步行去东京，在茫茫人海中找丈夫的“傻事”，这让我心里涌动着一股久违了的暖流。约好在一家意式连锁餐厅见面后，我几乎是一路小跑着去的，而妻子却已经在餐厅门口等待了。

见到彼此时，我们忘记了昨日的争吵。我跑过去把餐厅门廊下伫立等待的妻子紧紧搂在怀里，好像怕她下一秒就会不翼而飞了一样。我的拥抱是如此的用力，我听见了妻子的连声呼痛，但我仍然不愿放手，直到她抱怨已无法呼吸。在巨大的灾难面前每个人都显得如此的渺小，如浮萍般的心无所依，只有和相爱的人偎依在一起才能找到彼此需要的慰藉，死也要死在一起，这才是今夜人潮涌动的真实原因吧！

我们要了一点比萨后继续往家走，可找到丈夫的妻子却好像突然失去了精神支柱，越来越走不动了。

就这样勉强往前走了一两公里，妻子实在无法忍受高跟鞋给脚部带来的剧烈疼痛，脱下鞋子拎在手中，穿着袜子在地上走。到了一个僻静的街区，我们正狼狈间，从旁边过来一个中年男子，说是请大家去他的店休息。他今天反正也回不去了，不如把店让给大家休息，吃喝、小憩一律免费。

我本能地心存疑虑：平时都自扫门前雪，礼貌中带着冷漠和距离感的东京人这时候怎么变得这么热心了？但在日本待久了的妻子相信此人并非撒谎，而妻子实在也累得快撑不住了，于是我们就真跟着他往店里走。

居酒屋温暖的灯光下好几个人已经在那里休息了。有一个坐在轮椅上的老年人，还有推着婴儿车的一家三口。看到我们进来，老板娘用典型的东京口音，一种类似唱歌的夸张腔调说着“欢迎光临”，我相信这就是她平时招呼客人的样子，只不过此时不再收费而已。而她并没有因为不再收费而怠慢了客人，还是十分细心体贴地给我们拿来了热毛巾和冰水。

毛巾和加了冰块的水，我再熟悉不过的东西了，东京无论哪家店，无论四季，都是这么招呼客人的。当我在失物招领处找到自以为已经遗失的手表的时候，我并没有如此感动。相反，在这次危难之中，在每个人都要虑及个人安危的时候，为他人所作的些许奉献，一块毛巾、一杯冰水，却让我感动了起来。

中国人崇尚的是“滴水之恩当以涌泉相报”，但这晚，这无名店主如同春日阳光般的笑容，我却只怕是无以为报了。我正唏嘘不已，却看见一向理性不轻易动感情的妻子眼角也有一点晶莹的泪光在灯光下闪动。

小店里特殊的“客人”越来越多，本就不甚宽敞的地方渐渐显得有些拥挤，我和妻子准备离开，把位置留给更需要的人。临走之前，老板娘发现了妻子提在手上的高跟鞋，找来了一双平底布鞋从小店追了出来，带着几分惭愧地说：“旧得不像样子，失礼了。”妻子很犹豫，想着天色已晚，明天来还鞋子的话，我们未必能找到这家小店。老板娘却看出了我们的心思，跟妻子说那双鞋自己已经穿了很久，只要我们不嫌弃就好，不用还了。

我们就带着这无以为报的感恩继续走下去，妻子的脚还是有些痛，她偎依在我的肩头一步一步地往家里挪。看见家门外廊灯的时候已经是午夜一点了，我们连澡都不想洗了只想睡觉，毕竟一天的奔走和惊魂已经让我们从体力上到精神上都疲惫不堪了。

临睡前我想起了前两年的一部电影——《东京沉没》，那几乎是日本人对地震恐惧感和生存危机感的一次彻底表露。但看到东京人在地震之后的表现后，我相信这次地震并不会让日本沉没，反而，也许这是一次凝聚民族精神、走出经济长期一蹶不振阴影的机会。

（选自长江文艺出版社《日本大地震亲历记》，
2011年3月出版，作者：张志浩）

核电：悬在人类头顶上的达摩克利斯剑

日本震后除海啸的巨大破坏力给人类造成了惨重损失之外，因强震运转受阻的日本福岛核电站危机从2011年3月11日开始持续发酵。继福岛第一核电站1号、3号机组发生爆炸事故之后，其2号机组又于15日早晨传出爆炸声，压力控制池受损。美国核专家表示，此次日本发生的核爆炸核泄漏事故，将成为历史上最严重的三大核事故之一。

2011：日本福岛核爆炸震撼全球

——三大机组先后发生爆炸，“堆芯熔化”隐患重重。

3月11日的里氏9.0级强震发生后，福岛第一核电站传出反应堆停止运转的消息，由于反应堆冷却系统停止运作，燃料有露出水面发生“堆芯熔化”的危险，当局不得不向反应堆注入海水，并排出蒸汽。该核电站1号机组在当地时间12日下午3点36分发生疑似冷却用氢气爆炸，造成反应堆附近的机房墙体严重受损，有四人受伤。不过，幸运的是，反应堆的金属外壳安然无恙。

日本经济产业省官员认为爆炸原因是由于部分燃料熔化，即发生“堆芯熔化”。据分析，由于堆芯水位下降，燃料渐渐露出水面，温度高达1 200度，因无法充分冷却而受热熔化。当时，该核电站正门附近的辐射量达到正常值的70倍以上，1号机组的中央控制室则已升至约1 000倍。

日本共同社称，这是日本的核电站首次发生堆芯熔化。

“国际核能事件分级表”把核事件按严重程度分为0至7级。4级意味着核事件可定性为“事故”，将“在当地产生影响”。日本原子能安全保安院13日按照“国际核能事件分级表”，把核电站爆炸泄漏事故定为4级，即造成“局部性危害”。日本官员表示，这个等级有可能会随着事态的发展而调整。最终，上升为7级。

这场危机并未就此中止。继1号机组氢气爆炸之后，3号机组于当地时间14日上午11点01分又发生了爆炸。

据日本经济产业省原子能安全保安院估计，可能由于反应堆内水位下降而露出的燃料发生了过热熔化，产生大量氢气并发生了爆炸。由于与1号机组的氢气爆炸一样，出现了放射能等级的上升，因此对20公里范围内的居民已经要求进入建筑物内躲避。

日本经济产业省原子能安全保安院15日宣布，据东京电力公司报告，事发时间为6时10分左右，可能是2号机组反应堆的控制压力池出现损坏。原子能安全保安院说，2号机组的核燃料棒露出水面约2.7米，露出长度差不多是核燃料棒的一半。发生爆炸声后不久，福岛第一核电站四周监测到965.5毫希的辐射，之后下降到882毫希。

2号机组核反应堆冷却水的水位14日下午曾急剧下降，以致核燃料棒完全露出水面。在东京电力公司向反应堆内注入海水之后，水位于晚上9时34分恢复到燃料棒一半的位置。但在当晚11时左右，核反应堆内释放气体降压的安全阀门关闭，致使内部压力升高。冷却水位随即急剧下降，核燃料棒再次完全裸露，反应堆芯处于空烧状态。东京电力公司此前表示，2号机组附近的辐射量等级正在上升，可能是出现了堆芯部分熔毁现象。

——疑数百人遭核辐射，“切尔诺贝利”事件恐再现。

日本政府12日告知国际原子能机构，打算向福岛第一核电站与第二核电站附近的居民发放碘片，以降低可能出现的核辐射对人体的伤害。而且，该核电站附近的20多万名居民已分批次疏散，入住临时避难所。福岛县政府13日发布消息称，已确认遭福岛核电站外泄的放射性物质辐射的人数已上升至22人。消息同时指出，从核电站附近区域撤离的人员中，至少已有160至190人受到辐射。

此外，美国海军14日说，在日本救灾的美军舰队上有17人遭到核泄漏辐射。由于探测到空气中的放射性物质，总部设在日本横须贺的美军第七舰队已重新调整

2011 年 3 月 16 日，在日本大地震重灾区岩手县大船渡市一个避难所，灾民在阅读《岩手日报》头版刊载的日本核泄漏报道。（伍正来 / 摄，图片来源：新华社）

舰只和飞机部署，以避免遭受到更多的辐射。

据悉，核反应堆内核裂变可产生放射性碘。一旦发生核泄漏，放射性碘可能被核电站附近的居民吸入，引发甲状腺疾病，包括甲状腺癌。服用碘片可防止人体吸收放射性碘，降低辐射伤害。

日本媒体建议核电站周边的民众避免外出，外出时用面罩或湿毛巾护住面部。

东京电力公司表示，15 日上午 8 点 31 分测得福岛第一核电站正门前的辐射量为每小时 8 217 微西弗。据悉，该数值相当于普通人年可被辐射量上限的约 8 倍。此外，据监测，日本茨城当地的核辐射水平上升。

13 日，福岛核电站宣布进入“紧急状态”后，位于重灾区宫城县的女川核电站也宣布进入紧急状态。这种情况不禁让人们想起 20 世纪 80 年代前苏联切尔诺贝利核电站的核泄漏，正是由于这场核泄漏，其附近被疏散地区至今仍是死城。

专家们指出，如果整个国家发生地震，核电站无论建在哪都将面临风险。与

“切尔诺贝利”不同，日本核事故不会成为一场国际性事故。因为，日本距离其他任何地区都很远，核辐射不会扩散到日本以外的地区，即使最为可怕的放射性物质碘－131也只有短短八天的半衰期。此外，专家认为，日本政府“有能力”应对和解决核事故。

总之，美国核专家表示，此次日本发生的核泄漏事故，将成为历史上最严重的三大核事故之一。

——专家称设备老化、抗震能力不足致核泄漏。

曾任东芝公司核电站设计师的后藤政志13日说，可以初步认定，福岛第一核电站1号机组发生的放射性物质泄漏事故是核电站抗震能力不足和设备老化所致。而日本民间组织“原子能资料信息室”共同代表伴英幸也认为，发生事故是东京电力公司没有充分考虑核电站应对海啸的能力。

后藤政志表示，福岛第一核电站1号机组在设计时考虑了防震问题，但显然没有充分考虑应对如此高强度地震的能力，这次地震的强度远远超出1号机组的抗震能力，所以才会出现冷却系统问题导致堆芯熔毁和放射性物质泄漏的事故。

除抗震能力不足外，还发生了很多意料之外的问题。比如当初设计1号机组时，虽然考虑到发生地震时外部电源中断的问题，并准备了应急柴油发电机，但这一应急设备没有在地震发生时启动，导致紧急冷却装置等无法运转。同时，从外部紧急派遣的应急电源车也未能迅速到达，对反应堆内燃料棒进行冷却的作业因此无法开展，导致堆内压力过高。

后藤还指出，日本在当地有多座核电站，但是福岛第一核电站1号机组的问题最为严重，也和1号机组建成时间最长有关。1号机组已建成40多年，是福岛第一核电站中最早完工的，各种设备和管道都已老化，甚至存在锈蚀状况，所以最容易出现问题。

——放射性污水排向太平洋。

据日本新闻网报道，福岛第一核电站向大海排放低污染水的作业，4月9日晚接近尾声。从本月4日开始的这一项排放作业，由于没有向周边事先通报，引起了一些国家的强烈不满。

东京电力公司解释称，在废水综合设施中排出囤积的低核浓度污染水，是为了能够将第二核反应堆的建筑物内的高核浓度污染水接引过来，以便进行集中处理。

报道称，东电没有说明这些低污染水的放射性浓度数值，但是总量超过一万吨的污染水直接排放到大海，无疑会污染海水，并危及周边国家的海洋安全。

据悉，日本渔业与水产加工团体已经向东电提出了强烈的抗议，并要求全额赔偿损失。

之前的报道指出，福岛第一核电站实施固化剂作业的2号机组放水口附近以及核电站的堤防等处发现至少三处渗漏现象。含核放射性的污水从泄漏处流入太平洋，引发了日本国内和国际社会的关注。

据共同社报道，东电计划采用七块宽4米、高8米的钢板，安置在福岛第一核电站第二机组和另两处地点的取水路和堤防处，防止污水从堤防的渗漏点外泄。东电力还准备在2号机组水闸前、4号机组南侧堤防附近和北侧水闸入口三处地方设置拦砂网，其高度有10米，宽度达120米，通常在河川或海岸工程中被用于防止污浊的水扩散。

——日本被指低估核事故隐瞒真相。

从4级到5级再跃升至7级，日本经济产业省原子能安全保安院和日本原子能安全委员会上周正式将福岛第一核电站事故级别上调为国际最严重级——7级，与前苏联切尔诺贝利核电站事故达到同等级别。

一时间，东京电力公司在“3·11”日本特大地震之后再度成为世界关注的焦点。

“其实东电应该有能力把事故控制在4级范围内！”曾进入切尔诺贝利核电站进行研究试验、目前正在乌克兰一所核工业大学研究核工程专业的中国人邹宇（化名）在接受《羊城晚报》记者专访时表达了自己的看法，“现在却眼睁睁地看着事故升至7级。”

那么，在这一个多月的时间内，福岛核电到底隐瞒了什么？

3月11日，日本发生里氏9.0级地震时，福岛第一核电站1至3号机组自动暂停运作（4号至6号机组处在关闭状态）；3月12日，1号机组爆炸；3月14日，3号机组发生氢气爆炸；3月15日，2号和4号机组发生氢气爆炸；3月17日，日本自卫队直升机从空中向3号机组注水，消防车从地面喷水；3月18日，日本原子能安全保安院初步将1号至3号机组事故升至5级。

在这些密密麻麻的新闻中，我们到底错过了什么？

日本媒体披露，11日当天，东电社长清水正孝和会长胜俣恒久都在外出差，东电则成立了对策本部。首相官邸也并未向东电直接了解情况，而是委托给了经济产业省下属的原子能安全保安院。等到当晚8时30分，首相官邸得到消息：2号机组的冷却系统失去了能力，首相菅直人才意识到了事态的严重性。

“就在1号机组爆炸之前，福岛核电站可以通过释放气体来减压的。”邹宇分析说，“尽管带有部分‘放射性气体’，但这些气体的排放可以在本土减少影响，至少机组不会发生爆炸。可以说，释放气体带来的影响，至少比现在导致的辐射要低上10～100倍！”

东电为什么没有这么做呢？

因为菅直人在3月12日乘飞机到这里视察灾情，如果选择向空中排放气体减压，“怕辐射到首相”。最终，在菅直人视察结束后的12日上午10时，东电才开始打开阀门作业。

当天下午3时36分，1号机组发生爆炸，从那一刻开始，一系列的爆炸和危机开始了。

11日首相官邸就要求开阀泄压，但东电却挨到了最后关头，“一步被动，步步被动”。

其实，在11日当天，首相官邸曾要求东电：“立即打开泄压阀门。”但东电并没有行动，公司表示：“这在日本核电史上未有先例，因为这将使一定量的放射物质散发到外部。”

一直挨到“堆芯两个小时后就熔融，必须打开阀门，释放水蒸气”的关头，东电才“如果第一步能明确，后面也不至于陷入种种混乱之中”。邹宇分析道：“更让人觉得奇怪的是——如果说海啸将福岛核电站的备用柴油机组卷走，那么再找到的临时柴油发电机，怎么居然会因为插口不匹配问题而无法提供电力支持？其实一般情况下，无论是柴油发电机组还是核电站内的插头，都应该设计为通用插口。”

更让媒体所诟病的是，当日本官房长官枝野幸男在 3 月 12 日下午 5 时 45 分通报爆炸事件时，不仅未能对事态进行详细说明，反而一味强调“不能释放错误信息”，直到当晚 8 时 30 分，才对此次事件作出详细说明。外界猜测，日本政府之所以不能尽早向公众说明事件的真相并提供有价值的信息，很可能是连政府高层都没能第一时间了解到现场的情况和及时掌握真实信息。

“事情发展到现在，已经超过了一个月的时间，但是我们掌握的都不是第一手资料。”邹宇坦言，“信息很少，基本上来自日本政府和国际原子能机构公布的数据。当然，我们相信这是因为真正掌握第一手资料的员工都在第一线忙着抢救。所以在我们科研方面并不急着马上剖析日本福岛核电站的情况，而是等有真正的信息出来之后再作分析。”

日本利益至上、忽视公众也是被国际社会指责掩盖真相的两大因素。

还有此一说，日本低估核事故掩盖真相或在储藏核武原料钚。

福岛核事故后，全球核电何去何从？

近段时间以来，爆炸、核泄漏、堆芯熔毁、核辐射这些词不绝于耳，海啸致使日本福岛核电站告急，核电机组相继爆炸的消息让人惊慌，因为伴随而来的是放射性物质的泄漏。核辐射总是让人谈之色变，因为残酷的历史摆在人们面前，前苏联的切尔诺贝利事件、美国的三里岛事件仍在时刻警醒世人。如今，福岛核电站所引发的核电恐慌已经蔓延至全球。我们应该怎么理性地看待核电？全球核电复兴又会否因此戛然而止？

福岛第一核电站爆炸对全球核电的影响可谓立竿见影。不少国家纷纷表示将对本国核电站进行安全检查。德国总理默克尔 3 月 14 日宣布，政府将暂缓延长现有核电站使用期限，但是德国不会完全放弃使用核电。早前，德国政府曾决定将现有的核电站服役期分别延长 8 至 14 年。可到了 5 月 30 日，默克尔却突然宣布：“到 2022 年，德国将关闭所有（17 座）的核电站。”美国总统奥巴马 3 月 15 日称，为了确保美国核设施的安全性与有效性，加强安全监管尤为重要；另外，奥巴马同时表示，美国

1979年3月28日，美国三里岛核电站发生历史上最严重的核泄漏事件。这是美国宾夕法尼亚州三里岛核电站的资料照片。（刘心宁/摄，图片来源：新华社）

将按原定计划进行新核电站的建设。英国政府已要求其首席核调查员起草一份关于日本核泄漏事件影响的报告。此外，中国、法国、印度、韩国等国家均表示要对本国核电站进行安全检查。

在日本福岛核电事故之前，全球的核电复兴引领者是亚洲，许多亚洲国家都将核电视为满足能源需求增长的重要途径。但是，有分析师认为，如果日本核电站势态加重，亚洲不少国家将重新考虑本国核电政策。

美国查塔姆皇家国际事务研究所研究员安东尼·弗洛格特表示："像印尼、马来西亚，它们正决心发展核电。对于这些有意建核电站的国家而言，日本此次事故会让它们停下来思考核电站对未来经济、安全的影响。"

对于中国和印度而言，由于经济飞速增长，能源需求必将大增。有关分析人士认为，这些国家不会因为日本核电事故而改变本国的核电政策。新加坡国立大学能源政策教授斯瓦库认为，亚洲决心发展核电的国家不会因此动摇，因为这是它们发展战略的一部分，因此，印度和中国不会改变计划。虽然未来核电出口国仍将看好这些新兴市场，但是这并不是块好啃的骨头。印度去年就通过了一项法案，规定设备供应商在核电站发生灾难时必须承担巨大损失。

为防止堆芯熔毁，日本政府竭尽全力，这一幕让欧洲核电国家感到担忧。处于核电复兴途中的国家也开始反思，甚至是改变核电政策。3 月 14 日，瑞士政府宣布暂停新核电的建设计划。那些还未建核电站的国家也开始考虑，如何避开核电，通过其他途径满足能源需求。没有核电项目的奥地利也变得相当谨慎，它要求周边的核电国家进行压力测试，以确保本国民众的安全。

诚然，在减少碳排、摆脱油价波动方面，核电功不可没。近 20 年来，全球核电运行记录也良好。2007 年，法国核电巨头阿海珐总裁洛韦容曾表示："核电不再是恶魔，煤炭才是大魔头。"但是，即便是核电的大力奉行者，我们也知道只要发生事故，核电产业的发展就必然遭受影响。1974 年，时任美国总统的尼克松曾预计，20 世纪末期，美国服役的核电站将达到 1 000 座。但是，随之而来的却是 1979 年宾夕法尼亚州三里岛核电事故及 1986 年前苏联的切尔诺贝利事故。在 20 世纪末，美国服役的核电站为 104 座。由此，日本福岛核电事故也可能成为一个转折点。因为对于核电，全球不少民众是持保留甚至是反对态度，政府和运营商如何说服民众，获得民众的支持？

核电站需要政治支持。在某些情况下，这意味着补贴，同时也代表建设许可。政府同意兴建新核电站的同时，必须加强对旧核电站的安全检查。以瑞典为例，它们就无意升级现有核电站，因此，核电产业需要一个良好的监管环境。曾有不少核电运营公司抱怨称，欧洲一些国家及美国的核电建设审批过程太过繁琐、进展太慢。其实，这是防患于未然的一道必要程序。欧洲核电的监管环境未来只会变得更为严格。瑞士能源部长多里斯表示，如果国家最终建设新核电站，前提必须是采取更为严格的安全标准，特别是在应对地震等自然灾害方面。

在美国，对于鼓励核电建设，民主党和共和党都持积极态度。在日本福岛核电危机爆发后，美国能源部长朱棣文表示："美国人民应该相信美国政府，我们已建立了严格的安全规章，以确保核电运营的安全。"

"要说日本福岛核电危机对全球核电复兴有何打击，目前还为时尚早。但我认为这将严重阻挠全球核电市场的预期涨速。同时，未来我们也将对核电的安全问题予以更多重视，这并不是件坏事。"美国南加州大学能源教授郎杰德明表示，"另外，全球应该重视核燃料的处理和储存，这其中存在极大的安全隐患。"

对于美国核电的未来，不论如何争论，有一点是公认的，那就是美国再也承受不起下一个三里岛事件了。目前，美国核反应堆的建设必须克服日本灾难所带来的潜在影响。但是 Brattle 集团咨询公司主管认为，未来美国核电站的建设不会因此有更进一步的检查。

历史上，每一次核事故必然引发人们对核电利弊的激烈讨论。如今，因为福岛核电事故，这种讨论再一次被激发，且是在全球核电复兴的大环境下，各国对此反应不一，但是申明加强核电安全检查的不在少数。或许，未来全球核电复兴的步伐会放缓，缓一缓也未尝不是件好事。气候变暖、温室气体减排、化石燃料减少，这让不少国家倍感压力，一讲到发展清洁电力，必然会提及核电，因为它的确清洁、的确少碳排，但是上马核电也不能操之过急，缓一缓，想想如何最大限度地保证选址安全、运营安全，如何提高预防自然灾害的能力，这才是全球核电发展的当务之急。

未来的核电大国——中国高度重视核电安全

核电站只需消耗很少的核燃料就可以产生大量的电能，每千瓦时电能的成本比火电站要低 20% 以上。核电站还可以大大减少燃料的运输量。例如，一座 100 万千瓦的火电站每年耗煤三四百万吨，而相同功率的核电站每年仅需铀燃料三四十吨。核电的另一个优势是无污染，几乎是零排放，对于环境压力较大的中国来说，符合能源产业的发展方向。

2008 年 1 月至 11 月，中国核力发电行业实现累计工业总产值 22 877 173 000 元，实现累计产品销售收入 22 372 958 000 元，实现累计利润总额 10 548 918 000 元。2009 年 1 月至 11 月，我国核力发电行业实现主营业务收入 23 410 486 000 元，实现累计利润总额 9 706 462 000 元。

2009年，我国11台在役核电机组继续保持着安全稳定地运行，总装机容量为908万千瓦。全年累计发电量692.63亿千瓦时，发电设备利用小时7 914小时，平均负荷因子达到90.34%，均创历史新高。2010年9月，随着岭澳核电二期1号机组的顺利投产，我国核电装机容量突破1 000万千瓦。国家不断加大核电领域的投资力度，陆续核准、开工一批核电项目，核电的中长期发展规划加快推进。

我国能源结构仍以煤炭为主体，清洁优质能源的比重偏低。为顺应低碳经济的发展要求，积极发展核电、风电、水电等清洁优质能源已刻不容缓。政府对核电行业的态度已经从“积极发展”转变到“尽可能发展”，中电投、华能等电力巨头更是纷纷抢跑，积极投资建设核电站。

鉴于近几年中国核电的超常规发展，政府相关部门在2010年已经着手对《国家核电中长期发展规划》进行调整。未来5至10年，我国新建核电机组将以每年5到8台的速度递增，成为世界核电发展的火车头。2015年，我国核电装机容量将达3 900万千瓦，到2020年则可能达到8 000万千瓦，占全国电力装机容量的5%，发电量的8%。

中投顾问发布的《2010—2015年中国核电行业投资分析及前景预测报告》共14章。首先介绍了核电的特点、发展历程、核电站等，接着分析了国际国内核电行业的发展概况，并对中国核力发电业的相关数据进行了翔实全面的分析。随后，报告对核电行业作了设备制造分析、建设动态分析、重点企业运营状况分析和投资潜力分析。最后，报告对中国核电行业的发展前景作出了科学的预测。

日本这次核电站核泄露过程究竟给中国的核电安全带来了哪些警示？北京师范大学珠海分校日本教育研究所胡学亮认为：

首先，我们要摒弃“我国的核安全万无一失”、某某地区“地质条件好，历史上没有地震和海啸，利于核电建设”“中国掌握了三代核电技术，而日本是二代核电技术”等“中国核电绝对安全”的观念，对已经建设或准备建设的核电站的厂址自然条件、设计、运行等各个方面要进行重新检测和评估，追求更高的质量保证。日本福岛核电站原先也被认为“非常安全、不可能出现重大事故”，实际上该核电站的所有机组也经受住了里氏9级大地震的考验，如果没有随之而来的巨大海啸也许能顺利躲过难关，但核泄漏事故的主要客观原因就是这“预想不到”的海啸。其实早在

2007年就有一些日本学者、议员提出了如果日本发生像智利一样规模的大海啸，福岛核电站的冷却系统将被瘫痪的警告，但是日本政府及东京电力公司认为大海啸的概率千年一遇，现有的能预防5.7米海啸的设施已足够保护核电安全。结果正是日本历史上这“千年一遇”的大海啸将日本核安全神话击得粉碎。

其次，要制定严密的核电站危机处理的方针、对策和措施，设想所有可能出现的危机环节和情况，并定期组织相关人员进行针对性的培训和实地训练。如上所述，如果东京电力公司或福岛第一核电站的领导和工作人员熟悉反应堆的阀门要使用低压电源才能自动打开，或者曾设想过由于震后大量废墟的阻挠，需要比通常情况下长得多的电缆才能连接上变压器，或者曾设想过如果反应堆的电线插座被浸在水下应该如何铺设电线，并对此进行实地训练的话，也许他们能够在第一时间解决冷却系统问题，从而阻止核泄漏事故的发生。

此外，我们还要做好假如发生了核泄漏事故应该如何进行危机处理的工作。比如像这次福岛第一核电站那样，当所有的应急处理措施都失败了的时候，我们将如何有效地维持社会秩序？如何才能使民众的生命和财产损失降到最低限度？如何迅速地疏散当地居民？有没有必要定期实施包括当地居民、警察、消防人员在内的相关人员参加的核辐射泄漏防灾训练？我们是该考虑如何面对核辐射泄漏事故的时候了。

一段时间以来，日本核电站地震后造成核电站泄漏的安全影响，也引出了中国目前核电设施的安全与保障的话题。为此，中国环境保护部核与辐射安全中心、环境保护部核安全设备监管技术中心主任田佳树，接受了记者的独家专访。针对国外媒体关于中国核电建设趋于谨慎的评论，田佳树表示，中国核电设施的安全有保障，不会因噎废食。

记者：中国现有的核电设施安全系数如何？

田佳树：中国的核设施安全有基础、有保障。我国核电建设参考工业发达和核电先进国家的标准和实践，全面借鉴和引用国际原子能机构的安全标准和技术导则，构建了与国际先进水平接轨、符合和引导中国核电安全与健康发展的核辐射安全法规体系。

我国正在大规模、标准化设计、建设和运行的核电站，充分吸取了美国三里岛核电站事故和苏联切尔诺贝利核电站事故的经验，采用了先进的、经过运行检验的核电站成熟技术。我国7座核电站、13台机组投产以来尚未发现明显的缺陷，20多年没有发生任何重大核安全事故，多数机组的运行和安全指标高于世界核电站的平均值。

我国的核电站从选址、设计、建设、调试和运行、退役五个阶段均有严格的法律法规、标准和技术规范要求。国家核安全局对各个阶段均实施严格的许可证管理制度，有深入细致的技术审查和现场监督。

记者：中国是如何进行核电建设的安全防控及质管的？

田佳树：中国核电建设遵守“安全第一、质量第一”的原则。安全和质量管理通常分成四个层次：第一，政府监督管理；第二，行业或主管部门管理；第三，建设单位业主管理；第四，参建单位和承包商管理。

首先，政府监管实行资格审查和许可证管理制度，依法实施监督、检查和行政管理。

其次，核电建设中涉及的其他领域，如工业安全、技术安全、职业安全卫生等，分别接受国家安全生产监督总局、国家技术监督局等中央和地方政府的监督管理。行业主管或上级主管部门承担安全和质量的管理责任，负责帮助、指导、督促、检查和考核下属单位的安全质量业绩和水平。

另外，业主或项目建设单位是承担和履行核安全责任的主体，必须建立相应的体系确保核安全和质量要求得以贯彻落实。

参建单位或承包商必须是有资格和经验的单位，要有严格的质量管理体系和良好的实践，建立了符合国家核安全法规、满足业主质量保证大纲要求的质量计划。接收业主的监督检查，接收国家核安全局的例行和非例行监督检查。

再有，我国核安全监管有重要和良好的实践，要求参建单位或承包商不得将自己的项目和责任转包，更不能分包给没有经验和资质的第三方。

记者：如何在确保安全发展核电的基础上加强防御？

田佳树：核电作为清洁能源，是绿色发展的必然选择，“在确保安全的基础上，高效发展核电”已经列入国家“十二五”发展规划。

我国已批准建设12个项目、26台机组，装机容量2 655兆瓦；完成选址待批14个项目、27台机组，预计装机容量2 860兆瓦；合计66台，总装机容量约为6 600万千瓦。法国核电占总发电量的80%以上，核电占世界总发电量的16%。我国到

2020 年核电仅占电力总装机的 6%。因此，要实现减排目标、实现 2020 年清洁能源比例占 15% 的目标，核电还应发挥更大的作用。

我们说，要发展核电造福人类，但更要确保核安全保护家园。一方面要有效地识别和防御核风险。这就需要有比常规工业更高的安全和技术标准作为设计和评价依据，需要采用更加先进、更加成熟和可靠的技术作为核电站安全的技术保障，需要更加严格的质量管理和训练有素的人才队伍。另一方面就是要加强防御。在防御方面，中国建立了突发事件的预防和应对机制。配置必要和充分的资源防止灾害的发生、减少灾害的影响。同时，国家鼓励和支持工业界采用安全和先进的技术，在政府层面建立了严格的监督和管理体系，采用了与国际接轨的先进核安全法规和标准等。

中国核能行业协会理事长张华祝近日透露，为了核电安全，国家将采取多种措施促进核电安全，包括计划订立《原子能法》和推动技术改进和管理创新等。

近年来中国核电工业迅速发展，但始终缺乏一部核电领域的基本法。据张华祝介绍，当前《原子能法》已列入 2011 年国务院立法工作计划，中国核能行业协会将在工业和信息化部、国防科工局的领导下，具体负责法律文本及编制说明的起草工作。

张华祝表示，日本福岛核电厂事故引起世界的广泛关注，核安全问题也受到党中央、国务院的高度重视。“十二五”期间，该协会将积极推进核电厂运行评估和核电工程建设的项目评估，继续开展安全生产培训和质量保证培训，促进核能行业的安全发展。

张华祝认为，日本福岛核电厂事故不会让全球的核电发展就此止步，而将促进各国核电同行加强合作和交流，使核电安全建立在新的更加牢固的基础上。正是因为有了美国三里岛事故和苏联切尔诺贝尔事故的沉痛教训和经验反馈，才推动了过去 20 多年全球运行核电站的技术改进和管理创新，以及核电新技术的开发和应用。

张华祝同时透露，“十二五”期间，中国核电总装机容量将超过 4 000 万千瓦，在运行核电规模方面，将进入世界核电大国的行列。

（选自 2011 年第 7 期《中国大纪实》，有删节，作者：黄秋林）

南水北调进行时

长江的最大支流是汉水，汉水的主要支流是丹江，清清丹江与浩浩汉水交汇的地方，便有了一个好听的名字——丹江口。这里有一座当时亚洲最大的人工水库——丹江口水库(来水量汉水占90%，丹江占10%)，水库始建于1958年，竣工于1973年。126万亩的辽阔水面躺在河南淅川与湖北丹江口之间，如同一面晶莹剔透的宝镜。这座水库的意义绝不仅仅在于它的防洪、发电、灌溉等功能，而在于它是为几十年后一项伟大的水利工程埋下的伏笔，这个工程就叫南水北调(中线工程)。是谁埋下了这条伏笔？为什么要埋这么久？要用多大的力量才能开掘这条伏笔？带着这些疑问，我踏上了一次圣洁的寻根溯源的旅程。

一、渴，渴，渴！很多人却看不到

2011年5月18日，来自人民网的一则报道称，北京市水务局日前透露，北京市人均水资源量已从多年前的不足300立方米降至100立方米，大大低于国际公认的人均1 000立方米的缺水警戒线，北京的缺水形势异常严峻。

北京怎么会缺水呢？老北京的母亲河永定河，当年叫无定河，是说它经常泛滥成灾，康熙皇帝派大臣于成龙治水，为了驯服它，遂赐名永定河。可是如今，它的上游修建了267座水库，把一条完整的、流动的、有生命的河流拦截得肝肠寸断，流淌不息的永定河真的永定了——它已经断流30余年了。它的上游就是作家丁玲写《太阳照在桑干河上》的桑干河，如今变成“太阳照在桑干河床上”了。上世纪五六十年代兴建的密云、官厅、怀柔、海子四大水库，总库容88亿立方米，曾经是烟波浩渺，一望无际。到2011年初，北京地表水最大的水源地密云水库的蓄水量不

2008年9月18日，河北省通过南水北调中线总干渠开始向北京供水。（图片来源：新华社）

到总库容的1/4，官厅水库的蓄水量只有总库容的4%。二三十年前，京郊农民打一眼井，5到10米就见水了，现如今，打100米、200米深都未必看得到水。

北京从什么时候开始缺水呢？1949年，北京人口约220万人，人均水资源量达1 800立方米。可是随着人口激增，城市规模扩大，北京的用水需求远远超过了区域水资源的承载能力，导致北京变成了世界上缺水最严重的特大城市。加之，自1999年以来，北京遭遇了新中国成立以来持续时间最长、旱情最严重的干旱期，年均降水量比以前平均减少120毫米。如果人们再追问一句，为什么会出现持续干旱的天气呢？一个重要的原因就是房地产过度扩张，水泥丛林和沥青马路疯狂逼近，使大片沼泽、水田、池塘、湿地近乎绝迹，城市失去了“地球之肾”，又如何能形成水蒸气，形成降雨？

北京缺多少水呢？据北京市水务局统计，北京每年需水量35亿立方米，可是目前的缺口是10亿多立方米。为解燃眉之急，近年来，北京市大量超采地下水，致使北京平原地区已经出现了巨大的漏斗区。有不少水问题专家指出，很多地下水历经千百万年形成，其补给是一个非常缓慢的过程，一般作为战备水源，不到万不得已不能动用。北京超采地下水，是在用水极度紧张的情况下没有办法的办法，用一个成语来形容，就叫“饮鸩止渴”。

可是，很多北京市民丝毫感受不到潜伏在他们脚下的水危机。在北京城里的绝大多数家庭，打开水龙头，“哗哗哗”流淌的自来水让人产生取之不尽用之不竭的错觉；在许多单位的会议室，随处可见刚喝了几口的矿泉水瓶被弃置一边……在《中国环境发展报告（2011）》发布会上，环保人士胡勘平指出，北京市每年人工造雪的用水量至少100万立方米，相当于北京市8 300个家庭一年的用水量总和。北京洗车业一年的耗水量是300万立方米，还有数不尽的足浴城、洗浴中心、高尔夫球场……

二、诗人毛泽东的灵感闪现，竟预言了50年后的现实

有这样一位伟人，他虽然未曾料到首都会成为一个如此严重缺水的城市，但他基于北方干旱的现实，以一个战略家的眼光提出了“南水北调”的伟大构想，他就是毛泽东。

那是1952年10月30日，在黄河水利委员会主任王化云的陪同下，毛泽东登上河南郑州黄河边的邙山俯瞰黄河。王化云向毛泽东汇报了他治黄的规划和设想，说准备从通天河引长江水入黄河，以补济西北、华北的水源不足。

“好！这个主意好！”毛泽东风趣地说，“你们的雄心不小啊！通天河那个地方猪八戒去过，他掉进去了。”

在场的人都笑了起来。

毛泽东略作沉吟，忽然说：“南方水多，北方水少，借一点来是可以的。”

王化云立刻接口：“那就得看长江委是否同意了。”

毛泽东听后笑着说：“没想到你王化云还是个踢皮球的高手，一下把这个球踢给

'长江王'了。"毛泽东口中的"长江王"就是长江水利委员会的主任林一山。

几个月后，1953年2月19日至22日，毛泽东乘"长江"舰从武汉到南京视察长江，在军舰上与林一山就长江治理、南水北调问题专门作了一次探讨。

毛泽东打开地图，用铅笔从长江上游的几个位置一一指下来，都得到了否定的回答。最后他指到汉江和均县，问："这个地方行不行？"

林一山："这里可能性最大，可能是最好的引水线路。"

毛泽东做了个果断的手势："你立即组织勘察，一有眉目就给我写信。"

后来，毛泽东得知引汉北调的引水线路找到了，非常高兴。

1958年3月，中央批准兴建丹江口水利枢纽初期工程；同年8月29日中央下发《关于水利工作的指示》："全国范围的较长远的水利规划，首先是以南水（主要是长江水系）北调为主要目的的即将江、淮、河、汉、海河各流域联系为统一的水利系统的规划……应即加速制订。"这是"南水北调"第一次见诸中央文件。

从1952年毛泽东提出"南水北调"的伟大构想，到2002年12月南水北调工程正式开工，时间整整跨越了半个世纪。谁也未曾料到，50年间经济社会的迅猛发展，竟使诗人毛泽东当年的一个浪漫主义构想变成了今天现实的选择——一个无可选择的选择。

三、京津冀一杯水，移民几滴泪

先让我们了解一下南水北调工程吧！南水北调是怎样一个工程？它与青藏铁路、西气东输、西电东送并称为我国本世纪初"四大工程"，不妨与三峡工程作个简单的对比：三峡工程总投资1 500亿元，南水北调的东中线一期工程总投资2 546亿元；三峡工程在18年内完成移民安置139万人，南水北调工程要移民34.5万人，其中要在2年内基本完成32万人的搬迁安置任务。

南水北调工程分东线、中线、西线三条调水线路，这三条线路将与长江、淮河、黄河、海河相互连接，构成中部地区水资源"四横三纵"的总体格局。撇开尚在论证中的西线工程不提，只看东、中线：东线工程从扬州江都抽引长江水，利用京杭大运河及其平行的河道逐级提水北送，一路向北输水到天津，另一路向东经济南输

2010年7月22日，南水北调中线水源地丹江口水库开闸泄洪，这是丹江口大坝主体工程全线贯通以来首次开闸泄洪。（刘铁军/摄，图片来源：新华社）

水到烟台、威海。中线工程从加坝扩容后的丹江口水库陶岔渠首闸引水，经河南、河北，到达北京、天津。第一期工程年调水量95亿立方米，其中河南省37.7亿立方米，河北省34.7亿立方米，北京市12.4亿立方米，天津市10.2亿立方米。输水干线全长1 432公里，一期工程投资2 013亿元。如果说东线工程的主要压力在于治污，那么中线工程的主要难题在于移民。

中线工程的起点是丹江口水库，终点是北京颐和园的团城湖。为了保证水流通畅，需要把丹江口大坝加高，由原来的162米增加到176.6米，正常蓄水位由157米抬高至170米（与团城湖形成98.8米水头差），蓄水量达到290亿立方米，水域面积扩至1 050平方公里，由此造成大量农田、房屋被淹，34.5万人成为新移民，其中河南16.4万人，湖北18.1万人。2008年10月31日，国务院南水北调建委会第三次全体会议研究确定了最新建设目标：中线一期工程2013年主体工程完工，2014年汛后通水。这就意味着移民搬迁安置工作必须集中在 2010 年和 2011 年完成，其中 2011 年要完成近 19 万人的搬迁安置，这在世界水利移民史上都是绝无仅有的。

正是在这样一个施工和移民的高峰期，在实现如期通水的关键期，我们沿中线从郑州一路南下，开始了溯源之旅。我们来到位于河南省新郑市薛店镇的观沟移民新村，它是从淅川县金河镇整体搬迁过来的。村口悬挂着一副长长的对联："舍小家顾大家为万家同分国忧泽后世；别旧居建新居迁福居共颂党恩唱和谐。"那整齐的街道、漂亮的教学楼、洋气的居民楼、宽敞的文化广场，让城里人看了也心生羡慕。

村里还有一个近 200 平方米的超市，里面的商品琳琅满目。超市的旁边是一块阴凉地，不少老乡聚在那儿休息。我们围拢上去，七嘴八舌地问开了。

"你们是什么时候搬过来的？"

"去年 8 月份。"

"你们觉得是现在的生活好还是原来的生活好？"

"原来的生活好。"回答出乎意料。

"为什么？"

"原来我们住山区，山把风挡住了，这里风大。"

这是个挺有意思的理由。

"老家的房子没这好吧？"

"那是政府不让盖，让盖的话，我们也能盖起两三层楼。在老家，我们房前有地，山上有橘子，水里能养鱼，这样不收那样收；搬到平原，人均一亩多地，只有靠外出打工挣钱了。"

"可是山里交通不方便，也没有这么好的学校吧？"

"那倒是。"

我直言不讳地问一个中年汉子："你当初为什么同意搬？"

他抬手指了指村口的对联："舍小家顾大家嘛，南水北调是国家需要，政府让搬就搬嘛。"

在接下来的日子，随着采访的深入，我越来越能体会移民对家园的眷恋。根据当事人的回忆，我的脑海中还原出这样一组真切感人的历史镜头：

——明天就要搬迁了，老罗带着他的孩子到山上给父亲上坟。父亲是参加过抗美援朝的军人，他知道父亲在世，也一定会带头签订搬迁协议的。罗家的祖坟在172米的淹没线以下，这就意味着南水北调通水后，他家的房屋、土地全淹，连祖坟也看不到了。那时候老罗回来，哪里还有一点家的影子？想到这些，他的心里很彷徨。他带着儿孙辈给父亲磕完头、烧完纸，从篮子里拿出一把小铲子，在父亲的坟上取了一些土用纸包好，装了好几袋放进篮子里。他听老人讲过，到了外地，拿故乡的土冲水喝，可以治水土不服。他倒不担心水土不服，在他眼里，这几包土就是他对于故乡最后的念想了。

——村子里，包村的干部正在帮村民们装车，一位88岁的老大爷叮嘱装车的人："小心点，小心点，这是我的寿材，可别碰坏了。"

干部们知道，那边是平原，不兴土葬，这寿材根本就用不上，可是他们不忍伤老人家的心，就说："您老放心吧，磕了电视我们赔得起，磕坏这寿材我们可赔不起。"

有记者问老大爷："您知道为什么搞南水北调吗？"

"我知道，北京人渴。"

"您干吗扛着棺材搬家啊？"

老人长叹一声："唉，我都这把岁数了，今晚把鞋脱了，不知明天还能不能穿上。"

"那您心里情愿吗？"

老人说："不能因为咱不搬，渴着北京人吧？"

一位92岁的老奶奶静静地坐在帐篷边，看别人拆自家的房子。当绳子拉倒山墙的一刹那，老人失声痛哭："这是我一砖一砖垒起来的房子啊！我这一辈子都挪过四回了，水撵得我们到处跑，老了老了，还要我搬到许昌。"儿子在一旁劝慰："坐汽车，不远。""我担心自己的这把老骨头在路上给颠散了。"儿子怕她听不见，大声嚷："你担心什么，有救护车跟着呢。"过了一会儿，老奶奶好像想明白了，说："唉，也不差这一回了。"

——第二天凌晨3点，村里的姑娘媳妇们早早起床，来到河里洗澡。这么秀美的青山、这么清澈的河水，她们以后再也洗不成了。她们不恋那破旧的土坯房，不恋田里的庄稼，她们是舍不得这山、这水。

5点，群众从家里出来，上了20多台车。有一个童稚的声音在喊："灰灰，你怎么又跑了？快点上来。”

一条小狗站在车下，哀怨地盯着喊话的小男孩，一动不动。有人帮忙把狗装进货车上的大铁笼内，不一会儿，它又跳出来跑到客车后，冲着自己的小主人狂吠。小男孩回头发现了它，看到它的脸上竟有两行明亮的泪痕。接连有两三个人把它装上车它都不走，最后，一位警察找来一根绳子，把它拴在货车的铁栏杆上，才把它带走。

高音喇叭里彭丽媛《父老乡亲》的歌声响起，车队启动，车上车下哭成一片。

人们常说：亲情难舍，故土难离，难在哪？难在“家”不是一个物质的概念，它不只是一幢房子，甚至不只是父母；它更是一种精神的皈依，一种灵魂的寄托。为什么中国的春运令世界震惊？因为人们要回家过年。家是根，是永远走不出的牵挂。中国人安土重迁，“宁要故乡一撮土，不要外地万两金”“金窝银窝不如自己的狗窝”，不像吉普赛人，走到哪儿，哪儿就是家；不像美国这样的移民国家，从来没有籍贯一说。

可是为了国家的利益，为了南水北调，为了一泓清水送京津冀，水源地的30多万百姓抛家舍业，搬迁到十几公里、几十公里甚至几百公里之外的异乡，他们的物质生活可能比以前好很多，可是他们失去了精神的故乡，他们割断了绵延数千年并早已渗入其骨髓的亲情、文化和风俗习惯的脐带，这种痛苦有谁能够理解？三年之后，当丹江口大坝的清水流到北京团城湖，在每一个家庭的水龙头里欢畅流淌的时候，有谁知道北京人所喝的每一杯水里，是溶进了移民几滴泪的？！

四、一切为了移民，为了一切移民

移民工作被称为世界难题，难在它移的不是一个个数字，而是一个个活生生的人。在今天这样一个以人为本的时代，单纯靠行政命令或者群众的思想觉悟来做移民工作，已经行不通了。那么靠什么？除了靠公平、透明的移民政策，靠实惠、合理的移民补偿资金之外，还要靠移民干部做大量苦口婆心、细致入微的疏导工作。很多事情，说在嘴上容易，一旦进入现实的操作层面，往往困难丛生。提起一年多以前发生在西岭村的那一幕，南阳市副市长、市移民安置指挥部常务副指挥长崔军至今记忆犹新。

西岭村是第二批移民中搬迁人口最多的建制村，涉及3 100人。这里土壤肥沃，用老百姓的话说，“踩一脚都能出油”；交通便利，县道011线穿村而过。按照移民统筹规划，西岭村将迁往相邻的邓州市高集乡。一些村民前去查看，回来说那里简直是“鳖都不下蛋的鬼地方”。消息一传开，村里炸开了锅，一时群情激愤。

2010年4月20日，大雨。大石桥乡政府的院子里突然来了三四百名西岭村的村民，他们打着横幅“宁在西岭死，不去邓州活”，高呼口号，把乡党委书记罗建伟、乡长向晓丽围堵在雨地里讨要说法。人潮不断向前涌来，有几个妇女趁机跪到地上抱住向晓丽的腿，后面立刻有人起哄：“乡长打人了！”这一喊不要紧，无数的拳脚向她袭来。这两个乡干部始终打不还手，骂不还口，面带微笑，耐心地给群众讲解国家的移民政策，并表示会尽最大努力向上级反映他们的问题。他俩在雨里淋了好几个小时，喉咙都说哑了，群众还是不依不饶，最后见天快黑了才渐渐散去。

第二天，更大规模的群众围堵乡政府，并继续堵塞011县道。

崔军闻讯，立即带淅川县有关领导赶赴现场，当他出现在乡政府二楼过道，向群众高声喊话的时候，群情激愤的现场稍稍安静了些。出任副市长之前，他在淅川做县长、县委书记八年，和这里的乡亲结下了深厚的感情，很多百姓都认得他。

人群中有人嚷：“邓州的点改不改？”

崔军回答，“移民安置是有统筹规划的，邓州的点改不了。”此话一出，有人起哄，引发现场一阵骚乱，他的声音迅速被群众的呼声打断，他伸开双手，做了个按压的动作，等群众静下来，继续讲，“如果大家觉得那边的土地不够多，房子建得不达标，这说明我的工作做得不好，你们可以骂我，我呢，会出面帮大家解决这些问题，保证安排你们到一个满意的地方；如果大家因拒绝搬迁而继续堵路，那就触及法律了。我相信西岭村的群众不会为南水北调拖后腿！”接下来，他请移民代表到会议室对话，在充分听取群众意见的基础上，同意对安置方案作出微调。

几天后，他与邓州市领导会商，将西岭村的安置点由原来的一个乡调整为三个乡镇四个安置点，从而保证了优质土地的面积，西岭村全体村民愉快地签订了搬迁确认书。

我是从一件小事上认识崔军的。他说最让他难以忍受的就是送移民离开家园的场面，每送一次，他的心就被揪一次。每当拉着移民的客车从他面前“呼”一声驶过的时候，他的心里也跟着忽悠一下。看到移民们忧戚的面孔，他的泪刷的一下就流出来了，他知道很多移民永远不会再回来了，个别这边有亲戚的可能还会回来探亲，可是他们的家园永远消失了。他说在新形势下，群众的诉求越来越多元化，除了极个别人在煽风点火，寻衅滋事，绝大多数群众是通情达理的，他们的诉求也是正当的，我们的干部必须习惯于在挑剔的环境中工作。他对很多移民干部讲，移民搬迁任务完成后，他最想做的事情不是喝酒庆功，不是外出散心，而是找个没人的地方痛痛快快地哭一场！就冲这句话，我相信他对移民的感情是真挚的。

在淅川，我们见到了县长马良泉。按移民数量，河南淅川绝对是第一大县，移民16.4万人，接下来是湖北丹江口市，9.4万人，郧县7万人。原以为移民大县的县长天天面对这“天下第一难”的难题，一定是一脑门子官司，可是马良泉不仅年轻，而且满脸喜兴。一见面，他就说：“潘长江给我们的移民工作作大贡献了！”听得我们一头雾水。他忙解释说，每次移民搬家之前的那个夜晚，为了安抚移民的伤感情绪，他们都会放一场潘长江的喜剧电影。群众一乐呵，第二天上车就痛快得多。我一听，就知道这是一位善于开展工作的干部，接下来他的讲述证实了我的猜测。他说自己是在2009年第一批移民试点时来淅川当县长的，此前他从来没有接触过移民工作。不懂就要问，他去拜访一位80多岁的老副县长，向他请教当年是怎样开展移民工作的。这位老领导说：“当时，一声令下，就走呗；不走，就批斗你。”访来问去，没有现成的移民模式可以借鉴，怎么办？创造！他特别喜欢看电视剧《亮剑》，连着看了三遍，很佩服剧中的李云龙。他认为一个人不仅要有精神，还得有办法。“光有精神，没办法，那是蛮干。”他上任之后，在淅川县，利用一切形式做好移民的宣传发动工作。比如，组织剧团进村唱戏，让群众在看戏的过程中了解移民政策；在县电视台开设移民专栏，用身边人教育身边人，用身边事感动身边人，使很多矛盾在宣传中得到化解；为了积极应对一些突发事件，他没有等、靠、要，而是从县直各单位抽调300名优秀干部组成应急大队；为移民算经济账，好家具带上，一般的家具处理掉，既节省了移民的搬家成本，又减轻了车队的搬迁压力。

在豫、鄂两省采访的日子里，我们听到描述移民干部工作状态最多的词就是：“5+2”“白加黑”“夜总会”。“5+2”是说一周七天都在工作；“白加黑”除了指没日没夜地工作之外，他们还赋予它另外的意思：移民干部的头发白了，脸却晒黑了。“夜总会”是说夜里总是开会。移民工作是相当具体而琐碎的，举个简单的例子：为调出1亩耕地，就要滚动调15亩才能划出来。单是南阳市，就涉及200万亩以上，上百个村。每动一次地，就等于脱一层皮。本来农村的土地资源就非常紧张，却要安置地的农民让出好地给移民，这得做多少苦口婆心的协调工作！还有对接难、建房难、搬迁难、发展难、融入难、稳定难等一系列难题。为了解决这些难题，南阳市移民局局长王玉献几年来连续加班加点，不仅晒黑了脸，而且耳朵肿了，嗓子哑了，经常带病工作。淅川县移民局局长冀建成有严重的糖尿病，脚上一按一个坑，每天要注射两次胰岛素，因为做移民工作没个准点，他的车里备了很多点心，血糖一低就赶紧吃两口。据郧县县长胡玖明介绍，他们印发的各种移民搬迁方案和资料摞起来足足有九米多高。据统计，迄今为止，已有 11 名优秀共产党员病死、累死在移民工作岗位上，他们中有淅川县直机关党委副书记马有志，在赶往驻村途中突发脑溢血病逝，53 岁；有均县镇党委副书记刘峙清，在赴丹江口市移民局报送移民材料时因病去世，年仅 42 岁；有丹江口市均县镇怀家沟村党支部书记程时华，52 岁，身患贲门癌，仍带头做村民工作；有武当山特区马家岗村村委会文书马里学，在填写移民户合同时，感觉身体不适，被急送医院抢救无效而去世，他的生命同样在 52 岁戛然而止……

为什么移民干部会有如此巨大的工作热情和如此无私的牺牲精神？我拿这个问题向丹江口市市长曾文华发问。他说了两个字——担当。从各单位抽调的移民干部都是些有丰富基层工作经验的老同志，大多已届退休年龄，很难有提拔的机会了，他们之所以报名进村驻户，去做这份出力不讨好的工作，不是为了别的，而是出于一种勇于担当的责任感。南水北调是千载难逢的历史事件，这是别人抢都抢不来的工作，他们把握住了，他们可以自豪地向世人宣布："我们正在创造历史，我们正在创造奇迹！我们在为南水北调工程奠基！"因为担当，48 岁的丹江口市化医协会主任周晓英积极报名，成为一名包村干部，并出任巾帼移民工作突击队队长。翻开她的《党员干部移民工作日志》，我看到了印刷体的入党誓词和党的章程，也看到了她亲笔书写的一行行、一页页工作流程和心得体会，我记下了她编创的这样一句励志警言："旗帜在库区中飘扬，党徽在移民中闪光！"因为担当，移民干部成了群众的出气筒，连他们的家属都说："你们的活不是人干的，是要命的！"可是为了能让移民"搬得出，稳得住，能发展，可致富"，他们还要像一台台机器一样，超负荷地运转下去……

的确，他们正在创造历史，他们正在创造奇迹！淅川县一位移民干部听日本大分县前知事介绍说，他们那里修建一个用于灌溉的水利项目，为了搬迁260户，前后用了11年。他向日本朋友介绍了淅川的移民成果，这名知事感到非常震惊，连连竖起大拇指："淅川伟大，中国骄傲！"此言并非虚誉。新时期南水北调的移民，不仅可以住上再过20年都不会过时的房子，而且每人可以分得水田1.05亩或旱地1.4亩，国家按人均1 200元的标准对移民过渡期的生活给予补助，后期扶持每人每年600元，连续20年，如此，等等。你该知道，南水北调的移民安置工作绝对称得上是人性化移民、和谐移民！

五、请记住这些建设者们

"南水北调看中线，中线工程看穿黄。""穿黄"就是"穿越黄河"的意思。如期通水以后，丹江和汉江的水从陶岔渠首闸奔涌而出，一路北上，到达郑州西北30公

2010年5月18日，河南黄河建工集团施工人员在南水北调中线工程沁河倒虹吸施工现场浇筑厢形预应力钢筋混凝土管身。（杨帆/摄，图片来源：新华社）

里的李村时，便与母亲河黄河相遇了。这两条伟大的江河在这里将怎样握手？这是一个令世人好奇的课题。水利专家们为我们设计了一个优雅的十字立交汉江水从黄河底部穿越，江水不犯河水。穿黄隧洞共两条，每条隧洞总长 4 250 米，其中过黄河段 3 450 米，邙山隧洞段长 800 米，这两条隧洞在黄河底部最大埋深 35 米，最小埋深 23 米，单洞直径 7 米。这个工程是南水北调中线最具技术难度的“咽喉工程”，也是国内最大的穿越大江大河的工程。

要在黄河河床下二三十米的地方挖掘出两条这么长、这么粗的隧洞，谈何容易！谁都知道黄河喜怒无常，万一凿洞时发生渗水、坍塌，后果不堪设想。好在咱们国家有经济实力了，从德国花一亿多元请来了一个大块头盾构机，通俗点说，就是地下作业的挖掘机，重 1 600 吨，100 多米长， 9 米高，看上去像一列小火车，专家们则把它形象地比喻成“剃须刀”。盾构机的前面有一个刀盘，刀盘上有 140 多把刀片，刀盘旋转起来将施工面的泥土刮出，通过专用的传输带直接送出隧洞。

可惜我们没有看到盾构机作业时的壮观场面，穿黄的两条隧洞已经分别于去年的 6 月 22 日和 9 月 27 日贯通了，我们分享的是它的成果。先乘直梯下到 48.5 米深的竖井，一抬头就是隧洞的洞口了，和走在地铁里的感觉一样，不过这个隧洞更开阔。因为缺少光亮，它显得无比幽深。试着往里走了一段路，想到自己头顶二三十米处就是黄河，一种敬畏感油然而生。

这是一次多么伟大的穿越！它创造了中国水利史上的多项新纪录：第一次采用大直径隧洞穿越黄河；第一次采用泥水平衡加压盾构进行施工；国内水利工程最深的盾构始发；第一次采用隧洞双层衬砌的结构型式；国内最深的竖井地连墙深度和厚度……

尤其让人惊奇的是穿黄项目部的员工，绝大多数都是 70 后、80 后的年轻人，穿黄隧洞下游线标项目部经理陈建军就是其中的佼佼者。这位 1972 年出生，毕业于上海铁道大学土木工程系的高才生，别看年纪不大，却已在广州地铁、南京地铁、上海轨道交通、西气东输等建设工地挥洒过青春和热血。在穿黄工程中，他带领项目部的工程技术人员，在没有施工技术资料可以借鉴的情况下，边施工边研发，先后攻克了地下连续墙、高压旋喷土体加固等一系列技术难关，相邻标段用了四个多月的时间，而他们只用了 45 天，不仅提高了工效，而且大大节约了成本。

还有许多建设者隐于幕后，默默无闻。据长江勘测规划设计院穿黄工程设计总工程师符志远介绍说，虽然穿黄工程的工期只有五年，但事实上，从上世纪50年代起，他们就和黄河规划设计院的专家开始研究长江水穿越黄河的课题。为摸清中线地质条件，他们派出大批勘测队员深入险滩潮头，累计钻探进尺达30万米，室内试验约6万组，现场试验近万次。单是穿黄工程，他们就设计了40多个方案，从技术上不断否定自我，终于遴选出最优方案。

像南水北调这样浩大的工程，到底需要多少工程师、机械师、管道工、电焊工、卡车司机、农民工……我们不得而知，甚至连项目部经理都未必叫得出他们的名字。但穿行在北中国的那条美丽的玉带会记住他们，记住这些埋头苦干的人、这些拼命硬干的人，他们以一个群体的形象照亮“正史”，站立成一排排“中国的脊梁”！

饮水思源，是中国人的传统美德。

南水北调之行，让我看到库区移民的奉献与牺牲，感受到移民干部的艰辛与付出，领略到工程的恢弘与纷繁，了解了建设者们的平凡与伟大。我担心清澈的汉江水流到北京之时，它的轻盈、它的欢唱会淹没曾经的泪水与汗水，那时的欢庆锣鼓会掩盖不少悲情的诉说，所以写下这些文字，只为了告诉人们，你每天喝到的水来之不易，它的背后原是有许多惊心动魄、可歌可泣的故事的，或沉重、或辛酸、或温馨、或崇高。

我想起我的同行、《河南日报》的“移民记者”赵川让我捎的话：“你能不能告诉北京人，以后刷牙的时候用半缸水，用洗脚水或中水冲马桶？”

不久前，读到这样一则报道：中国有600多个城市，其中400多个城市缺水，110个城市严重缺水。于是有了这样的疑问：解决大城市的水资源危机，除了开源节流外，我们是否要反省一下我们的经济发展思路？超大城市是不是我们追求的目标？在中国这样一个农业大国，城市化和城镇化哪条路更适合我们？房地产狂飙突进，赶农民上楼是不是操作得太急了点？

我不知道。但我知道：从今天开始，要用半缸水刷牙，要把喝剩的矿泉水带走，要善待水、敬畏水、珍惜水。

（选自2011年7月13日《人民日报》，作者：徐怀谦）

问卜洞庭

2011 年春夏之际，位于长江中下游的湖北、湖南、江西等大片地区出现了历史上罕见的干旱现象。这种极端、罕见、怪异、恐怖的局面何以形成，何以出现？有哪些自然和人为的原因在背后作祟？

一个无比尴尬的事实，一个对洞庭湖非常熟悉的人却在这个春夏之交，一路上苦苦地寻找着这个大湖。是的，它正在我的视线里退远，越来越远，远到一种渺茫得需要寻找的地步，甚至感到一种正在消失的危机。

对于我，它不只是地理上的中国第二大淡水湖，也是生我养我的生命湖和母亲湖。从一开始，我就决定选择它——以洞庭湖为例，来追踪 2011 年长江中下游这场旷日持久的大旱。这样的选择无疑有着一种与生俱来的情感，甚至是一种本能。我就生长在洞庭湖和长江交汇处淤积起来的一片河床上，是喝着这大江大湖里的水长大的。在数以千万计的洞庭儿女中，我也是它血脉相连的一员，用母亲湖或生命湖来形容洞庭湖，这对我从来就不是一个比喻，而是一种像血缘一样的真实。我对洞庭湖的关注与生俱来，由来已久，并非只因今年这百年一遇的大旱以及干旱之后惊心动魄的洪涝急转，300 年一遇的暴雨、山洪与泥石流，顷刻间活埋了我家乡临湘的一个山村和多少老乡的生命。

很不幸，这些叠加在一起的巨大而复杂的灾难竟然都发生在我的故乡。当北京两位我尊敬的师长在电话中表达了对这些灾难、灾变的焦虑和关切时，我已经在路上。对于一个走近天命的人，我心里十分清楚，若要弄清这异常诡谲的灾难、灾变及其背后难以言说的诡秘，必须走近它，抵达现场，直抵它的内心——

洞庭湖腹地陷入淤泥的渔船。（龙弘涛／摄，图片来源：新华社）

凝视天空的身影

令人窒息的干旱，伴随着内心的干燥，让我的嘴角、眼角慢慢红肿，火辣辣的灼痛。这是我对干旱最亲身的体验。

我决定到洞庭湖周边去走走。一路沿着长江南岸大堤，一直走到湘鄂交界处，透过车窗，我的视线正从洞庭湖的中心转向辽阔的边际。四周空旷，视野格外清晰明亮，这种感觉是奔驰在江汉平原上的感觉，那是古云梦泽消失的地方。那么，这里是否又将成为洞庭湖消失的地方呢？广袤厚重的土地也有一些闪烁而过的湖泽，这就是八百里洞庭留下的。八百里洞庭也曾一直向东扩展，扩展到了哪里？在我的故乡江南垸，有一个地方叫烟波尾，听家乡的一些老人讲，烟波尾就是洞庭湖的尾巴。而现在，从城陵矶三江口到烟波尾的距离，至少也有百里之遥，可知当年的洞庭湖是如何烟波浩渺。那不是一种感觉，应该是一种历史的真实。而在这个区间里，一直漫延到湖北赤壁、嘉鱼、咸宁，还散落着大大小小的湖泊，这也是一个事实，昔日号称“八百里洞庭”的洞庭湖，如今早已分割为许多大小湖泊，如同洞庭湖遗留的泪珠，最后的泪珠。它们原本都是与洞庭湖烟波浩渺地连成一片的。它们的存在，不是因为辽阔，而是因为它们的深度。否则，这些星罗棋布的湖泊也早已干涸了。又正是它们的存在，让我们知道八百里洞庭原来有多大。八百里洞庭，如今只剩下了三百里。一个大湖的消失，也许并不是一件坏事吧！古云梦泽消失了，江汉平原诞生了。洞庭湖消失了，兴许会为人类提供更广阔的田野，而长江像这样干涸下去，也根本不需要腰上那个“水袋子”来调蓄洪水了。因为已经没有洪水了。

一路想入非非，太阳湖很快就到了。又是一个充满诗意的名字，洞庭湖流域有很多这样美妙的名字，它们都是洞庭湖的子湖，洞庭湖的儿女。我少年时代曾在这湖里游过泳，只有依靠回忆才能唤醒那无比清澈、幽深的记忆，深得我不敢朝深处看。而现在，当我面对它——太阳湖，我竟有一种莫名的羞愧感。它完了，彻底完了，这样彻底的干涸，一滴水也没有，如果不是走到这里来，谁告诉我，我都认为他是在撒谎。

阵雨天。一会儿出太阳，一会儿下雨。有时候，一边出太阳一边下雨。我浑身已经湿透，有雨水，也有汗水。我擦着脸上的油汗，很想洗把脸，连这点儿湖水也没有了。

这湖边，也围着一道道堤坝，一边是没有水的湖，一边是一个圩垸——太阳湖垸。这圩垸里是一片丘陵，勤劳的农人按地势的高低安排着他们的土地，最低处种湘莲，不高不低是稻田，再往高处走，种的是棉花、芝麻、黄豆、绿豆……没有一块土地是空闲的。一片土地该种什么，就种什么，这是农人的选择，也是上苍的安排。一路踩着田埂缓缓地走着，踩上去有硬邦邦的声响，空洞，响亮。低头看棉田里的土坷，有水浇过的痕迹，但土坷还是土坷，太硬了，也太大了，这不是一点点水就能浇软泡化的，这片土地实在干旱得太久了。棉苗便只能在这干枯的裂缝中顽强地生长出来，叶子像被火焰灼伤了。棉花是耐旱作物，但旱成这样了，它们能不能活下来，就看它们还有多大的耐力，能不能等来一场雨水酣畅淋漓的浇灌。那些芝麻、黄豆、绿豆，也和这些棉苗的命运差不多，都只能坚忍地等待，等待一场上苍赐予人间的甘霖。只要它们能够挺住，多少还有些指望，还有些盼头。但水稻完了。

远远看见一片秧田，泛着绿色。走近了，才发现一大片秧田已经干得像太阳湖底一样四处开裂。干旱是安静的，像天上的白云。没有蛙声。但见干死了的蝌蚪、蚯蚓和泥鳅的尸体以及干硬了的泥土混在一起。这片秧田，一看就知道已经被农人抛弃了。不用问我也知道，今年的早稻绝收了。已经有农人正在翻耕，他们把自己辛辛苦苦培育出的秧苗，又辛辛苦苦地用土地埋葬，然后再种上点儿别的什么。看样子，他们是要把水田改成旱地。水田是水田的样子，旱地是旱地的样子，我是农民的儿子，一看就知道。

站在田埂上，张眼望去，偌大的田野里看不见一个青壮汉子，都是一些老汉。

我朝一片棉田走过去，老两口正在那里忙活着，不是浇水，是在锄地。走近了一看，这棉田果然是刚浇过水的，这也是我在干旱中看到最湿润的一片土地，但长满了杂草，只有锄过的地上才看见矮小的棉苗棵子。老汉说，天干了，这地里就只长草，不长苗。他先用挂在脖子上的毛巾擦了一把汗，但他不愿放下手中的锄头，他就拄着锄头跟我说话。地上扔着老汉的草帽和茶瓶，我们就隔着这东西交谈着。老汉姓肖，肖新田，今年67岁，白发参差，很瘦，瘦得像铁一样坚实。这把年岁，对永远不会退休的中国农民来说，还不算太老。人老骨头枯，正好做工夫。这是他自己说的。大娘姓李，李大娘，也是六十出头了。这老两口有两儿一女，都已成家立业，没有一个在家种田的，都在外面打工、做生意。现在，连大孙女都能打工挣钱了。但一家人的户口都在家里，一家十口的责任田，二十亩，就由这老两口一年上头种着，十亩水稻，五亩棉花，五亩湘莲，还有油菜、芝麻、黄豆、豌豆，菜蔬，这土地里能生长出来的，他们都会种上一点。五谷杂粮，居家过日子样样都少不了。除了农药、化肥、种子，别的什么他们都能从这地里用锄头刨出来。现在，早稻是绝收了，这是一件大事，眼下，他最焦急的是等着一场雨水的降临，不像现在这种不阴不阳的阵雨，如果能下一场透雨，就还来得及种一茬中稻。

他瞅着天空说："再不下雨，饭都没得吃了。"

这也是我沿途听到最多的一句话，也是我沿途看到最多的一种姿态。

对于这样一个老人，我不敢问收成，这太残忍。我想问的是，旱成这样了，他们还能从哪里找到水来浇地，这才是我最关心的。大娘很热情，马上带我去看。一路跟着大娘，踩着田埂走了差不多半里路，我才看到一条长满了杂草的小水沟，这条水沟就是这里唯一的水利设施。听大娘说，早先这里还真是一条小灌渠，不用说，又是毛泽东时代留下的水利设施，但由于长久失修，水渠变成了水沟，两边的杂草和沟里的水草一片杂乱，水很浅，为了把水位提高一点，有人在水沟里拦了一块门板。但一看就知道，就算你把水拦在这里了，也根本抽不到田里去，这就只能肩挑手提了。肖老汉昨晚浇了一通宵的水，也就是在这里挑了一晚上的水。

老汉也跟来了，看着这水沟，一脸的皱纹里充满了苍凉的苦涩，却又带着一点笑意。这时大娘在一边夸奖起老头子来了，大娘说，老家伙还很硬扎呢，我们村里人都叫他钢筋呢，你看看这太阳湖垸里，就我们家的田地水浇得最透了，前天抽水抗旱，我们浇了一个通晚，把 20 亩田地都浇遍了。

我暗自想：这老汉还真是像钢筋一样结实啊！要不他怎能挺过来。

那这水沟里的水又是从哪里抽上来的呢？

大娘说，不远，就在前边一点。

结果，大娘说的前边一点，让我踩着田埂足足走了三里路。大娘和老汉走得很快，我几乎是紧跟在他们身后一路追赶。到了！大娘和老汉翻上了一道堤坝，这是太阳湖垸和黄盖湖之间的一道大堤。站在堤上望着，又是一大片无边无际的干涸见底的湖床，只见一条弯弯曲曲的水沟，一直延伸到远处的天际，一看就是临时挖出来的，翻起来的泥土还堆放在水沟两边，散发出扑鼻的土腥味儿。听大娘说，这条水沟就是太阳湖垸里的人在湖底开出来的一条水沟，这样才能把水从十几里远的“锅底子”里引过来，再用抽水机抽到过这道堤坝，流进我刚才看见的那条小水沟，再被农人挑到田里去浇水。

我站在那里，半天没有吭声。这些农人为了浇灌自己的责任田，他们付出了多大的代价，流了多少汗水，才能保住田野里那些苗子啊！如果不是走到现场，走得离他们这么近，谁又能真正懂得“汗滴禾下土，粒粒皆辛苦”的真谛。而除了对土地最忠诚的农民，还有谁这样坚守呢？老汉说，挖这条水沟时，乡里、村里的干部挨家挨户地走访，要他们把在外面打工、做生意的子女叫回来抗旱，他也给两个儿子打了电话，叫他们回来，但两个儿子都没有回来，村里也很少有青壮年回来。不是他们吃不了苦，而是实在划不来，这一来一去的路费、盘缠，还有耽误的打工时间，算起来比几亩田地一年的收成还多呢。他们在外面打工也苦，但钱是按小时计算的，时间现在对谁来说都是钱哪。听着两个老人的诉说，面对这些苦苦坚守着土地的农民，我总是想，在他们逝去之后，谁将在这田野里耕耘？

我又想到了那些乡干部、村干部，为什么一定要等到旱情这样严重了，火烧眉毛了，才来发动群众修一条水沟呢？为什么不能早点将群众组织起来把水渠挖深一些，除掉杂草，清除淤泥？大的水利设施乡村干不了，这样休整休整应该是干得了的。但就是没有人干，又岂止是一个太阳湖垸，现在的农田水利基本设施，基本上是毛泽东时代留下来的，也基本上处于荒废的、几近瘫痪的状态。如果有一条水沟通向肖老汉的田里，一个奔七十的老汉也就用不着一担一担地挑水抗旱了，好在中国的农民都特别能够默默地承受着难以想象的压力。

而对于这老两口来说，干旱是可怕的，但还不是最可怕的，他们最害怕的还是洪水。就在我站着的这道堤上，有一个地方很明显是重新堵起来的，堤坡上还铺满了大块的青石。

去年夏天，这里发了大水，不是外洪，而是内涝，黄盖湖水位超过30米，逼近历史最高水位。为保住黄盖湖大堤和黄盖湖这个重点垸内六万多名群众的安全，临湘市防汛指挥部决定对黄盖湖的内垸太阳湖、下马蹄湖和其他五个低洼地带实施蓄洪，这也是一般民垸为重点圩作出的牺牲。这次分洪由湖南某预备役师实施，太阳湖垸内上千名群众必须全部转移。在分洪的前夜，太阳湖垸如同世界末日即将降临，一片死寂，一片漆黑。夜深了，黑暗中，远处一点昏暗的亮光引起了巡查官兵们的注意。可能是灯光！几名官兵赶紧朝着亮光走去，亮着的果然是一栋民房的灯光，守着那一点灯光的就是我眼前的这位李大娘，她没有哭泣，也没有恐惧，显得十分平静。官兵们劝大娘赶紧转移，但大娘不肯走，她平静地看着自己的这个家、这家里的东西，还有田里散发出成熟味道的稻香，她知道，这一切即将被水淹没，她不想走，她轻声说："我不走，我的稻子、我的湘莲还没有收啊，来年我怎么活啊？家里还有这么多东西，我们走了今后怎么过日子？"此时，黎明将至，离分洪的时间越来越近了。官兵们又是一番苦苦劝说："老人家，命要紧啊！值钱的东西我们帮你带着，你放心，党和政府不会不管你们的。"正是这句话把大娘深深地感动了，她终于点头了，这才跟着这些官兵一起走。在她的身后，当太阳冉冉升起时，太阳湖垸在洪水中沉没。

洪水在秋天退去，在这个秋收的季节，政府兑现了承诺，给因分洪而绝收的农民按淹没的田亩，每亩水损田补助270元。老汉跟我说起这事，没有半句怨言，他说，国家就是一分钱不给你，你也要活下去。他说这话时，如冷静的学者。老汉最念念不忘的是他的五亩湘莲，值七万多块啊！全都打了水漂了。老汉说的是实话。去年洪水过后，湘莲价格暴涨，从每斤七八元一下涨到了十二三元，差不多翻了一倍。但如果没有遭灾，湘莲大面积丰收了，又是否值这么多钱呢？这个账老汉没算。泄洪，是国家的决定，让这些农民舍小家为大家，谁也没有话说，但每亩水损田补助 270 元，这个账又不知是怎么算出来的。难道农民辛辛苦苦种出来的水稻、湘莲，每亩才值这点钱？

眼巴巴地盼着的一年收成就换来这一点补助，老汉只好去外面打工，这可能是中国年岁最大的一个老打工仔，他居然也挣了一万多元。过年时，他才回来，又琢磨着在开春之后该种些什么，好把去年的损失补回来。其实老人回来时就发现了，在发了一场大水之后，黄盖湖、太阳湖奇怪地变得特别干涸，但因为当时还是冬天枯水季节，他也没有太在意。谁知到了春天，干旱反而变得更严重了，这让老汉百思不解。然而无论老农如何百思不解，这一场大旱就这样一直干到现在。还要干到什么时候呢？他心里十分清楚，在这样一个大旱年，要想把去年的损失补回来已经不可能了，只是不知道今年的损失又有多大？

看着老两口，这是我印象最深刻的两个农人形象。他们没有我想象的那样焦虑，甚至还有一丝安详。我不想使用“水深火热”这个词，但我心里也十分清楚，这是事实。

告别了太阳湖垸的两位老人，连那不阴不阳的一点阵雨也停歇了，天气变得更加闷热，连汗也憋在身体里流不出来。

沿着湖堤往北走三四华里，便走到了一个叫横河堤的地方。我的方位感很差，应该是北边。这里有一个小水闸，它斑驳沧桑的模样让我立刻想到一个时代。这是修于民国六年（1917 年）的天宝闸，也是全市唯一尚存的民国期间的水利工程，而且是民国初年。闸体为砖石拱涵，闸门为木质层叠，闸宽三米，四米高，看上去很不起眼，却是这一方水土的咽喉。就是这个水闸调节着黄盖湖水，水闸的一边是黄盖湖和太阳湖等大小圩垸，水闸的另一边是横河堤渔场和江南垸。这座水闸除了为黄盖湖区消除部分水患外，还为临湘市江南垸一万多亩耕地排水浇灌。它还开创了矮围消灭钉螺的先例。一座百年老闸至今还能让人受益，也是莫大的功德了。然而，许多年了，它似乎一直处在遗忘状态，连住在附近的老乡也很少知道它的历史，没

岳阳洞庭湖大桥下裸露的湖床。（龙弘涛/摄，图片来源：新华社）

有几个人知道这座水闸名叫天宝闸。一个名字被遗忘并不重要，重要的是，在遗忘的状态下，它已经破败不堪，看里面的水泵也是锈迹斑斑。

一旦人们忽然想起了这座水闸，灾难就发生了。去年黄盖湖发大水，是它在这里夜以继日地排涝。在今年的大旱中，它派不上用场了，由于水位太低，黄盖湖已经无法向江南垸排水，人们只好在闸口架起了一台临时水泵，像高射炮一样架在烂泥之中，又用编织袋沙包垒起一个临时围堰抬升水位，先把水抽进围堰里，然后通过闸口排入江南垸。偶尔也有一些老百姓发几声怨言，前人栽树后人乘凉，但后人却不管这树的死活，难道新中国还不如旧社会？牢骚太盛防肠断，万分侥幸的是，这水闸没有在当年围湖造田时废掉，多少年了，它还像老牛拉磨似的在这里艰难地运转。

这水闸也是太阳湖垸和黄盖湖的一个分界。黄盖湖，古称太平湖，位于湖北省赤壁市西北湘鄂交界的长江中游南岸，湖南省临湘市的东北角，是湘鄂两省天然边界，是湖南省第二大内湖，濒临长江，属洞庭湖水系，是洞庭湖区的一部分，西、南岸近三分之二的区域属湖南省岳阳临湘市管辖，北、东岸三分之一的区域属湖北省赤壁市管辖。在古代战争中，这里也是可攻可守、可进可退的战备要地。三国时，东吴水军主将黄盖在太平湖演练水军，赤壁之战后，孙权论功行赏，以此湖赐黄盖，太平湖从此变成了黄盖湖。黄盖湖水域总面积三百多平方公里，几乎接近枯水期的洞庭湖，这也是东洞庭湖以东的最大水域。它背靠幕阜山群峰，湖中亦有山峰，面对滚滚东去的长江，内接湖南源潭河、潘河之水。尽管太平湖易名为黄盖湖，但连通江湖的一条河流还叫太平河，湖水由太平河口——太平口注入长江。

前文提到过，黄盖湖农场也是大跃进年代围湖造田的产物，比钱粮湖稍晚。从1959年开始，人类在黄盖湖水域、湖洲、湿地上直接围垦出了一个按县级建制的国营黄盖湖农场，新世纪后改制为黄盖镇，划归临湘市管辖。经过四十余年的围垦，这里已建设成为基础设施完好、水陆交通便利的鱼米之乡。黄盖湖境内处于湖积、淤积平原地貌区，兼容丘岗、平原、湖洲三种地形，地表以人工平原为主，地势西高东低，西部边缘丘岗起伏，北部平原沃野平畴，东南部湖河坦荡广阔。——这里插一句，我不赞成这种围湖造田的方式，但我真的很赞赏农场体制的优势，这次采访调查，我把洞庭湖区几乎跑遍了，我看到搞得最好的水利设施和农田基本建设都是这些原来的国营农场干出来的。也正是由于这些水利设施搞得好，今年几个原来的国营农场大多是有旱无灾。

灾情最重的还是那些一般民垸。去年的内涝，今年的干旱，把年久失修的水利设施和农田基本建设问题彻底暴露出来了。譬如说我的故乡江南垸，在毛泽东时代，全垸先后修通了五级干渠，纵向贯穿江南垸全境，每隔一公里又有横向的干渠和这五级干渠沟通，这样的布局让江南垸的田园如同春秋的井田，纵横交织的水渠把每一个角落的田园都覆盖了。但现在，江南垸和我看到的太阳湖垸是一样的，每一条水渠里都长满了荒草，泥沙淤积严重，还有人就在干渠上盖房子。几场大雨一落，洪水四处泛滥，十天半月不下雨，田土便干得冒烟。这也是我这次一路奔走中的一个非常强烈的感受，那些抵挡外洪的堤防在1998年的特大洪水之后真是修得固若金汤了，而内涝成了近十年来最严重的水患。这次，由于江湖均处于历史最低的水位，电排站已经无法把水排入垸内，只能用大功率的水泵从长江里抽水，但就是这样千辛万苦地把水抽到垸内，由于水渠不畅，还有很多支渠已经淤塞得连找都找不到了，很多农人仍然只能挑水抗旱。有的农民说，我们现在用的是毛泽东时代的水利设施，我们也只能用毛泽东时代的办法来抗旱。

这次我还特意去我的堂弟陈金阶那里看了看，他家兄弟三个，两个早已离开了故乡和土地，只有他一个人还在这里坚守。他20年来的创业史、生存史，也是洞庭湖区千百万农人的一个缩影吧！

去他那里一趟还真不容易，从最近的一条车道走到他开荒的湖底里，也有十多里。所谓路，也就是围垦者在原来的湖水里筑起的一道道狭窄的土埂，别说汽车，连摩托车、自行车也骑不过来。金阶来接我们时，穿着一双齐膝深的、沾满了泥巴的胶靴。一个高大壮实的中年汉子，40多岁就已满脸沧桑，头发已经斑白。他比我小6岁，我可以说是看着他长大的。多年不见了，他这日子过的，一看模样我就知道了。

在这土埂上走路，你得特别小心，这里的旱情比太阳湖还严重，土埂上的裂口比鞋子还宽，一不小心就踩进去了，搞不好就会骨折，脚踝受伤。都干成这样子了，居然也有不死的野草和藤蔓，还开出了一片毛茸茸的小黄花，也不知是什么花，这些野生的植物，它们的生命力怎么会如此顽强？走在这样一条路上，依然是满目的荒凉，在人类眼里，或许所有野生的，也是荒凉的。终于走到了一条土坝上的两间小屋，这就是他一家三口住了20多年的家。不过，现在只剩下了他们两口子了，他儿子自从离开这里去城里打工，就再也不愿走上这条土埂和这两间小屋了，用他儿子的话说，这哪是现代人过的日子，比半坡人还不如。金阶苦笑着对我说。

我这堂弟 20 多岁时就带着老婆孩子来到这里开湖荒，他原本是离这里十多里的谷花村人，那里土地肥沃，他家责任田还不少。但那年头，农业税费重，农民负担重，他便扔下了自己的责任田，和村里几个后生一起来这里当上了“自由民”，这里不属于任何一个行政村，没有谁管。他们在这里开荒，也不用给国家上税，收入多少全归自己。但开湖荒是非常艰苦的活路，他们先要在湖里的淤泥里筑起土坝，把水抽干，这样才能围成一块块的鱼塘。开始只养鱼，后来看见湘莲价格好，又种上了湘莲。

你甚至无法为这样一个人来定义，他是渔民，还是农民？你也无法为他守望了 20 多年的这一方水土定义，它到底是个什么垸？实话说，它根本就不是一个垸，20 多年前，这里还是一片狭长的野生湖泊和湿地，自由自在地生长着野生的莲藕，湖里游着野生的鱼，天上飞翔着野生的鸟。这些话听着有些生硬，但一想到现在的环境就很自然了，这天地间野生的、天生地长的东西已经非常稀罕了。一个我亲见的事实，到了上世纪八九十年代，围垦还在继续，江南垸里的最后几个野生自然湖泊——土鸡湖、牛湖、天鹅湖，侥幸躲过了大跃进的围垦，也经历了整个人民公社化时代，一直都保持野生、自然的状态，却在改革开放之后的十多年里，全部被围垦成了稻田、渔场和湘莲种植场，还造就了好些个种粮大户、养殖大户，成了新闻媒体报道的典型。

我低头看着小屋前边的一口水塘，只见一堆扔在那里的肮脏渔网，四周都是干死的蚌壳，鱼塘里有浅浅的一层水，还是清水，清得可以看见水底下绽开的裂纹，但连个鱼花也没有看见。金阶用脚尖在水里踢了一脚，嘭的一声响，水花四溅，就像踢在陶瓷上。金阶说，这水塘前两天还是焦干的，干了大半年了，这两天总算落了雨，这才把塘底盖住了，但土还没有泡软，还是硬邦邦的，等到塘底泡软了，他准备在这塘里养点鱼花。

“现在这点雨还不够，如果不再下几场大雨，这水很快又干了。”他说。

过了这口水塘，便是他的湘莲塘了，这塘很大，金阶说有 60 多亩。这时间，早该是莲花盛开的季节了，但却看不见一朵莲花，只有稀稀落落地长着的荷叶，像秋天的枯荷，塘底干涸开裂，只有几个小水洼。我问金阶：“干成这样子了，还有收成吗？”我不想说出“绝收”这残酷的字眼，怕伤害了他。但他的一句话却让我浑身一震，他说："我已经破产了！"

这样一句话，从一个农人的嘴里说出来，的确令人震惊。

金阶说，他在这里干了20多年，只有3年还算好的，此外几乎是年年遭灾，前面十几年全都是水灾，他们自己筑起的土坝根本挡不住水，不说大水，一般的水也挡不住，一场水来了，一塘的鱼就跑光了。这几年呢，怪了，一会儿水，一会儿旱。去年黄盖湖发大水，他们这里也淹了，鱼跑光了，湘莲淹不死，但莲子经水一泡，全泡汤了。我问他损失有多大，他说："跟你说有什么用，你要是个乡干部就好了，我们淹成这样子了，旱成这样子了，连个来问一问的乡干部也没有。"

什么叫一贫如洗，我这堂弟或许就是最好的注释。

我知道，早已知道，我的询问、我的关切以及我悲天悯人的叹息，对于他都毫无意义。看着他一脸悲愤的神情，我又一次陷入了长久的沉默。其实，我多少知道一些内情，他们在这里筑坝围湖，完全是一种自发的行为，既非重点垸，也非一般的民垸，更不是蓄洪垸，一句话，他们什么也不是。按国家规定，这是没有任何补助的。又假如说，就算在这里平垸行洪、退田还湖，他们可能也得不到任何补助。但我还是感到悲哀，他们在这里苦苦地干了二十几年，守望了二十几年，就算从一开始这就是一个错误的选择，但当地政府也还是应该来管一管问一问的，毕竟，他们还是人民政府的人民。当初，他们在这里开荒时没有谁来制止他们，如今，他们遭遇了一次次灾害也没有谁来过问一下，难道我们的人民政府真的就没有任何责任？

我问金阶打算怎么办？他说还能怎么办，一辈子就这样了。

看得出，他是不会离开这里的，因为舍不得他的鱼塘、他的湘莲，而能够让他坚守在这里的，或许还有渺茫的希望。

是的，他也下意识地瞅着天空。在经历了漫长的苦旱之后，谁又不盼着一场喜雨的降临呢？现在，像金阶这样最底层的老百姓似乎已经没有别的指望了，他们苦苦盼着的，不是别的，是苍天，是巴望着老天爷睁开眼，看看这天底下灾难深重的大地。在这个大旱年，谁知道天底下还有多少这样凝视天空的身影。

天气，现在也成了我每天最关注的，时时刻刻关注的焦点。

我一直在想，持续的干旱从去年10月下旬就开始了，为什么一开始没有引起人们的警惕？这正是旱灾的隐蔽和欺骗性。洪水是猛兽，干旱是魔鬼，旱魔。猛兽是直截了当猛扑过来的，而魔鬼则变幻莫测。这旷日持久的干旱和看得见的洪水不同。干旱，更是在缓慢的、甚至在人类不知不觉中发生的。而且，即便发生了严重干旱，谁都以为很快就会过去，毕竟，这是一个多雨和多水的地方，只要一场大雨落下来，一切就迎刃而解了。在这种心理的背后，还隐藏着这样一个事实，就是在这样的干旱中，在汛期来临之前，很多地方还是像往年一样，把水库里的水提前放掉了。李望生把这称作“恐涝症”，1998 年的洪水让人类至今心有余悸，而 2010 年的内涝又让当地政府部门提心吊胆。这种症状的病态心理，最明显的表现就是“不怕一万，就怕万一”，如果万一发了洪水怎么办？毕竟，洪水对人类的生命财产更具毁灭性，而干旱，哪怕这样长时间的干旱，也很少听说有人干死了。

在长江岸边的调弦口，湖南省防汛抗旱指挥部调来大型挖泥船“洞庭二号”，每天昼夜不停地将长江水引入洞庭湖区。这是江湖相濡以沫的救济，干涸的洞庭湖只能靠着同样干涸的长江来救急。这个从长江“跨省调水”第一关的艰巨任务，就交给了调弦口闸管理站站长唐浩。没日没夜的奔忙让唐浩心力交瘁，心事重重。只有熟悉他的人才知道，他的妻子罹患晚期癌症，已陷入弥留之际。但他不能离开这里，抗旱是战斗，这里是战场。还在“洞庭二号”开来之前，唐浩就带着十多人昼夜施工，在很短的时间内抢修起了挡水堤坝。不把水挡起来，把水位提高，连“洞庭二号”这样的大型挖泥船也无法从长江里抽到水。想想，也知道长江干涸到什么程度了。没多久，唐浩的妻子就与世长辞。而就在这天，一个紧急任务让唐浩又不得不回到作业现场。这位沉浸在悲痛之中的汉子，站起身来向妻子的遗体深鞠一躬，转身回到调弦口，他说：“调弦口如今是洞庭湖区抗旱的生命线，我只能用工作去填补对妻子的歉疚。”这里面有太多的悲怆，不止是唐浩这样一个抗旱英雄的奉献与牺牲精神，还有时光中太多让人难以想象的变迁。当年为了围垦洞庭湖，人类堵塞了调弦口这一江湖通道，如今为了浇灌洞庭湖，调弦口又成了“洞庭湖区抗旱的生命线”。而在唐浩这样一个悲怆的身影背后，万里长江，南北两岸，又有多少大型挖泥船和像排炮一样架起的抽水机正在拼命地抽着长江里的最后一点水。

为了争水，纷争不断。人与人争，村与村争，乡与乡、县与县、省与省都在争，谁都想保水保苗。不过现在，从时代进步来看，很多地方从争土地、争水，如今变成了天空的竞争，争云。白云多美啊！但现在没有谁喜欢白云，乌云压顶、阴霾密布，在这个大旱年成了人类最大的憧憬。凝视天空的不只有人类的身影，还有最精确的监测仪器。为增加降雨，缓解长江中下游地区出现的旱情，各级气象部门抓住此次降雨过程的有利天气条件，开展了大规模的空中和地面增雨作业。但这个机遇并不容易捕捉，今年人工降雨比较集中的是5月21日至23日这三天，湖北、湖南、江西、安徽、江苏、浙江共开展人影地面作业300多次，发射炮弹3 000多发、火箭弹800多枚。其中湖北省实施了高密度、大范围的地面高炮火箭人工增雨抗旱作业，同时开展飞机人工增雨作业。各地气象部门一直密切关注天气变化，谁都想抓住一切有利时机，但天有不测风云，这个有利时机并不容易抓住，有的地方好不容易盼来一片降雨云，仪器也监测到了大量飘浮在空中的许许多多肉眼看不见的小水滴，但很快又被风吹走了，从湖北飘进了湖南，从湖南又飘进了江西。仰天祈雨的场面没有出现，毕竟已经是21世纪了，现代人架起的是高射炮。这边正在阵地上瞄准，那边已经严阵以待。

在这越来越干涸的大地上，一个身影是必然要出现的。6月初，国务院总理温家宝赶赴旱情严重的江西、湖南、湖北三省，他是从鄱阳湖一路看过来的。6月2日上午，他还在鄱阳湖，下午，他就赶到了洞庭湖。这是一个时常会在灾难中出现的身影，而他一旦出现，就表明了灾情的严峻。洞庭湖畔，一个叫龚义成的老汉正在一瓢一瓢地给棉苗浇水，忽然看到一个熟悉而又陌生的身影出现在自己的棉田里，老汉连抹了几把漫进眼帘里的汗水，他还是不敢相信自己的眼睛。但这是真的，他在电视里看见过的温家宝总理，踩着垄沟一直走到了离他最近的地方。看见一口机井，总理好像习惯了，从机井中压水，舀起一勺，轻轻地给一株棉苗浇水。而这老汉也渐渐从混沌的幻觉状态下清醒过来，他开始还有点惴惴不安，但总理那种特有的亲和力，很快让老汉变得平静了。这两个老人，一个是共和国总理，一个是面朝黄土背朝天的农人，他们在这干涸的棉田里一边浇水，一边亲切交谈，亲热得像是一对老哥俩。

这是发生在岳阳市君山区柳林洲镇新洲村的真实一幕。

当我们看到一个守着大江大湖的农人，只能打机井汲取地下水来浇灌自己的秧苗，当我们看到一个共和国总理一瓢一瓢地给棉苗浇水，掏心窝子说，我心里充满了复杂的滋味儿。如果说一片农田还可以打一眼机井浇水抗旱，那么，谁来浇灌这焦渴的洞庭湖？

问卜洞庭

在我走向天命的无数记忆中，只有太多的与洪水、与淹没、与惊涛骇浪有关的记忆，我的记忆还从未有过像现在这样的干涸。从5月下旬到6月上旬，我一直在寻找，一直在奔走，真有一种走向天命的感觉。我已暗下决心，这次，一定要把这个大湖彻彻底底看清楚。我还是习惯叫它大湖，就像我早已习惯把长江叫大河。但我最终还是没有看清楚这个大湖，我唯一看清楚了的是，我们的母亲湖、生命湖，已经干涸见底了，大自然正以最彻底的方式向人类摊牌。

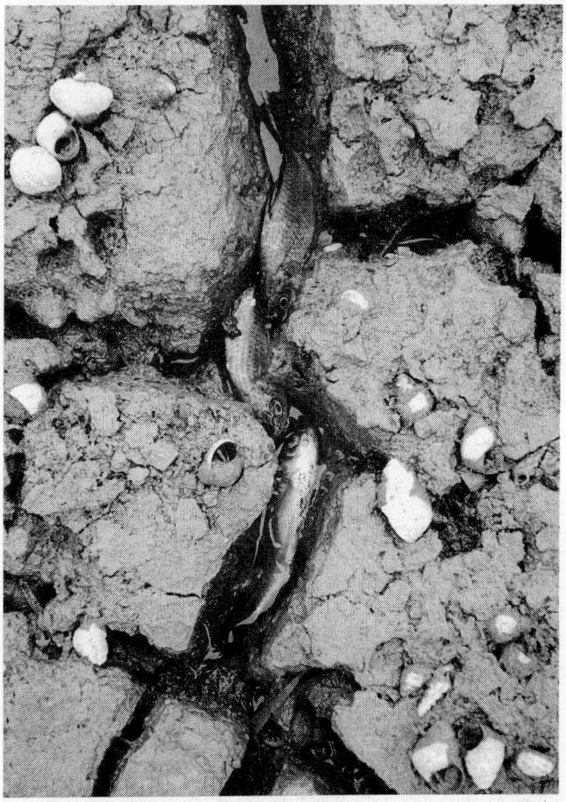

因水位持续下降，在鄱阳湖景点落星墩一处干涸的河床上，几条小鱼缺水死亡。（周科/摄，图片来源：新华社）

洞庭湖到底怎么了？在经历了一场罕见的秋冬春夏四季连旱之后，很多人都在反思、在发问。行吟泽畔的屈子，仗剑独立于暮天荒野之中，仰望着冥冥上苍，一连提出了170多个问题。而对于洞庭湖，人类的问题比屈子更多。

这也许是人类继屈原的天问之后的又一次天问。

一个贯穿始终的疑问，干涸，从何时开始？

从1998年的长江特大洪水以来，那种悲壮的抗洪记忆逐渐淡忘，尽管1999年的洪水也不小，但来势凶猛，退得也快。也就从这年开始，十多年来，长江中下游的洪水奇迹般消失。一道道国家投入巨资修建的大堤徒具摆设的意义，很多关于洪水的问题彷佛都已一劳永逸地解决了。一个世代的隐患如果真的从此消失，也是多少代人梦寐以求的。然而，在2002年之后，人类越来越感到有点不对头。水越来越少了，枯水期提前到来，汛期缩短，却常常发生洪涝急转……

2002年入汛后，作为全省防汛主战场的洞庭湖，水位一度快速攀升，人们关注的热度也在随着水位一样攀升，一场防大汛抗大灾的战斗已经打响。时任湖南省委书记的杨正午说了一句话："长江大堤防汛就是老虎死了补三枪。"这里面有决绝，也有藐视。很多人都记住了这句话，如果说洪水真是老虎一样的猛兽，这只老虎好像真的死了。那年，尽管全省降雨仍在继续，洞庭湖和长江水位持续上涨，但洞庭湖并未呈现日趋严峻的形势。这一方面是经过多年持续和大规模的水利建设，水利基础设施的防洪抗灾能力有了很大的提高，尤其是一线堤防和长江干堤有了质的飞跃，基本具备了迎战1998年特大型洪水的条件。尽管长江堤防坚如磐石，但谁也不敢掉以轻心。不过，这一年的洪水有惊无险，很快就过去了。

自那以后，洪水仿佛已在江湖上销声匿迹了。

2003年6月，三峡工程首次蓄水，坝前水位达到135米。也就在这一年，洞庭湖的枯水期提前到来，与同期相比水位下降两米多，达到历史最低。2004年和2005年，洞庭湖水位也无起色。湖南省人大环资委副主任刘帅在《洞庭湖调查》中也提到："连续两年冬天，东洞庭湖的水面不到前年的60%，往年穿长筒雨靴实地监测，去年和今年穿皮鞋就能跑遍所有的监测点。"

2006年9月，三峡工程实行第二次蓄水，达到156米水位。从这年冬天到2007年•春天，洞庭湖和长江中下游流域遭遇冬春连旱。2007年夏天，洞庭湖区的岳阳县鹿角镇发生了一场罕见的人鼠大战，至今给人们留下了惊心动魄的记忆。事后，很多人都在找原因。一种说法是，当地吃蛇成风，人们的逻辑推断是，当大量的蛇成为盘中餐时，田鼠没有了天敌，也就泛滥成灾了。但后来查证，这些被吃掉的蛇都是家养的，不是洞庭湖地区的野蛇。当地政府部门也表示，自2000年洞庭湖区实行规范管理以后，捕蛇的行为也越来越少。而在岳阳城区各大餐馆中的口味蛇都是来源于广东等地的专业养殖场。于是，又有人推测，可能是汛期到来洪水上涨，但2007年的水不算大，水位只在30米左右。这样一来，洪水也不是主要原因了。但到底是什么原因呢？有人忽然想到了三峡。然而，兹事体大，对于三峡工程的任何非议，在当时都是要特别郑重处理的大事。于是老百姓不谈三峡，只谈老鼠，一个老人说，春天正是老鼠产仔的旺季，如果像往年那样下雨、发水，至少要淹死上亿只小田鼠。这也是当时官方和民间找到的、一直到现在都认可的主要原因和直接原因，罪魁祸首是洞庭湖旱灾。由于洞庭湖区域从2006年底至2007年6月一直处于长达九个月的干旱状态，湖滩裸露时间长，为田鼠提供了天然的觅食和成长空间，导致田鼠大量繁殖，数量惊人。那么，洞庭湖到底为什么会发生这样的干旱呢？一些专家说，不要动不动就把灾害往三峡身上引，洞庭湖鼠害和三峡绝对没有直接关系。当然，许多专家也谆谆告诫，这次鼠害形成的原因主要是生态环境遭受了破坏，有天灾也有人祸，两者互为关联长期影响后才导致今天的局面，而无论天灾还是人祸，归根结底还是要更多反思人祸方面的教训。这是接近真理的话，在很多具体的事物被抽空了之后，真理便很容易在泛论中产生。

不管怎样，一场人鼠大战又变成了历史。然而，到了2009年，洞庭湖和长江中下游流域又发生了有史以来最大的一次干旱。而恰好就在这一年9月15日，三峡工程开始向最终水位175米试验性蓄水。难道，这又是巧合？难道，人世间竟然有这样多的巧合？

很多人对2009年的那个秋天记忆深刻，而最清晰的记忆莫过于城陵矶水文站实时监测的水文信息：10月13日8时，洞庭湖城陵矶水位降至21.84米。在同一时刻，湘江、资水、沅水、澧水的水文控制站点水位也在持续回落。它们不约而同，就像事先商量好了似的。据60年来岳阳水文资料记载显示，洞庭湖城陵矶水位低于23米的年份，只在1959年、1972年出现过。而在1972年后，由于荆江人工裁弯工程的完成，在上游来水相等的情况下，城陵矶水位自然抬高0.6米。如果考虑这一因素，城陵矶这次出现的超低水位也是60年来历史同期最低水位。短短的一个月后，洞庭湖水体面积仅有537.84平方公里，比9月骤然缩减了近三分之二。

和以前一样，一旦什么灾难，无论是洪水滔天的水灾还是如今干涸见底的大旱，人类首先是要在老天爷身上找原因。这年的气候也的确很不正常，自汛期过后的8月份以来，流入洞庭湖的湘、资、沅、澧及周边水系地区持久干旱，几乎无雨。据岳阳市防汛抗旱总指挥部负责人介绍，洞庭湖的来水除受长江三峡试验性蓄水部分截留长江水流影响，进入8月份以来，“流入洞庭湖的湘、资、沅、澧及周边水系地区持久干旱，几乎无雨，是造成洞庭湖水位持续超低的重要因素。”这位负责人说，洞庭湖枯水形势非常严峻，近期仍无较大降雨，整个四季度出现能产生径流的降雨可能性较小，“最为关键的是可补水源十分有限，实施人工调控的可能性几乎没有。”

到了2010年主汛期，洞庭湖似乎又要发大水了，7月17日14时，洞庭湖城陵矶水位刚好涨至32.5米，这是2007年以来城陵矶水位首次涨至警戒水位。据湖南省水文局分析，城陵矶水位涨到这个高度主要是四水，特别是沅水、澧水洪峰入湖所致。为防御长江上游来水，7月15日起，三峡加大了下泄流量为自己减压，在三峡水库加大下泄流量的情况下，长江三口的入湖流量加大，洞庭湖城陵矶水位上涨到33.24米，超过危险水位，洞庭湖区拉响防汛警报，岳阳市紧急动员五万多干群坚守一线防洪大堤，随时准备防大汛打大仗。但这次洪水上涨的时间很短，洪水来也匆匆，去也匆匆，7月18日城陵矶便退出危险水位，到7月21日，城陵矶又退到了警戒水位以下。这一年洞庭湖和长江中下游流域也有不少地方受灾，局部地区灾害严重，但不是外洪，而是内涝。外洪压境，但有惊无险，很多内垸却被水淹了。事实上，对于祖祖辈辈住在水边、看惯了洪水起落的湖区人，早已适应了汛期的节奏。而整个洞庭湖区近半个世纪以来的洪灾记忆，由洪水造成的溃垸其实并不像人们想象中那样频繁，更多的还是内涝。

而就在2010年入汛后的5月24日，洞庭湖水体面积实测为1 649平方公里。

然后，就是我们现在经历的从2010年秋天到2011年夏天这一场旷日持久的干旱了。

洞庭湖现在还有多大？2011年5月17日，通过气象遥感卫星监测到洞庭湖水体面积仅为382平方公里。5月21日到24日出现了一段降水过程，加之三峡水库放水的作用显现，5月27日，通过卫星遥感监测到洞庭湖水体面积增加到了577平方公里。

很多年前就有人说，洞庭湖已落后于太湖而屈居第三，这是洞庭湖目前还不愿承认、不愿面对的一个事实。但以这个实测面积来看，洞庭湖比五大淡水湖中最小的巢湖还要小，巢湖的面积为753平方公里。

我想：每个人看了这些数字，就知道洞庭湖现在干涸到了什么程度，对于这些数字，我连小数点后面的数字也不敢省略，我必须谨慎。

洞庭湖欲哭无泪。洞庭湖变成今天这个样子，不管人们的争辩如何激烈，但大都认为，是人类改变了洞庭湖的命运，人祸远胜于天灾；洞庭湖变成今天这个样子，也不是没有预兆，大自然一再向人类发出警告，洞庭湖的干旱已经不止这一次了，只是，还没有像今天这样以干涸见底的方式彻底地暴露出来。这也是从2003年以来洞庭湖干旱连创历史同期最低水位的一个必然结果。

对于这次大旱灾，和每一次发生的灾难一样，人类首先也是从老天爷身上找原因，又是厄尔尼诺，又是拉尼娜。也有人说，这是在全球变暖背景下，中国气候发生的异常明显的变化。尽管很多人一直在回避一个过于重大的问题，但长江流域不管是大旱还是大涝，只要有异常气候，很多人就会下意识地联想到三峡工程，仿佛那已不是一个单纯的水利工程，而是一个神秘空间。这次长江中下游旱情告急，让一直争议不休的三峡工程再次陷入舆论漩涡。三峡很委屈，力挺三峡工程的专家很委屈，甚至很气愤。当然，在一再的追问下，有的人也不得不承认，三峡蓄水部分截留了长江水流，对中下游的江湖格局无疑会产生一定的影响，水库调节改变下泄流量，直接影响着洞庭湖水系相互作用的水文过程，水情的变化又进一步影响洞庭湖湿地生态系统的结构与功能，这是想要否认也无法否认的。对洞庭湖城陵矶和荆江三口的水位变化，长江水利委员会相当关注，蔡其华不仅是长江水利委员会的主任，也是教授级高级工程师，她承认："上世纪50年代以来，经三口分流入城陵矶而出的平均径流量有沿时程递减的趋势，三峡工程蓄水运用前的1999到2002年与50年代相比，三口分流比由30%减少至14%，分沙比由35%减少至16%。据相关研究成果，三峡工程蓄水后，由于荆江河段的河床冲刷，干流同流量水位降低，荆江三口分流有进一步减少的趋势。"

这个影响有多大呢？无论是义正词严，还是沉默与忧患，民间议论与官方以及权威的、有主导性的专家学者的说法，就像这干涸开裂的土地，沟壑越争越大。然而，无论怎么争论，谁都不得不正视，由于三峡带来不可逆转的江湖格局的骤变和自然生态环境的严重危机，已经一次次地惊现在人们的视野内。现在的问题已经不是有没有的问题，而是问题有多大，危机有多严重，是直面现实，还是拼命掩饰？就在持续的干旱和持续的争议中，国务院总理温家宝5月18日主持召开国务院常务会议，"要求妥善处理三峡蓄水的不利影响"，这一消息立刻引起了国内外的广泛关注，这是中国政府第一次公开承认"三峡工程有些亟须解决问题"，这给很多人带来了丰富的联想，三峡工程存在的问题正在变得透明。当问题变得公开了，争论的声音反而小了。摆在面前最重要的，就不是争议有没有问题了，而是把问题摆出来，集思广益，去寻求怎么解决这些问题。

在一片争议声中，我一再提醒自己不要空发议论，不要有书生之见，这也是我近年来从书斋走向旷野的一个直接原因。我更相信自己的眼睛。洞庭湖的萎缩是一个历史性事实，把所有的症结归咎到一个大型水利工程上，未免也太简单了一些。三峡工程绝非一局域性的问题。科学可以论证一项工程，但以人类目前所掌握的科技水平，是否有足够的能力来论证一个世界？这其间还有多少可能性？多少未知区域？这是最权威的专家也无法否认的吧！从三峡第一次蓄水到现在，还不到十年，现在的许多问题一时还看不清，以后的情况还有许多未知数，得出结论还为时尚早。我们也不应该归咎于某一个短暂的时代。只是如此迅疾的萎缩，完全让老天爷来承担责任，就只能说人类在推卸责任。对一个大型水利工程的认知，对一个大湖和一条大江的认知，对大自然的认知，有一个根本的前提，那就是人类的自我认知。人类必须对自身有更准确的定位。

从洞庭湖的命运来看，人祸猛于天灾。洞庭湖变成今天这样子，有太多由来已久的人祸。在某个不经意的时刻，我脑子里总要飞快地掠过一个念头，人类文明对大自然或许是一种原罪。如果人类不懂得感恩、不懂得赎罪，上苍还将降罪于人类。而真正的赎罪和还债，也许要等待一个古老的民族进入某种更高的文明形态。还有这样一个逻辑链条：在洞庭湖干涸的地方就有良田沃土诞生，而越是良田沃土，越是洪水泛滥的地方，在当年最容易被洪水淹没的地方，又是今天最干涸的地方。

这是一个非常吊诡的、充满了悖论的逻辑链，我无法解释，只知道存在。

洞庭湖不仅是湖南的洞庭湖，也是全国的洞庭湖。如果想要拯救洞庭湖，如果洞庭湖真能拯救，就要统筹考虑防洪、生态、环保和经济发展的关系。上世纪80年代，对洞庭湖的综合治理就开始了。洞庭湖的一期治理，从1980年到1990年实施，主要是对重点堤垸进行堤防加固除险，对蓄洪安全设施、河道整治进行试验性建设，改善防汛通讯报警设施；从1996年至今，重点实施综合治理工程，目前已基本完成二期的重要项目。其中平垸行洪，退田还湖工程初见成效，退田还湖面积可达770平方公里，20多万移民告别居住的“水窝子”，搬迁到新建的移民新镇。全市扩大蓄洪面积38万亩，增加调蓄水量13.5亿立方米，完成配套和新建电排工程项目329个，基本形成“以排为主，排灌结合”的网络格局。近年来还在湖区建立总面积达43.86万公顷的五个湿地自然保护区，重点加强对洞庭湖多种野生动植物资源的保护。然而，这一切更多是从防洪和生态的角度来考虑的，而洞庭湖在近几年干涸成这个样子，却让很多人没有准备。一个事实，当共和国总理去机井中压水浇地抗旱，只能说“以排为主，排灌结合”的水利设施很难在这样的干旱中发生作用。而洞庭湖的水位如此之低，想要抽水抗旱，先要在洞庭湖里挖出一条渠道，才能把那最后的一点湖水用抽水机抽到农田里。

国务院为洞庭湖水环境治理划定了目标和期限，要求到2010年，富营养化的趋势得到遏制，水质有所改善；到2030年，逐步恢复山清水秀的自然风貌，形成流域生态良性循环、人与自然和谐相处的宜居环境。温家宝总理指示：“要重视洞庭湖的生态环境保护和污染防治工作。”为此，除了中央近期投资129亿元的“平安洞庭”项目外，洞庭湖综合治理的中长期入库项目涉及治理、保护、利用开发生态和民生等方方面面100多个项目，总投资300多亿元。

2030年并不遥远，我们期待着。但在期待一个美妙愿景的同时，我们又怎么挺过这接踵而至的一次次干旱？诚如有人说，中国要抗的不仅是2011年的干旱，而是21世纪的干旱。在接连遭遇了比洪水泛滥更频繁的干旱之后，干旱连着干旱已注定是未来中国的基本国情，21世纪可能是中国历史上“最干旱的世纪”。

干涸的不止有洞庭湖，还有丹江口，还有整个长江中下游流域，还有全国三分之二的城市。这里只说丹江口。众所周知，丹江口水库是汉江上游的大型水利枢纽工程，也是南水北调中线工程的水源地。在2011年这个大旱年，丹江口也未幸免，自4月4日起，丹江口水库的水位就一路陡降，降至139米的死水位以下。6月4日，温家宝总理来到了丹江口。总理站在丹江口水库坝顶，看着比常年低了整整八米的水位，语重心长地说：“今年的大旱引起了我的思考，南水北调工程是中央决策的重大工程，必须建设好。但是有四个重大问题应该全面考虑：第一是水质问题。要保证一泓清水到北京，这既涉及库区周边水环境，也涉及南水北调沿途输送环境。二是移民问题。要保障移民得到妥善安置和长期稳定就业。三是汉江水环境容量问题。要密切关注汉江水环境的变化，防止水体富营养化。四是水资源利用和保护生态环境的关系。水利工程给生态环境带来了影响，生态环境的变化也会给水利工程带来影响，要综合考虑。”

是啊，对中国的许多问题，尤其是水利问题，我们都要综合思考。一个非常现实的问题，如果长江一直处在低水位，丹江口找谁要水？南水北调怎么调？这也是洞庭湖正在面临的问题。千百年来水满为患的洞庭湖，如今，八百里洞庭仅剩三百公里，到哪里去找水呢？一是找长江要。诚如有人说，如果没有三峡，今年的旱情可能更加严重。

这里权且不作更深的追问，只说三峡补水对干旱有多大的效果？

2009年洞庭湖遭遇秋旱，在长江中下游干旱省区的呼唤下，三峡于10月27日开闸放水，但对洞庭湖和长江中下游流域的影响极其有限，城陵矶水位在三峡放水之后，七天仅回升0.26米。这次，为缓解旱情，三峡水库持续加大泄流量，到2011年5月27日早上8时，三峡水库的出库流量达11 600立方米每秒，今年已累计向中下游补水量180.87亿立方米。这些长江上游来水，把长江干流的汉口站、洞庭湖城陵矶站以及鄱阳湖湖口站的水位，分别较近期最低水位回升了两米以上，此前旱情较重的滨湖地区，旱情也得到了一定的缓解。然而，这两米的水位在这种低水位之下，也仅仅只是一种杯水车薪的“缓解”，在温家宝总理6月初来这里考察时，他眼睁睁地看见的依然是洞庭湖核心区干涸开裂的湖底，他也只能从机井里压水来浇灌农人的棉苗。而他在丹江口看到的一切，足以说明三峡放水而且是持续放水对长江中下游的水位并没有起死回生的作用，丹江口的死水位还是死水位。而此时，包括洞庭湖在内的长江中下游流域还眼巴巴地望着三峡加大下泄流量，然而由于入不敷出，三峡枢纽管理局宣布：水库“调节库容”即将消耗殆尽。

这简短的一句话惊醒了多少梦中人。三峡补水的能力是非常有限的，至此已到极限。北水要不着，那洞庭湖又只能转过身来向南水——湘资沅澧四水要水。而这四水的旱情比洞庭湖还严重，全都处于历史最低水位以下，他们还要在洞庭湖里抽水抗旱呢。绕来绕去又绕回来了，人类又只能抬头望天了，盼着老天爷喜降甘霖，这成了人类的唯一指望。

长久的干涸让人类变得麻木，他们也许忘了还有另一种危险的存在，旱涝急转！

从6月4日开始，湖南省共有两百多个乡镇降暴雨，连日来与大旱顽强抗争的湖区群众奔走相告：“下雨啦，下雨啦！”这场来得太迟的雨水，让各地的严重旱情得到了明显缓解，但干旱已经让早稻基本上绝收，我在沿途看到很多农人都在冒雨抢插中稻。而大量的新闻镜头也在制造幻觉，一个镜头让人印象深刻：6 月6 日，长沙东屯渡西龙村，陈国华家门口一片汪洋，水淹到齐床铺，周围还有几栋平房被淹，居民一大早就开始“抗洪”。这样的新闻给人制造了一种假象，整个世界都要被洪水淹没了。其实，这一场雨水完全是因为低洼地带的内涝所致，东屯渡原本就是长沙最低洼的地带，而这样的旱涝急转暴露了水利建设的严重滞后，也暴露了我们预警机制的落后。

随后，便是我家乡临湘市发生的泥石流灾难，因山洪暴发，成片的土地和房屋被山洪和泥石流淹没。这次强降雨是从 6 月 9 日晚开始的，湘北、湘西北、湘中以北发生了一次明显的强降水过程，雨带呈东西向分布，降雨最大的站点为岳阳县相思乡，降雨量为 270 毫米，这次强降雨在湖南造成 143.5 万人受灾，灾难最深重的是詹桥镇观山村，18 人因灾死亡、28 人失踪。但湖南省防汛抗旱指挥部显然慢了一个节拍，直到 10 日才发出紧急通知，从 10 日 14 时开始，在全省范围启动防汛Ⅲ级应急响应。而对詹桥镇观山村为什么会发生泥石流，当地人至今还议论纷纷，当地村民说，除了罕见的暴雨，山上的矿山废砂才是祸首。一位姓李的老乡说，早在山洪暴发之前，就有很多矿场的废砂大量堆积在山上，在山上越堆越多，如同定时炸弹，这些废砂堆离村民的民宅，近则百米，远的也不过几百米。还有不少人猜测这些矿场“有背景”。

在灾害发生后，当地政府请来了水利专家、湖南省水利厅副厅长刘佩亚等先后深入到山洪泥石流现场开展了详细察看和认真调查。通过实地察看后，水利专家们一致认为，综合分析多种因素，定性为 300 年一遇特大暴雨造成局部地区特大山洪泥石流灾害。在泥石流发生地，没有进行过矿石开采，山顶也没有水库，因此，不是人为采矿和水库垮坝所致。而造成此次特大山洪泥石流灾害的成因主要是前段临湘市长时间没有降雨，出现了多年以来最严重的旱情，土壤已非常疏松。加之泥石流的灾害发生地观山村地表层土质为沙性，结构性不强，附着力差，土壤表层里面为大松石，在暴雨击溅和地表漫流的冲刷下，很容易下切侵蚀发生滑坡。在这种情况下，突降 300 年一遇的特大强降雨，六小时降雨量达到了 275.6 毫米，对地表形成了一股冲击力很强的水流。而这个村几栋民房正处在山沟之中，屋场后面的山体海拔为 860 米，屋场所处位置海拔为 530 米，坡降很大，水流下泄过程中带动大松石下滑，形成了强大的冲击力，最终造成了此次特大山洪泥石流的发生。

这是专家的结论，而老百姓又无法作出结论。一边是到这里来看看就走了的专家，一边是世世代代生活在这里的老百姓，我们到底该听专家的话，还是老百姓的话？专家说，这是300年一遇的特大山洪，这又是怎么算出来的？谁也不可能用人生去验证，谁能活够300岁呢？而专家的话，让自然灾害彻底排除了人祸的因素，也让当地政府官员如释重负。那些矿场也就没有什么可说的了。只是，令人困惑的是，从来只听见官员们援引专家的话，却很少听见他们援引老百姓的声音。老百姓的声音难道永远只能成为“沉没的声音”？但用一句接近真理的话说，好在历史是人民写的，历史最终会作出一个结论。

在这次大范围的局部地区高达“300年一遇”的强降雨过后，江河水位全线上涨，但均低于警戒水位6米至10.6米。这就是说，洞庭湖和长江流域仍然处在低水位，湖南省防汛抗旱指挥部介绍说，湖南可能将进入今年入汛以来的多雨时段，前期的抗旱工作将随之转向防汛抗旱并转的复杂局面。

此时，已是7月7日，在经历了多次降雨之后，长江进入主汛期，城陵矶早晨8点的水位为28.26米。而城陵矶的最低防汛水位是31米，这意味着洞庭湖和长江将在低于防汛水位两三米的状态下安然度过一个没有汛期的主汛期。然而在安然之中人们更多的是焦虑，汛期水位如此之低，洞庭湖的枯水季节已经不是提前来临的问题，可能会成为一种常态。在自然史中，这个还相当年轻的大湖却未老先衰，正在走向生命的尽头。

谁来拯救洞庭湖？谁又能拯救洞庭湖？

很多人意识到，现在最重要的不是为洞庭湖的命运提供独特的解读，不是阐释，而是重构。也有很多人提出了自己的构想。

第一种构想——向长江借水。具体说，就是要通过荆江四口补水，来疏浚、滋养洞庭湖。城陵矶水文总站的金升高队长，可以说是洞庭湖城陵矶水位变化的第一证人，他也表达了类似的观点：“三峡工程建成后，洪水威胁被削减了，现在的问题不是水多了，而是通过城陵矶的水少了，摆在眼前的问题是如何利用洪水效应，来为洞庭湖多蓄点水，向长江要水、借水。”湖南省国土资源厅高级工程师童潜明曾多次环洞庭湖考察，他提出这样一个设想：可疏浚华容河，向长江借点水，解决华容缺水和东洞庭生态恶化的问题。但是，他又很矛盾、很担心，担心随之而来的新问题，目前华容县的工业化程度不高，原因就是缺水，如果有水了，他们就有可能引来印染、化肥、造纸等耗水企业沿河分布，这是他最不愿意看到的，他说："千万不要引来长江洁净水过华容这道手，反而变成污水流进洞庭湖。"

第二种设想——筑坝拦水，建水利航电枢纽。这是目前很多人想到的办法并且作出了计划。湘江筑坝拦水已经是事实，洞庭湖两大水源，一是长江，二是三湘四水，而最大的水量来自湘江，现在长江把水拦了，湘江把水拦了，洞庭湖还找哪儿要水去？除了湘江，现在，资江桃花江航电枢纽也是"十二五"规划上要干的，沅江、澧水都已干得喊渴，嗷嗷待哺，你还能指望它们那点儿水来浇灌洞庭湖？就是全给你也是杯水车薪啊！办法只有一个，那就是开工建设岳阳城陵矶综合枢纽，让洞庭湖保持30米左右的正常水位，从湖南、从三湘四水、从洞庭湖的现状来看，这倒会形成一个多赢共赢的大好局面，但在筑起这么多水坝、枢纽之后，城陵矶以下的长江流域将会出现一个怎样的局面？谁都知道，鄱阳湖早就已经决定要修拦湖大坝，武汉要不要修？芜湖要不要修？马鞍山要不要修？南京要不要修？……

这一连串的问题让我想到一种博尔赫斯式的东方式梦魇，镜子可以繁殖镜子，大坝可以繁殖大坝，一座雄伟的大坝可以繁殖出无数大坝。如果这些大坝全都按人类的意愿有计划、有步骤地建起来了，可以想象长江中下游流域包括上游的金沙江流域未来将是什么样子。以中国的国力之强和制度的力量，筑一道大坝是最容易不过的事情，而某个决策一旦付诸实施，就将变成一个复杂充满矛盾的现实，碰到一系列的两难，在权衡上的确是很困难的。我深信江湖中也有一种能量守恒的定理，正是它在维持江湖格局在大自然中的平衡。我也一直在追问，人类是否真的能掌控大自然的力量？而一座座大坝，我们可以预估它的直接效益，规划出它给我们带来的种种好处，但人类能否真正主宰和把握那种来自大自然的巨大能量转换？换句话说，这巨大的能量是否会向别处转换，发生灾难性转换？

这些，我们暂时还不知道，要给出一个结论为时尚早，但我们隐隐约约地猜测到了什么，预感到了什么。

有人说过，如何说中国的政治改革和民主法治真有一个"人算"的渐进安排，但环境灾祸的突然降临却可能是"天算"的宿命。而国家环保总局副局长潘岳给出的灾难时间表是：见到悬崖——五年，跌入悬崖——我们这一代。

洞庭湖迟早会走向死亡！这是复旦大学教授张修桂发出的预言，甚至是讣告。他的理由是，“长江带来的泥沙淤积，湖区内大规模的人类垦殖，已经使长江南岸的洞庭湖比起北岸的江汉平原高多了。”对于未来的江湖格局，他预言，荆江不是向南就是向北分洪，人类所筑的堤防最多只能守护几百年，不能一直守下去，“洞庭湖最后会变成当年的云梦泽，演变成一片平原，三峡大坝虽然阻止了泥沙下流，但只是暂时情况，只不过延缓了它的死亡期罢了。”当然，人类也许不会眼看着洞庭湖束手待毙，会采取种种拯救措施，然而在他看来，人是胜不了天的。

但湖南有很多我采访过的专家大多不认同张修桂这种让人几乎绝望的预言，在他们身上我也感觉到了湖南人的倔强，他们身上有着一种以“湖湘精神”作支撑的坚韧性格，他们坚持着，也坚信着，洞庭湖不会消亡！理由呢，尽管泥沙还在不断淤积，水位还有可能继续降低，但洞庭湖每年的地壳下陷运动会使它一直存活下去。不过，他们也很清醒，想要恢复“浩浩汤汤，横无际涯”的八百里洞庭，对于人类，可能是一个壮观的梦想，也是一个接近幻想的梦想。

洞庭湖，不止是一个自然湖泊，也是一个民族的精神记忆。

当我画上一个句号，我下意识地以手扪心，为这个生我们、养我们的大湖祈祷吧！

（选自 2011 年第 8 期《时代报告 · 中国报告文学》，
有删节，作者：陈启文）

"李娜之花"绽放世界

2011年6月4日，李娜获得法国网球公开赛女子单打冠军，夺得苏珊·朗格朗杯。这是中国乃至亚洲历史上第一个网球大满贯赛事的冠军。

2011年6月4日，网球运动员李娜在罗兰·加洛斯登顶法网。国内的网络上有一个段子迅速流传:"李娜实在太厉害了，上个世纪90年代末唱出了《青藏高原》等大红歌曲后迅速出家修行，还俗后随即获得了奥运会跳水冠军。在大家都以为她已经到达巅峰时，不甘寂寞的她又通过不懈努力，赢得中国网球历史上第一个单打大满贯冠军！也是首位夺得网球大满贯赛女子单打冠军的亚洲选手！"

"李娜"，这个在中国再普通不过的名字一夜之间传遍了大江南北。其实，上面的段子说的是三个人：第一个是唱《青藏高原》随后出家的歌手李娜；第二个是在2000年悉尼奥运会上夺得金牌的跳水运动员李娜；第三个就是夺得法网女单冠军、成为中国乃至亚洲网坛第一人的网球运动员李娜。

有趣的网友将歌手李娜、跳水运动员李娜的故事移植到网球运动员李娜的身上，这虽然是一个玩笑，但网球运动员李娜的经历、成就真的如同三位一体那样充满传奇色彩。

网球运动员李娜完成的是颠覆性的超越。在新中国近62年的体育史上，李娜达到了史无前例的高度，即使与中国体坛具有一定国际影响力的大腕，如姚明、刘翔、丁俊晖、郭晶晶等人相比，李娜依然是第一。

李娜的超越意义还在于她成功的方式，虽然曾受益于举国体制，但她目前的身份是"体坛个体户"。在厌倦了举国体制带来的纷繁但无甚意义的奥运金牌后，外界对李娜的身份充满兴趣，发自内心地赞赏这种"体制外"的胜利。

2011年6月4日，李娜在夺冠后庆祝。当日，在2011年法网女单决赛中，中国选手李娜以2比0战胜意大利选手斯齐亚沃尼，夺得冠军。（徐亮/摄，图片来源：新华社）

PK姚明、刘翔、丁俊晖

2011法网期间，李娜在巴黎下榻的酒店可以遥遥地望见著名的埃菲尔铁塔，那是为1889年巴黎世博会而生的奇迹。遥指埃菲尔铁塔，李娜说了一句很牛的话："希望通过我的不懈努力，我们也可以爬到塔尖，中国人也可以改变一切！"

其实，早在2010年的7月份，还未夺得澳网亚军、法网冠军的李娜就已经爬到塔尖了，她当时就成了中国体育第一人。

2010年7月底，根据美国一家资讯类网站thewiplist.com公布的一项统计数据显示，在网络方面最受西方人关注的中国各界人士排名中，李娜以第六名的成绩成为中国体育界的"状元"，排在她身后的是姚明、刘翔、丁俊晖、郭晶晶、林丹等人。此外，张艺谋、李安、章子怡等娱乐明星也只能望其项背。

李娜当时还只是一名在国际网坛排名女子TOP10的选手，在2010年所取得的成就也只是澳网四强、温网八强，但由于网球这一运动项目的高度国际化和职业化，而且长期被欧美把持，李娜的“区区”成就已经足以引起西方人的关注。

如今，在法网封后的李娜更是成了国际级的中国明星：她与网球天王费德勒代言同一品牌，发布会时大厅内的媒体永远是人满为患；她的故事被国外媒体争相报道；她的征服让西方观众知道了她名字的准确说法是“Li Na”而不是“Na Li”……

法网夺冠的李娜让2011法网女子单打的风头盖过了男子单打。在主办地法国，媒体连篇累牍地在重要位置报道李娜，使法国公众对中国网球刮目相看。

李娜夺冠日适逢周六，假日中的巴黎街道一片寂静，但法国媒体却因李娜而陷入狂热。《费加罗报》将李娜获胜后向观众挥手致意的照片登上了首页;《世界报》以《李娜，中国网球的开拓者》为题，并配上两张赛场照片，在体育版的头条位置刊出。法国各网站也争相刊登李娜登顶的图片和分析报道，“李娜”成了网站最热的关键词。

法新社评论指出，李娜“创造了历史”，她的胜利为中国网球翻开了新的一页，也预示着亚洲在体育运动领域的进一步扩张。法国《体育365》说，李娜的胜利“令人折服”，紧随其后的将是“中国的苏醒”。她的成功将使“中国开始喜欢网球”，未来的中国冠军将不断涌现。

法国24小时电视台说，李娜没有悬念地赢得了她所梦想的比赛。法国《新观察家》周刊称李娜是“中国制造”的网球“亲善大使”，中国在世界上树立了新形象。《巴黎人报》认为，李娜已成为中国“新的民族英雄”，受到了中国媒体和人民英雄般的祝贺。

法国媒体对李娜的人格魅力也是赞赏有加。《费加罗报》说，这位出生在中国武汉的29岁的姑娘，用自己的实力“征服了世界”。在红色遮阳帽和灿烂笑容的映衬下，李娜活力四射、不可战胜。

法国网球评论家认为，李娜代表了未来的网球打法，她不完全靠力量取胜，而是靠成熟的技术。她能很好地控制全场比赛，且积累了足够的经验。在可以预见的将来，“李娜之花”将绽放得更加灿烂。

世界其他国家的媒体也毫不落后。《纽约时报》称，李娜成了家喻户晓的明星，她的夺冠扩大了网球的影响力，将有可能引领网球界的一次新的革命。英国《卫报》称，李娜打出了“炫目而精准的网球”。

李娜在罗兰·加洛斯刚打完最后一球，CNN（美国有线电视新闻网）网站就以“重大新闻”插入首页第一行播发。2011年初，李娜夺得澳网女单亚军时，CNN作了一个大约23分钟的专访，当时总共播放了五次。如今这段采访又被“翻”了出来，从6月8日开始，又重播了六次。CNN《亚洲访谈》请过许多中国的知名人物，而体育界单独上过这档节目的，此前只有刘翔和姚明。

在李娜夺得法网女单冠军的当天，新华社就发表了评论，观点认为李娜超越姚明、刘翔、丁俊晖，代表着中国的力度：

> 今天，纪录又被刷新，她夺得法网冠军，中国人乃至亚洲选手的法网最好成绩，也是其个人、中国乃至整个亚洲首个大满贯单打冠军。
>
> 她，叫李娜。
>
> 从年初进入澳网决赛开始，李娜已经成为中国体育新名片，甚至是中国的新名片，一个开放的、自信的、强大的中国新名片。
>
> 继姚明的高度、刘翔的速度、丁俊晖的准度后，李娜代表了中国的力度！鉴于网球在世界上的地位，尤其是在欧美发达地区，李娜在某种意义上已经超越了上述中国明星。
>
> 李娜又不仅仅是一张体育名片，她的幽默和松弛以及用英语自如交流其实也代表了中国的形象。李娜用自己独特的魅力向世人宣传着中国。今年在澳大利亚驻华使馆为她举办的生日宴会上，李娜感谢完澳大利亚大使接着说：“以后去澳大利亚签证，要快快的。”一时间全场大笑。这份从容和幽默让世界重新发现她个人、中国网球甚至中国。
>
> 中国网球尤其是职业网球的发展尚不成熟，李娜的崛起将在很大程度上促进中国网球的发展。随着李娜、郑洁、彭帅等人的单飞并屡创佳绩，尤其是李娜获得中国首座大满贯赛冠军，这无疑将加快中国网球的发展进程。
>
> 反过来说，李娜夺冠也让世界加速了解中国网球。随着李娜一次次刷新个人最佳，中心球场、主新闻发布厅越来越多地出现了她的身影。外国媒体也在不断地挖掘李娜和中国网球，中国网球正通过李娜这个“载体”为世人所知。

李娜法网强势夺冠，外界势必会将她与中国体坛具有一定国际影响力的大腕，如姚明、刘翔、丁俊晖、郭晶晶等人进行比较。对此，新华社评论的观点旗帜鲜明——

李娜是当之无愧的第一人。

从运动项目比较而言，网球、篮球都是职业化程度相当高的项目。网球既有百年历史的四大满贯赛，也有WTA和ATP系列巡回赛，只要你想打比赛，一年到头你都可以连轴转；篮球因为有NBA的存在，使得其职业化程度有了相当大的提升，姚明的国际影响力也是建立在征战NBA的基础上。当然，就国际地位尤其是在欧美发达地区的地位而言，网球更胜一筹。

而田径是公认的"运动之母"，综合性运动会向来有"得田径者得天下"的说法，这也是刘翔雅典奥运会夺冠后引起国内强烈反响的原因，但他从事的男子110米栏属于田径中比较冷门的项目，就国际影响力而言，与网球、篮球相比还有一定的差距。至于斯诺克、跳水，因为有丁俊晖、郭晶晶的存在，虽具有一定的影响力，但这两个项目在世界范围内属于小众，影响有限。

就成绩而言，李娜大满贯赛单打冠军的成绩已经攀登到网球项目的巅峰，刘翔在这方面与李娜相当，而姚明因为没有NBA总冠军戒指所以稍逊一筹，况且篮球属于集体项目，没有个人项目来得更耀眼。更何况，娜姐的成绩还有突破的空间，全满贯就是一个巨大的诱惑。

李娜在商业价值上也已乘上了"火箭"。在今年福布斯中国名人榜上，李娜的总收入就已经超越刘翔、易建联、林丹，成为该榜单收入第二高的运动员。虽然从目前来看，李娜短时间内还难以超过姚明，但随着其所签约的著名经纪公司IMG的运作，她在商业价值上超越姚明恐怕只是时间问题。刘翔受到北京奥运会退赛的影响，近年来其商业价值一直在走下坡路，虽然近期状态有所恢复，但从整体而言已经过了运动巅峰，其商业价值与李娜更不可同日而语。

李娜的性别也是其优势。一般而言，女子运动员比男子运动员弱势，这从很多比赛中男子比赛安排到最后举行、男子比赛奖金高于女子比赛、男子比赛受欢迎程度高于女子比赛等多方面可以得到印证。李娜曾在今年闯入马德里皇冠赛四强后说过:"如果我是个男人，现在排名世界前十，我在中国会比姚明更有名。可惜我是女人。男人和女人永远无法平等，全世界都是如此，不仅仅在中国……"话虽如此，但在中国，也恰恰因为她是女性，又适逢中国缺乏真正具有世界影响力的女子运动员，毕竟早期的邓亚萍、高敏、王楠、张怡宁、郭晶晶等人局限于所从事的项目难以担此重任，李娜的出现填补了这个空白。

2011年，中国体坛迎来了偶像的改朝换代。随着姚明的退役，他从2002年开始的姚时代就此正式结束；从2004年雅典登顶到2008年北京伤退，刘翔在后北京奥运时间更多的是处于与伤病、与自己缠斗的状态，他的影响力大不如前；至于丁俊晖、郭晶晶、林丹等人，他们本身就不足以代表中国体育。

再往前看，中国体育还曾有过郎平、邓亚萍、高敏、伏明霞等明星，但她们所参与的项目的国际性实在有限。网球是一项高度职业化、世界性参与度极高的赛事，网球作为西方人主导的运动，冠军一直为欧美人所垄断，李娜在罗兰·加洛斯登顶，彻底打破欧美人对网球运动的统治，改变了网球世界的版图。就李娜夺冠的历史意义而言，此前中国没有任何一位女选手可与之相提并论。

在历史的惊涛骇浪中，李娜成了中国体育的新偶像。

艰辛的体制外胜利

在2011法网女单的颁奖仪式上，李娜领过冠军奖杯，现场升起了五星红旗，奏响了《义勇军进行曲》。李娜事后说，她没有想到会有升国旗、奏国歌的颁奖环节，因此当时眼泪在眼眶中打转。

不过，在简短的致谢辞时，李娜的感谢并未涉及任何国家方面。她第一感谢的是给她钱花的赞助商，第二是她花钱雇来的团队。李娜甚至特别提到了自己团队中的耐克工作人员石玲，她用武汉话向石玲说了句“生日快乐”。

李娜的感谢之中，没有循规蹈矩的“祖国”二字。

自从温哥华冬奥冠军周洋在赛后因感谢父母，未先感谢国家而被国家体育总局副局长于再清批评后，中国运动员在赛场上的致谢内容和顺序便成了人们重点关注的细节。

对于李娜的获奖感言，大部分中国人认为：这是“私人”的胜利；是“体制外”的胜利；是“完全属于李娜自己”的胜利。

李娜的偶像是八夺大满贯的美国网球名将安德烈·阿加西，一个被认为实现了从桀骜不驯的青年到思想深邃的父亲的人生救赎的美国人。李娜说："其实每个阶段的阿加西我都喜欢，因为都是真实的，他都在展现他自己，我也想做我自己。"

李娜暂时还没活到阿加西那个份上。在一次澳网的赛后发布会上，李娜对媒体说："可能大部分人觉得运动员应该生活在一个框框里面，如果不在那个框里，就说叛逆啊，不服从组织啊。这对运动员和运动员所从事的项目不是一个好的推广。"

表演性备受推崇的当今体坛，观众愿意为运动员的个性买单。他们愿意在赛后迟些换台，就为了听听李娜如何在现场采访中展现机智与幽默。她在今年的澳网半决赛后，说老公姜山的呼噜声让她前一晚没睡好，逗得全场大笑。她曾笑言促使自己前进的动力是比赛的奖金，而姜山给予她的最大帮助是他的信用卡。比赛不顺时，她敢于喊观众闭嘴，甚至曾当着全场把姜山怒吼出去。

这一部分是李娜的个性使然，另一部分，也是体制之外赋予运动员的魅力与自由。

而在像中国乒乓球这样极度体制化的项目里，同样的做派对运动员则意味着巨大的个人风险。2006 年 3 月，22 岁的乒乓国手陈玘在日本举行的亚洲杯男子乒乓球单打决赛中输给队友王皓，懊恼之下摔了球拍，踢了挡板。这一举止很快被国家队定性为"严重的赛场作风问题"。回国后，乒乓球队随即召开处罚会议，每个队员都要站出来发言，对陈玘进行批评教育。会场上被反复提及的字眼是"浮躁"和"失控"。当着中央电视台的摄像机镜头，陈玘被要求把致歉信连念两遍。

邹市明从不掩饰自己对职业比赛的渴望，这个北京奥运会男子拳击轻量级冠军，一直想去参加有着高额奖金的WSB世界拳击联赛。但考虑到2012年伦敦奥运会的临近，国家体育总局一直未予放行。国家拳击队总教练张传良说："奥运会冠军会影响一批人，而一条金腰带则会影响几代人。我很理解邹市明想在职业拳台上一展身手的渴望，但作为国家一手培养出来的奥运冠军，他身上肩负的东西还是太多了。"

同处体制内的中国体操队员陈一冰也没能幸免。他在李娜夺冠次日发表微博："其实我真的特别羡慕职业化，每年可以有很多很多的比赛，目的也很明确，输了再提高自己，赢了有高额奖金，完全为了自己，不用背上什么负担。而我们呢，一年一个世锦赛，四年一个奥运会，可怜的我们连联赛也没有。一个运动员能有几个四年？成功了是因为我们国家体制好？如果四年换来一个失败呢，我们的付出呢？”

走上职业化道路并享受其成果的李娜成为从国民到其他中国运动员羡慕的对象，然而，中国网球的职业化之路在起步阶段却是布满荆棘。在李娜夺得2011法网女单冠军之前，中国网球之于世界的另外一起真正具有轰动效应的是1982年的“胡娜事件”。

1979年，新中国恢复了在国际奥委会中的席位，各个体育项目也恢复了单项职业比赛。1981年，中国第一次参加在日本东京举行的、有32个国家和地区参加的网球联合会杯，进了前16位。

1982年元旦，在墨西哥卫星城俱乐部的中心，不满18岁的胡娜赢得白宫杯金杯，这是中国第一个网球国际大赛的冠军。当时胡娜成了新闻人物，也成了中国“新长征突击手”，还作为封面人物出现在《新体育》杂志上。

1982年，中国网球队自组队以来的第一任领队杨明训带着由余丽桥、王萍、李心意、胡娜四人组成的中国女子网球队参加7月在美国加州圣塔克拉拉举行的联合会杯比赛。第一轮打日本队，中国队赢了，第二轮和德国队相遇，临到比赛前，胡娜突然不见了。“比赛前一天晚上，我和她聊天，一点都看不出有什么反常，结果比赛时找不到人了。”杨明训说，本来这次女队实力很强，因为胡娜事件，队里人心惶惶，队员也没心思打球，最后稀里糊涂输给了德国队。

在杨明训看来，如果胡娜就此留在美国，从此销声匿迹，也不至于惹出后面的风波。然而，“她没有身份，没法打比赛”，于是一年后，胡娜向美国政府申请“政治避难”获准，事态因此而进一步扩大。1983年4月6日，中华人民共和国外交部就此照会美国驻华使馆提出抗议，第二天，全国“体总”认为美国政府此举破坏了中美正常交流的气氛，决定停止中美1983年双边体育交往。

作为和胡娜同一时期的男子网球运动员，傅众与胡娜接触不多，但有限的接触也足以给傅众留下这样的感觉：“像我们，能拿个全国冠军就挺知足了。她不甘心，不满足现状，特想去国外打球。”

与众多普通工人家庭出身的网球运动员不同的是，来自四川的胡娜出身于国内唯一一个网球世家。胡娜的外祖父温岭16岁赴上海求学，在1926年慰劳北伐将士运动大会上获网球锦标赛男子双打冠军，当时在上海江南女子学校就读的外祖母杨渝君也是学校篮球队的主力。1950年到1965年，温岭先后在大陆西南军政委员会交际处与重庆市政府人事局从事文体工作，主要教授西南军政委员会领导中喜好打网球的一批人。在这一阶段，胡娜的舅舅、姨妈也进入专业网球队。1965 年，四川省网球队成立，当时特别指明从重庆将温岭调任省队教练，1972 年温岭退休。胡娜的弟弟、表弟、表妹在她之后相继进入网球学校学习，其中四人成为四川省网球队的专业球员。

“组织上挺培养她的。那时比赛少，一年也就五六次比赛，但无论是青少年赛还是成年组比赛都带着她。她还是四川省青年突击手，国家还给她涨了工资，基本上能给的全给了。”胡娜出走的原因一时成谜。

2003 年 7 月,《参考消息》记者在台湾采访到了胡娜，此时她已经定居台湾，是卫视中文台聘请的四大网球公开赛解说和评论员，同时在台北新店开办了碧潭网球俱乐部，任董事长。重提当年“事件”时，胡娜没有回避。谈及“事件”起因，她认为主要是自己太想成为职业网球选手:“1979 年，自从我在英国温布尔登中央球场观看了著名选手埃弗特的比赛后，我就有了一个强烈的梦想，就是一定要站在中央球场代表中国比赛。”

然而，在她相继获得全国所有冠军、亚洲冠军以及世界青少年比赛冠军后，却苦于无法再提高了。虽然国外有优秀教练提出免费为中国训练胡娜，但不被认同；而当时中国选手很少参加国际比赛，更不可能参加排位赛，进入职业比赛，成为真正职业网球选手的梦想变得很遥远。

“我那时实在是太年轻、太单纯，也太不成熟。”她说。她没有想到并感慨的是，此后不久，中国越来越开放，优秀运动员参加国际比赛，甚至赴国外受训的越来越多，原来与她搭档双打的李心意不久也去美国接受训练。傅众也有同样的感喟:“她哪怕晚走半年，就能赶上国家送运动员出国训练比赛了。”

留在美国的胡娜一直受伤病困扰，严重影响到训练和比赛，“职业”梦十分艰难曲折。她真正开始打职业赛并拥有世界排名是留在美国三年之后。1985 年，23 岁的胡娜参加了温布尔登网球公开赛和美国网球公开赛，并且在温网赛上闯入了第三轮，其职业生涯最好排名进入了世界前 50 位。

“当我站在温布尔登中央球场比赛时，心里很激动。因为毕竟在某种程度上实现了自己的梦想。”胡娜说，更令她难忘和感动的是，在温网杂乱的现场，她听到有人用汉语向她大喊“胡娜，加油”，“听到这声音，我的眼泪差点掉下来。”

1991 年，胡娜因伤告别球场，那一年，她 28 岁。

李娜在比赛中回球。（徐亮/摄，图片来源：新华社）

对于李娜如今的成功，有媒体采访到了胡娜。

当李娜躺在罗兰·加洛斯的红土上庆贺时，胡娜也在台北的家中为她喝彩：“我一直很关心她的发展，但有意思的是，我还没和她见过面。”

“从实力而言，中国近30年来，能和李娜比一比的也只有胡娜了，”杨明训如此评价，“胡娜那一代和李娜这一代的最大区别在于训练和比赛条件。胡娜那时，每年四五场比赛已算是同辈选手中多的了，而李娜她们现在的比赛，要多少有多少。从体质上看，李娜比胡娜好，而胡娜技术更全面些。”

“如果真有下辈子的话，你还会选择做职业网球手吗？”这是媒体抛给胡娜的问题。

她想了很久，说了这样一番话：“这辈子与网球结缘，让我有了精彩又丰富的人生，若有来世，必会因为今生的缘分而更精彩。来世的我也许还会选择网球，或者会尝试体验不同的人生。”

胡娜兴趣广泛，小时候学过芭蕾，喜欢唱歌，后来她还学过绘画，弹过钢琴。她还喜欢写诗，现在已经写了100多首。记者问：“如果要为你的上半辈子写首诗，你会起什么题目？”“圆梦，”胡娜说，“因为一切都是前世注定的。”

“圆梦”，胡娜为此付出了惨重的代价，经历重重磨难是否真正圆了自己的职业梦，明白的只有胡娜自己。

引发对举国体制的反思

如今的李娜已经是地道的“个体户”：自己安排行程；自己养活团队；自己支配奖金。这就是专业体育和职业体育的区别，而刘翔和李娜恰恰以代表人物的身份为两种体育模式作了最好的展示。

尽管李娜并不喜欢单飞一词，也坦言今日的成功是沾了举国体制的光。确实，如果不是小时候在少体校练羽毛球的经历，可能中国体坛就少了位网球大满贯冠军。但同样不可否认的是，如果没有北京奥运会后网管中心出台的单飞政策，这位湖北姑娘也不可能在29岁的年纪攀上职业生涯的顶峰。

李娜说自己是个喜欢自由的人，正是这两年有了舒心的环境、如意的团队以及高水平外教的量体裁衣，才让她完成了从“要我练”到“我要练”的升华，实现了中国网球人此前连想都不敢想的梦想。

而正在李娜忙于应付各方盛情时，由她的成功所引发的关于举国体制存废的讨论也一直没有停歇。

毋庸置疑的是，中国能够在短短几十年里一跃成为世界体育大国，坐上奥运会金牌榜的头把交椅，在亚运会上拿金牌拿到手软，除了几代体育人的付出和努力，举国体制功不可没。而这在一定的历史时期里，确实起到了振奋民族精神、增强国家荣誉感的作用。

但这种以奥运夺标为终极目标的倒金字塔式精英体育培养体系，能培养出刘翔却未见得能培养出李娜，更重要的是，它已经无法在从体育大国向体育强国迈进的道路上发挥更多的作用。尤其当中国社会经济发展到今时今日，可以令国人感到自豪的地方很多，已完全没有必要单纯地通过体育成绩来实现为国争光的目标。国家体育总局局长刘鹏亦曾在北京奥运会后明确了未来将向大众体育倾斜的政策，让老百姓身康体健、孩子们健康成长，让“终身体育”的理念深入人心，已经成为现如今中国体育所承载的第一要务。而中国竞技体育的发展形态，由纯粹的专业体育在部分项目上向职业体育转身，也已具备了天时地利人和的条件。

庆幸的是，李娜的成功证明了这种转身的可能和必要。对于那些职业化程度较高、商业化运作相对成熟、受众广泛的运动项目而言，将其从举国体制内放飞，不仅可以腾出更多的经费用于大众体育，说不定同样可以收获更多类似李娜法网夺冠般的惊喜。连在东南亚的藤球职业选手，都可以靠参加自己本国的藤球职业比赛过上富足的生活，中国那些职业联赛已开展多年的运动项目，像乒乓球这种恨不能打遍天下无敌手、群众基础又很雄厚的运动项目，何尝不能尝试在市场大潮中踏浪前行、自给自足呢？！

当竞技体育不再把奥运当作唯一的奋斗目标，当体育无须再背负太多的历史使命，职业体育完全可以以更职业的姿态呈现出勃勃生机。而专业体育和职业体育，完全可以像刘翔和李娜在各自赛场上痛快地驰骋一样，在各自的体制内良性循环。

每个时代都会有与时代合拍的突破和转变，李娜能在单飞后直上云霄，是一个个体样板式的成功，更是体育向本质回归的转折点。

体制的适度宽松让李娜得以解脱，而李娜的成功也给举国体制松了绑。

李娜法网夺冠，新华社记者发表时评指出：“无论怎样评价李娜这个冠军都不为过。除了创造了历史，这个冠军更是对中国职业体育，对中国从体育大国到体育强国的战略转型有着巨大的冲击作用。”

李娜这次历史性突破的意义和影响，远远要超过以往小球项目所取得的任何金牌，同时也解答了许多此前困扰我们的疑问：为什么我们在北京奥运会上夺取了51块金牌高居榜首，远远超过第二名美国的36块，却仍不被世人视为世界体育强国？为什么我们的乒乓球、羽毛球、跳水等绝对强项一再囊括世界大赛所有金牌，世界对我们的评价居然与我们对自己的评价几乎相反，还采取种种措施来限制我们？为什么我们在诸多国际赛场都是摘金夺银的主角，而一到了最有影响和价值的足球、

李娜在比赛中庆祝得分。（徐亮/摄，图片来源：新华社）

篮球和田径、游泳等顶尖大项的舞台上，就连不吃肉只喝汤的配角地位也保不住？

有专家指出，李娜在百年法网登上巅峰，首先证明了中国人同样也能在世界职业体坛出类拔萃，而不仅仅是在那些非主流的奥运项目上孤独求败。职业女网荣列国际职业体育的标志性项目之内，法网则是代表职业女网之巅的四大满贯之一，所以李娜不知给国人带来了多少激动和狂喜以及巨大的幸福感。

国家体育总局网球运动管理中心主任孙晋芳认为，李娜在法网夺冠为中国网球发展树立起了新的里程碑，扩大了中国体育在西方国家中的影响力。受李娜的影响，会有更多人喜欢网球，从而推广普及这项运动：“李娜在国际化、职业化程度极高的网球项目上取得突破，必将对中国网球未来的发展起到极大的推动作用，吸引更多的青少年投身到网球运动中来，为中国网球的可持续发展奠定更为坚实的基础。”

WTA 主席兼首席执行官斯黛西 · 阿拉斯特说：“李娜的成功无疑能够为网球在

中国这个世界上人口最多国家的发展起到巨大的推动作用，必将在中国掀起新一轮的网球热。”

在接受美国有线电视新闻网记者采访时，李娜自己也坦言：“我不知道具体会有多少中国小孩因为我而喜欢上网球，但的确喜欢网球的孩子越来越多了。以前在中国，网球可能不像乒乓球、羽毛球那样是全民运动，而现在越来越多的中国小孩拿起了网球拍。”

李娜夺冠后，网球在国内引起了更多人的兴趣：在武汉、济南和长沙等地，网球训练场馆和俱乐部的会员报名数量最近明显增加，不少家长争先恐后地为孩子预约网球课程和教练；在北京的各大体育用品商店里，平日相对冷清的网球专柜也出现了排队购买的景象……

“一只南美洲亚马孙河流域热带雨林中的蝴蝶，偶尔扇动几下翅膀，可以在两周以后引起美国得克萨斯州的一场龙卷风。”这就是著名的蝴蝶效应。

李娜在罗兰·加洛斯捧起奖杯，如同蝴蝶扇动翅膀，她引发的“龙卷风”应该包括全民对中国体育举国体制的反思。比如，单飞模式在中国体坛上能否复制或借鉴？目前，能够借鉴女子网球单飞模式的项目基本上都是与奥运争光战略没有太大关系的。比如，从事台球运动的丁俊晖，由于该项运动是非奥运项目，注定只能是个人投资，但是他的成功却让我们看到了真正职业体育的魅力，其中既有艰辛、不易，也有幸福和自由。另外，还有高尔夫球、职业自行车、赛车、马术、帆船等，目前也相继走上了职业化道路。中国体育真正的转变是体育观念上的转变，是中国体育制度的转变，由此可见，李娜的成功必然会给中国体育带来更多启示，引发更深的思考。

此外，李娜的成功还应该唤醒全民的健身意识。偶像的榜样力量是无穷的，相信会有越来越多的人模仿李娜，拿起球拍走上球场。我们不奢望人人都能像李娜一样在赛场上取得成功，但只要拿起球拍、坚持健身，其实人人也都成了李娜。因为，大家都是运动精神的代表。

（选自安徽文艺出版社《给力娜：2011李娜大满贯赛冠军珍藏纪念画传》，
2011年9月出版，作者：李晶、胡敏娟）

探秘火山口上的温州

2011年，温州中小型企业的债务危机震动高层，令全国乃至全球瞩目。本文作者深入温州采访调研，全方位解读温州债务危机的来龙去脉以及由此带来的震荡，对温州经济模式进行了理性的分析与思考。

中国资本之都遭遇黑色9月

当今中国的城市哪个最富有？既不是北京、上海，也不是香港、深圳，而是温州。

温州人是商人的典范，温州城是财富的象征。在外国人的眼里，温州人是比犹太人更会赚钱的“东方犹太人”，而中国总理则称赞温州人是中国式的“威尼斯商人”。

温州经济崛起之路成为全国效仿的典范，“温州模式”一直被奉为中国民营企业的经典教科书。

温州人凭借雄厚的资本取得决定商品价值的话语权。从房价到资源，除了国家垄断以外的所有领域，温州资本的腾挪转移一直都成为市场的风向标。

作为中国改革开放的前沿阵地，民营经济成长的摇篮，温州的一举一动都是国内外媒体的焦点，其关注热度远远超越了上世纪80年代的深圳和90年代的上海浦东。市面上描写温州人如何领先创业、如何会赚钱的书籍都很畅销，在金钱的话语权越来越重的时代，温州人在中国成了最受关注的族群。

然而以财富和产业著称的温州在2011年的仲秋季节却爆出了一连串骇人听闻的另类新闻——

“温州缺钱，由个人、钱庄、企业、官员、正规担保公司、银行所构筑的资金链条，正在逐环断裂。由民间高利贷支撑的温州中小企业正遭遇空前危机！”

此消息一经披露，国内外媒体蜂拥赶往温州。报刊、网站关于温州的报道一时间铺天盖地，一个个标题触目惊心——

《温州中小企业现倒闭潮》

《江南皮革老板黄鹤欠下数亿赌债逃跑》

《温州女老板‘跑路’效应扩散，十天七企业老板失踪》

《温州正得利鞋业的老板欠债4亿从22楼跳下》

……

而随着9月21日温州眼镜大王胡福林神秘失踪，引发了温州企业界、金融界的全面恐慌。

9月23日凌晨，一名叫张秀慧的高利贷中介人从27楼跳楼身亡，将恐慌的气氛推上了巅峰。媒体报道进一步升温——

《跳楼女揭开温州高利贷断裂链，官商银全城套牢》

《温州十天三老板跳楼自杀》

……

9月原本是海滨城市温州最好的季节，然而2011年9月的温州却弥漫着恐怖的气氛。温州工商企业界、金融界人人心头乌云密布。这个世界公认的中国最富有的城市一时间风声鹤唳，经过媒体的轰炸式报道，效应正在放大，并向全国蔓延。温州商人在各大城市都有投资，触角遍及全国。各地与温州有业务往来的企业和商家更是如同惊弓之鸟，纷纷赶往温州收账探听消息……

温州危机猝不及防的爆发让全国为之震惊，世界为之侧目！

这种消息对于深陷金融危机的西方世界特别敏感，香港和大洋彼岸的欧美媒体对温州的报道更是连篇累牍，铺天盖地。

以财富著称的温州一下子被架在了火山口上。

在全球金融危机中，中国是独善其身的国家。欧美等主要经济体一直都把拯救危机的希望寄托在中国身上，而温州正是中国最富有、最具活力的城市，温州对于中国和世界都具有非凡的象征意义。温州出现企业集中倒闭，老板纷纷跳楼、跑路这一特有的“温州现象”，令国内外一片恐慌。

跳楼、逃亡事件引起了中国最高领导层的高度重视。9 月下旬，国务院派出多个调查组分赴浙江省，重点对温州市进行调研。

10 月 4 日，在中国例行的黄金周长假期间，国务院总理温家宝亲自前往温州救火，与温州市政府，温州的企业家和经济学家们面对面地研讨，探讨危机的形成原因，寻找化解温州危机的策略。

由引领中国民营经济的“温州模式”，到企业集中倒闭的“温州现象”，这背后的成因究竟是什么？温州作为中国民营经济的摇篮，怎么会突然出现如此大规模的企业倒闭潮？亿万富翁聚集之地，怎么会爆发如此严重的金融危机？

毕竟温州人靠自己的双手创造了巨额的财富，温商也由此成为全国商界的偶像。那么温州到底是怎样一座城市？温州崛起走过怎样曲折的道路？温州人有着怎样的创造精神？温州商人到底是怎样的一个群体？从中国民营经济的引擎到引发世界经济恐慌的引爆器，这中间经历了怎样的演变过程？给予我们怎样的警示？关于温州危机，包括网络在内的各种媒体报道已经够多，但消息仅仅是披露。而作为报告文学，我希望能从社会文化的层面更进一步深入细致地解析“温州现象”的成因。

孕育金融风暴

温州商人认为已经进入了资本为王的时代，要靠资本投资来轻松快速赢利。于是这些老板们纷纷从实业中抽离资金，不再投入扩大生产，不再投入设备改造和技术研发，而将长期从实业中积累下来的资本拿出去进行资本运作。加上内地络绎不绝的招商团都把温州当作目标，温州人便在全国各地掀起了投资热潮。

稍加研究，就可以发现温州人的投资路线图。

稳健型的投向了固定资产，一部分是山西、内蒙古的煤矿。买矿山肯定是对的，因为谁都知道地球上的资源总是越来越少，通货膨胀时代是资本为王，到时候就是资源为王。另一部分在各地圈地，随着城市化进程加快，可供开发的建设用地越来越少，用项目投资的形式拿下各地的黄金地块——土地同样是宝贵的资源。最热的投资是上海、北京的房地产。

十年前，国际化大都会上海的房价低得让人咋舌，每平方米竟然才值 3 000 多

温州市区一处在建楼盘。据温州房管信息网的公告，该楼盘降价幅度在30%至40%之间。
（王定昶/摄，图片来源：新华社）

元。比比东京和伦敦，这简直是在卖白菜！温州人在价值发现上再次捷足先登。先知先觉的温商出手了，他们知道上海在国际上的地位，上海的目标是打造世界级金融中心和航运中心，并且已经在紧锣密鼓地申办世博会。未来上海的房地产升值空间巨大。

温州人怀揣大量现金杀进了上海。上海人虽然自视甚高，可是因为政策放开太晚，那时手中都没有钱，大上海的房地产一直很低迷。在徐家汇这样的次中心地区房价也上不了4 000元，闸北以外的才3 000元左右。温州资本的进入给上海房地产注入了强心剂，精明的开发商马上动用一切宣传机器到温州去推介促销，甚至包下豪华大巴请温州人到上海去旅游、看房。有钱的温州人这时都蠢蠢欲动，温州再有钱也只是小城市，有钱了便不甘心窝在温州，到上海置业享受成为许多温州人的共同心愿。

喜欢攀比跟风和抱团是温州人的性格特点，一旦有人开了头，大批有钱人立马一窝蜂地跟进。温州人手里的钱太多了，躺在地板价上的上海楼盘被温州人不问价钱地悉数吃进，而且是整单元、整栋甚至整片拿下。买房的动机也逐渐转化，由最初的自住或保值增值变成了囤积后转手倒卖，并开始相约组团以集群方式进军上海地产，这就是“温州炒房团”称谓的由来。房价快速攀升显现出了巨大的羊群效应，珠三角和内地的精明人携带着更多的资金蜂拥跟进。上海整个房地产行业像注射了鸡血一般兴奋起来，房价节节攀升，每天一变，房地产开发商眉开眼笑。温州人由上海起步，逐渐向北京、深圳、广州等一线城市拓展。在温州资本的引导下，中国内地各大城市的房价一个劲地往上蹿，并且驴打滚一般接连翻番。财经专家们关于人民币升值房地产受益的分析启发、开发商编造的“美国老太贷款买房超前享受”之类引导透支消费的寓言故事也让全国人民醒悟过来。况且 20 万首付撬动价值 100 多万的房产，无论自住还是投资升值都很合算。银行业也将房地产视为稳健无风险的高回报行业，敞开信贷闸门大规模放贷，老百姓贷款买房，开发商贷款拿地。全国性的房地产投资风潮吸引了大量实业资本和境外热钱涌入房地产业。国内外资本心往一处想，劲往一处使，钱往一处砸，十年涨了十倍，终于把中国的房价从地板炒上了天花板。

买房人的投资收益、银行的房屋贷款、政府的土地收入、开发商的利润，在资本循环中都得到了高额回报，中国的房价实现了“超英赶美”。然而物极必反的原理引发了民众对高房价的不满，房地产开发商获得暴利引发收入差距悬殊，引发人人喊打喊杀的极端情绪。但是整个中国经济已经被房地产业绑架，政府不得不祭出一系列撒手锏打压房地产平息民怨。这种多极利益的博弈，使中国经济陷入了一个尴尬的境地。因为高房价的始作俑者是温州商人，温州商人也从人们心目中敬重的偶像变成了无道的逐利者，一时间被千夫所指。

然而《温州商人》杂志总编潘建才却为温州人叫屈，并对此有一种新的说法。

笔者在温州调查中与潘建才先生就温州炒房团这个话题进行过深入的探讨。潘总编与我们常人的认识很有些不一样，他认为：“温州人是被房地产开发商利用甚至绑架了！”

潘建才分析说：“温州人是有钱，但再多的钱也不可能撬动全国的房价呀！温州人组团去上海买房确有其事，所谓‘温州炒房团’也是让人炒作的。最初是上海的开发商包了豪华大巴来接温州人去上海看房，吃住玩全免费。温州人把行情抬起来之后，就一直被开发商所利用。温州人一到哪里买房，开发商就借机造势拉高房价。'温州炒房团来了！再不买明年就翻番了！''温州人都看好的楼盘，升值潜力大着呢！'温州人成了开发商们的促销广告。"

潘先生的分析确实有道理，不过中国的高房价与温州人确实脱不了干系，且有文字为证。温州市2003年的方志年鉴（大事记）就以欣赏的口吻这样描述："温州大量房地投资者战场转移，巨额资金出击全国各地，目前有10万人携1 000亿资金在全国各地跨区域购房。温州购房团已成为全国各地举足轻重的群体，他们的进退、转移往往都是媒体的热点，也成为'浙江快线'回眸2003浙江经济的十大焦点之一。"

周德文先生对温州人炒房毫不讳言，他在演讲中承认，温州人投资固定资产资金中大部分是房地产。据他了解，有位温州商人手中的房产竟达到178套！有人问他还有多少房拿在手上？这位温商答不上来，说："等我回去查了电脑才知道。"

一再被炒高的房地产已经孕育着巨大的风险，不过这种风险只是一个方面。应该说炒房的商家基本上还是属于稳健型的，有更胆大的索性就做起了直接炒钱的生意，温州人俗称的"钱生钱"生意，实质上就是放高利贷。温州一带的民间金融资本活跃，对钱生钱的生意特别在行。早在严格的计划经济年代，温州苍南县金乡镇信用社就在全国率先突破中央银行规定的利率，在全国第一个实行浮动利率。前文已经提到1985年那次震惊全国的"抬会"事件，当年由于数额较小，在政府的干预下得以平缓化解。而在这个钱多得发愁的年代，早已不再是当年的小打小闹，一发生就是几千万甚至以亿计算，玩起这个来就特刺激。

当然这个行业的兴起也有它的特殊背景。善于冒险的温州人的历史传统是一个方面；另一方面是2008年世界金融危机爆发后，中国政府为了减轻出口减少对经济放缓的影响，大手笔投放4万亿刺激经济，掀起一轮高速公路、高速铁路的建设高潮，当然也包括一批重点工业项目。但是其中很大一部分通过央企流向了房地产。在西方世界一片萧条的情况下，中国却"风景这边独好"，GDP每年9%以上的持续增长，并在2010年重上两位数，达到10.3%。重要的是，中央投放的4万亿产生了几何级拉动效应，地方政府为了本地的GDP更是大笔举债，大兴土木搞基建、大干快上铺摊子。各地招商引资热潮有增无减，大小项目开工连续不断。内地有的城市甚至提出"每天要有项目开工，每天要有外资进入"的大跃进口号。然而这种靠纯粹投入性建设项目拉动的经济增长方式蕴含着巨大风险，国内外经济学家对中国过热的经济和过量投放的货币开始担忧。中央开始降调，要求各地认真学习理解“科学发展观”，试图把热度降下来，希望经济增长保持平稳温和上升的速度。然而中央的 4 万亿加上地方政府的积极性，4 万亿基数已经翻了几番，整个经济形势如同一列高速行驶刹车失灵的列车。经济界和国家决策高层都看到可能出现的危险，从 2010 年起接连不断发出降速刹车令。货币政策由过度宽松改为紧缩，央行从 2010 年 1 月起接连 12 次上调存款准备金率，最高时为 21.5%，达到历史最高点。

钱库的总闸门突然闸死了，流通渠道开始干涸，各行各业一片干渴。严控之下，大型国有企业尚有贷款指标，而民营中小企业原本就很难从银行获得贷款，这下有了“指导性”政策，银行把对民营中小企业仅有的门缝也彻底关死了。经济学家郎咸平说，2008 年，在政府的推动下，民营中小企业能够获得政府信贷支持的比率达到 30% 以上，到了 2010 年仅剩下极少部分，在连续 12 次提高存款准备金率后，民企基本无法从银行获得贷款。即使那些与银行关系较好，贷款方案获批的企业，因为银行没有贷款额度，企业要拿到贷款还须找担保公司，由担保公司介绍相应数额的资金到指定银行存款，增加银行的存款基数，然后再由银行放贷给贷款企业。而担保公司介绍的资金，其实也是相关企业从民间借贷渠道高息借来的企业实际上成了两头付息的冤大头。如此恶性循环使企业的资金链更加困难，也客观上对高利贷的滋生起到了推波助澜的作用。

温州的中小企业多是劳动密集型的低端制造企业，产品集中在布料、服装、鞋类、电器等普通日用品，过去一直以较低的劳动力成本出口欧美市场。由于西方陷入严重金融危机导致消费信心降低，习惯于高消费的人们捂紧了不断减少的钱袋子，造成生活日用消费品的订单锐减。而《劳动法》的出台规定了最低工资底线，低劳力成本优势不再，同业相互竞争激烈，许多规模偏小的中小企业抗风险能力的弱势逐渐显露了出来。

对于温州这些技术和产品都处于低端的民企，实质上遭遇了两头被卡脖子的艰难。来自国外的订单大幅减少，等于卡住了产品销售那头的出口；而国家不断收紧的宏观调控政策，让银行不再对民营中小企业贷款，等于扎死了血管、卡死了脖子。这使原本就缺少抗风险能力的民企，在两头挤压下生存更加艰难。

流动资金是企业的血液。材料储备、工资、水电消耗、税收都需要流动资金。一旦资金供应血管结扎，企业就难以为继。有不少小企业靠自有流动资金甚至独立支撑不了一天，可是每一个企业都有着强大的运行惯性，停产、转产甚至破产都需要很高的成本。

为了维持企业的运转，无法获得银行贷款却又急需资金的企业老板们，只好求助于民间借贷。于是深谙资本杠杆原理的人们抓住时机，一个个民间融资机构应运而生。这些“类金融机构”都不直接叫融资公司，原来注过册的自然公开称作“钱庄”，大多是带些暧昧的称作“典当行”“投资公司”，或者叫“担保公司”。一时间这些大大小小的“类金融机构”遍布温州街头，名称虽然各异，但经营的都是同一种营生——这就是“钱生钱”生意兴起的背景。

“钱生钱”生意是对这种民间借贷行为的直观描述，也是对金钱衍生本质的直露揭示。钱直接生出钱对人的诱惑是很大的。国家对民间借贷利率保护的底线是央行规定利率的四倍，但这些半地下状态的融资机构借出的利率都比国家规定高出十倍甚至数十倍。据周德文先生在宁波的演讲中透露，借给企业的利率最高的一年达到180%。其实不止是民间，一些半公有性质的金融机构贷款利率同样惊人。我在内地邮政所办业务时就曾看到邮政银行公开的宣传广告“小额贷款，好借好还”，月息为12.75%，这应该是国家允许的利率。在温州炒钱最热之时，据说月息4分、5分是普遍现象，甚至有比年息100%更高的，并且事先把利息扣下，就是说你借100万，实际拿到的是70万。一月一结息，借100万到一个月就得还150万元，这是名副其实的高利贷。可是对于资金断裂，因停产延迟合同可能遭受巨额罚款的小企业主们已经顾不上害怕，只要能挨过今天，明天再说明天的话。温州陷入了人人忙着筹钱，又人人忙着借钱的炒钱狂热。有钱的人都把钱从银行取出来放给民间钱庄，钱庄并不直接把钱给企业，怕不能按期收回，就由相关担保公司出面担保。其中担保公司再扣除担保的手续费用，因为风险大，这费用自然是高得吓人。几头盘剥构成了离谱的利息，做实业的根本无法支撑这样的高利率。但缺钱的企业为了活命，明知是饮鸩止渴也得强咽毒酒，企业界普遍承受着巨大压力。

另外，温州人的性格弱点也是这次危机中的重要成因。敢拼、好赌是温州人的典型特征，为了追逐暴利，甚至有人把钱直接提供给地下赌场。这次断裂的资金链条中，有相当一部分资金流入了地下赌场，进入赌场的这部分资金利息更是吓人，一般以天计算。银行—担保公司—高利贷—地下赌场，是最可怕的高利贷资金链条之一。

如果不是亲眼所见，网上传闻的温州赌风之盛我很难相信。而这次温州采访中，我正好亲眼目击了一场由赌博引发的自杀悲剧。

在采访结束将要离开温州的那天，我看离傍晚去上海的动车还有七个小时，就想去看望一个在龙湾港打工的同村叔叔。这叔叔名叫郑桂木，在温州给人开大货车已经有十多年了，我很想知道他的生活状态，便约好去看他。这天正好是星期天，他没出车，听说我到温州了要去看他，既意外又欣喜，就告诉我路线，到龙湾码头附近一个叫“白楼下”的村子下车。到了“白楼下”，我正在四处张望，却见一队穿孝衣、扎纸人纸马的送丧队伍在大路上游行。我见到郑桂木，顺口问了句：“今天村子里死了人了？”桂木叔笑笑说，“是死了人，但不是老死的，也不是病死的，是喝药闹死的。”我问为什么，他说，“还不是为赌博？温州这边人都好赌。”他描述说，死者的儿子跟人来赌，一夜把村里卖地分的20多万元输得精光。温州并不是人人都很富有，这家人并不是富裕人家，这钱没了，日子就没法过了，老母亲既心疼钱又恨儿子，一气之下喝了农药……

在温州龙湾港口一个叫“白楼下”的村子，桂木叔的妻子余婶在他们租住的简易楼房里热情地招待我。可是这顿饭我吃得索然无味，不是饭菜不好，是因为我被刚才看到的一幕震惊得还没有回过神来。在这里，我生平第一次亲眼目睹了赌博致死人命的场景，心中十分复杂。在对温州人佩服的同时，也开始思考他们性格中的弱点。当然赌博这个古老的恶习并非温州独有，然而在有钱人聚集的温州却更为普遍，更为无度，甚至称得上是迷恋，跟高利贷相生相伴一样地疯狂。我想起这次金融危机中最先跑路的老板黄鹤，就是因为嗜赌成性致企业倒闭的，而在这次温州跑路潮中，有好几个老板都是因为嗜赌欠下巨额赌债不得已选择了逃亡。

温州人性情的另一面是复杂的。他们一面做着刀口舔血的营生，一面把来得太容易的钱用于奢侈消费。有人买豪车，有人买豪宅、穿名牌，也有人在赌场比拼看谁的钱多。

中央电视台曾经做过几个关于温州人的节目，其间不无渲染地说到温州的富有和奢华，但这种文学手法的渲染与现实中温州的奢华相比仍有不小的距离。比及创业初期，现在温州人经过炒房、炒钱，赚钱来得更快，花起来就更为阔绰。央视的报道中说温州是豪车最多的城市，世界上的名车温州都有，而且相当普遍。每天豪华酒店门前都停满了各种豪车，宝马、大奔在温州只不过是大众消费水平。与出租车司机闲聊时，来自安徽的出租车司机对温州人的富有奢华抱有明显的愤怒。当他的车路过双屿鞋都附近时，他指着一栋别墅说，这里不知住的什么人，不知做什么生意，上个月办婚事排场极了，清一色刚出厂的新“大奔”排了几里长！我在温州时买了一份《温州商报》（2011年11月4日）有一则报道车祸的消息，称昨天发生一起车祸，四辆轿车连环相撞，其中三辆是宝马，另一辆好像是劳斯莱斯。

在温州，办宴席一定是有燕鲍翅的，用酒非茅台、五粮液不成席，香烟清一色3字头软包装大中华（83元/盒），桌上放几包是公用，另外每个客人派一整包。一般人家结个婚下来，花费不上千万就算是小户人家。《温州商人》执行副总编周桂美是安徽人，他在温州工作有十多年了。在他的评论中，其实有不少是关于温州人性情的，这种性情不好说就是弱点，但另类是肯定的。他说温州人赚钱时不要面子，只要能赚到钱什么都肯干，什么手段都用上，但是赚钱后的消费却也是世上最讲面子的。说到面子，我想起在出租车上聊天时司机对温州人的评价。他说：“温州人是死要面子的，没有钱也从不叫穷，非要摆出有钱的谱。他身上哪怕只剩100元钱，也要买一包硬盒大中华烟装门面。”周桂美听了后说这个司机很了解温州人了，温州人确实把面子看得很重，但凡老板出门在外，住宾馆一定要带会客室的套间，似乎不如此就显不出身份。他自己就有亲身的体会，有次在北京，一个老板约他见面，看到老板住在天安门附近的一个星级宾馆的大套间里，一下把周桂美镇住了，以为晚上吃饭会在大酒楼里。没想到事谈完了，老板却把他引到一个很小的餐馆里吃了顿便饭。他猜测住得高档一方面是虚荣心的表现，当然也有谈生意装门面的需要。周桂美说，温州人的虚荣心无处不在，而且攀比心理特别强。苹果手机iPhone4刚一上市，温州人立马疯抢。有一次，在他们杂志社召集的一个联谊会上，他发现100个老板至少有80多个用的是iPhone4。一款新车流行，哪怕他坐驾还是新的，立马再换。所以内地许多人都知道温州老板的性情，常常来温州淘二手豪车。温州人不仅把全国的房子炒高了，也捎带把本地的房子炒成了天价。我在温州期间专门看了温州的房价，似乎比上海、杭州更吓人，满街的中介公司挂出的房价最低17 500元/平方米，而且是旧房。我租车专门去刚开盘的橡树湾售楼处，看到的价码是公寓房最低户型238万，好地段楼面每平方米在3万至4万之间，而“绿城”“曼哈顿”等高档富人区，最高曾经卖到9万，进入11月后因金融风暴大跌，也仍还在6万元/平方米左右徘徊。

水涨船高的奢华消费刺激着温州人的赚钱欲望。在温州，钱就是一切，再大的身份没有钱也没面子。而欲望是温州人敢于冒险的最大动力，也是高利贷行业迅猛滋生的土壤。

明知是高风险的营生，可是人们却很难抵御那一夜暴富的诱惑。谁都知道这是击鼓传花的游戏，可是都希望自己接的不是最后一棒，于是参与者越来越多。胆大的炒家不仅把自己的钱悉数投进，还从兄弟姐妹亲戚朋友手上以高额的利息把钱借过来交给钱庄，自己当二老板从中吃差价。当然这其中也有权力寻租者的影子，这部分资金因为来路不明所以最隐秘，一般都是通过第三者出面经营。据说有的权势人物都是帮企业从银行贷出款来，由企业借给钱庄放贷，自己隐在背后坐收渔人之利。有些银行也参与其中，银行工作人员与有贷款配额的大型企业勾起手来。有财经记者调查发现，银行是温州高利贷资金的重要供应渠道。银行受央行利率制约不敢公开提高利率，而且正常利率的贷款额度也限得很死。但银行毕竟是企业，最终以赢利为目的，明着不能做就暗中把钱贷给这些有关系的企业，再由这些企业以短期高息拆借的方式借给急需流动资金的中小企业，自己隐在幕后直接分红。在炒钱高峰时期，温州很大一部分人都成为资金链条上的一环。据《财经国家周刊》披露，人民银行温州分行曾作过一个调查，发现调查对象中有89%的家庭个人和59.67%的企业参与了民间借贷，甚至还有老板倒腾承兑汇票从中牟取暴利。凡此种种，各种炒钱妙招花样百出，不一而足，并且愈演愈烈。这个时期的温州表面平静，内里却云谲波诡，险象环生。人人都在兴奋之中，人人都在恐惧之中。每个人都在计算自己放出去的钱要生出多少利息，并为自己获得的意外财富激动不已。但是人人又都为自己放出去的钱提心吊胆，这是贪婪者之间发自灵魂深处的痛苦博弈。然而泡沫没有

温州江心屿一景。（王小川/摄，图片来源：新华社）

破灭之时，人们都心存侥幸。眼看着高位运行的资金链越绷越紧，已经有许多人预见到灾难总有一天会降临，参与其中的每个人都屏住呼吸，在心里祈求这根链条能够多维持一些时日，以便让自己全身而退。然而退出也不是容易的，资金一旦加入这种高速运转的游戏，每一个环节的利益链条紧紧交缠在一起，谁也无法轻松地撤离。

温州人——数钱数得发晕的温州人，每个人的心都提到了嗓子眼上。

温州，这座表面繁华平静的资本之都，参与资本游戏的每个人都感到是坐在火山口上，而这火山口是用一根长长的无形链条牵着的，任何一个环节断裂就会引发灭顶之灾。

财富之都崩塌

地震发生之前是有征兆的，温州事件也是有征兆的。炒钱狂热到了顶点，几乎是全民参与，早已经积蓄了惊人的能量，一旦引爆，杀伤力无法估量。只不过沉湎于其间的人都在疯狂中昏了头，谁都不愿去想象这可怕的后果。就像2007年的股市一气冲上了6000点，人人亢奋不已，谁也没想到要跌下来，谁也不希望跌下来，都巴望着继续往上涨，甚至不少人直接叫喊迎接中国A股的万点大关。

然而该来的终归要来。股票市场在2007年10月19日攀上6124点之后就开始一泻千里地下跌，直到1664点方才止住。四年后的今天仍在2100多点低迷震荡，这已退回到十年前的水平。贪婪使不少人将原来从股市快速赚得的钱还给了市场，许多人把多年的积蓄砸了进去并致不少人倾家荡产，痛不欲生。今日的温州疯狂炒钱热颇有些类似2007年的中国股市，在狂欢和担忧中走到了末路。然而置身其中的人们都在狂热中迷失了方向，似乎都忘了“有涨必有跌”的简单规律——这种击鼓传花的游戏是不可能长久的，鼓声终有一刻会停下来。也许大家都心知肚明，只是每个人都希望不要在自己手里停下来。

清醒者也大有人在，民进中央经济委员会副主任、温州本土著名经济学家周德文较早发现端倪。他看到中小企业生存日益艰难，看见高利贷现象愈演愈烈，一直忧心忡忡。他多次以各种方式向社会发出预警，预测中小企业即将到来的倒闭潮，警示温州民间金融业堆积了巨大风险，并警告说危机随时可能爆发。然而亢奋中的人们没把他的话当回事，并且当地部门还说他危言耸听——“周德文就是乌鸦嘴”。

其实无论是政府还是企业、特别是高利贷的放贷人心里都明白，周德文讲的是真话，只是谁都不愿这一天的到来。泡沫吹大了总有破灭的时候，链条绷紧了也总有断裂的时候。不管人们愿不愿意，该来的总是要来，人们一直担心的、也是最可怕的事情终于发生了。一连串老板跑路事件虽然没有声响，在人们心中却胜似六月的暴雷，让身陷其中的人感到天崩地裂。

温州城市虽不算太大，老板却太多太多了，跑路的老板似乎天天都有。如果把温州跑路的老板比作多米诺骨牌，那么现在已经无法确认究竟是谁第一个倒下的。犹如那次汶川的大地震，你很难确认是哪个地块最先开始塌陷。

2011年4月初，温州龙湾区江南皮革有限公司董事长黄鹤突然失踪。江南皮革是江南控股集团旗下的公司，江南控股是龙湾开发区较有实力的企业，具体债务是否与江南控股有关？外人无法知晓。媒体公开的原因是江南皮革董事长黄鹤参与赌博欠下巨额赌资，无奈出逃。有要债的人改古人名诗称其是“黄鹤一去无消息，留得工厂空悠悠”。

江南皮革黄鹤跑路事件并没有引起人们的警觉，因为公开的原因是参赌，所以人们只把它看作是个案。然而没想到黄鹤出逃却引发了真正的多米诺骨牌效应，随后企业老板失踪的消息接连不断——

4月，温州波特曼咖啡因经营不善，企业主向民间借下高息资金，最终导致资金链断裂，老板严勤为夫妇被迫出逃，旗下华昌大厦店、杏花路店、冰心文化中心店、松台大厦共四处连锁店全部关门。

4月，温州乐清市三旗集团董事长陈福财因为资金链出现断裂，企业互保出现危机，不得已出逃。

6月初，温州铁通电器合金实业有限公司股东范乐乐突然出走，知情人估计涉及民间借贷资金千万元以上。

6月中旬，温州乐清浙江天石电子公司老板叶建乐失踪，据传叶某欠下7 000万的巨债无力偿还，只好选择出逃。

7月，温州恒茂鞋业的老板虞正林出逃。

7月底，温州龙湾区海滨街道巨邦鞋业有限公司老板王和霞出逃，据传这个女老板欠债金额高达一亿元。

8月1日，龙湾区鞋业行业协会就此事向各会员企业发出内部通报，称王某逃离企业，主要原因是“涉足一家担保公司”，因担保公司老板出逃而受牵累。

8月24日，温州瓯海区锦潮电器有限公司老板戴列竣失踪，知情人说同样是涉及担保公司的债务牵连。

8月29日，温州鹿城区耐当劳鞋材有限公司突然关门，老板戴志雄悄然出逃。

8月31日，温州部落之神鞋业有限公司老板吴伟华失踪。

9月1日，温州蝶梦儿鞋厂老板黄杰失踪。

9月10日至12日，是传统的中秋小长假。往年这个时节正是温州消费最旺的季节，大街小巷张灯结彩，餐馆酒楼觥筹交错，资本之都处处笙歌。然而2011年的中秋却被企业老板们当作了躲债出逃的天赐良机，一大批企业主趁着中秋节上演了一次“敦刻尔克大撤退”——

中秋节期间，温州欧霸标准件有限公司老板失踪。

中秋节期间，温州金竹工业区星际鞋业老板跑路；唐风制鞋老板黄伯鹤跑路。

中秋节期间，龙湾新耐宝鞋业老板失踪，仅欠工人工资一项就达100多万元。

中秋节期间，温州瓯北浙江阿斯泰阀门有限公司老板跑路。当天下午4点左右，债主上门搬空公司里的机床设备，据统计，该公司欠贷款2 000万以上无法偿还。

而中秋节期间最具创意的出逃方式要数奥米流体设备科技有限公司的老板孙福财。据知情人讲，以往每年过中秋节，孙老板都只象征性地发点方便面之类略作表示。没想到，今年孙老板突然大方起来。中秋节前夕，管理部传出让全厂300多名员工兴奋不已的消息，说今年中秋要送全体员工去雁荡山旅游度假，而且厂里不留人看门，连五名保安也全部跟去，费用由公司全包。员工们兴高采烈，欢天喜地去了雁荡山，等两天游玩回来却发现，厂院空空荡荡，公司内外鸦雀无声。40多台总价值上千万的精密加工设备不翼而飞，董事长、总经理及高管们全部在中秋节期间撤离，谁也不知去向。公司员工们聚集在空厂院里全傻了眼。

中秋节期间，温州市龙湾区“百乐家电”法人代表郑珠菊欠债2.8亿外逃，不过她没有跑脱，半个月后被警方抓回。

9月19日，信河街上开业刚两年的温州福燕（经营燕窝）兄弟实业有限公司倒闭，资金链断了，老板欠下几亿高利贷跑了，仅存的房产被银行转卖。

9 月 21 日，温州浙江东特不锈钢有限公司老板姜国元跑路。一名在门口揽客的出租车驾驶员看到不少债主陆续来要债，其中两个当地人，一个手持欠条 1 800 万,一个 1 600 万，听到老板跑掉，两人腿一软，瘫倒在地。

9 月 24 日，位于温州市经济技术开发区内的正德鞋业老板突然失踪。以往早上来来往往的都是上班或联系业务的人，而这天早上门口围着上百人，这些人都是来要货款或欠债的。这家鞋厂规模中等，占地面积 8 000 平方米，建筑面积 5 600 平方米，现有职工 800 多人，属于以外贸为主的企业。皮鞋产品主要销往欧洲、美洲和非洲。具体涉案资金多少尚不清楚。

9 月 25 日，综艺鞋业的老板突然不知去向。

9 月 26 日，国强鞋业的老板人间蒸发。

中秋节后老板大撤退事件仍是层出不穷。对温州中小企业了如指掌的学者周德文有一个统计，老板跑路最多的一天达到 22 人。

……

历史注定了要让温州人记住这个黑色的 9 月。整个 9 月，温州人每天听到的都是老板跑路的消息。人们由开始的侥幸到后来的紧张，直至惶惶不可终日。而接下来发生的事件最终让胆大的温州人懂得了害怕，并引发了这座财富之都的全城恐慌。

9 月 22 日深夜 1 点左右，位于温州学院中路的人才大厦 D 单元门口发出一声闷响，因为是深夜，没有引起人们的注意。直到次日清早，打扫卫生的清洁工发现了地上趴着一个人，她身着红色衬衣和牛仔裤，周边一大摊血，才赶紧报警。经警方查明，死者是这幢大楼 27 楼的住户阿慧。阿慧名叫张秀慧，50 岁，住在人才大厦 E 单元 27 楼。看到别人都在放贷做炒钱的生意，阿慧也动了心，她想要是趁势挣上一笔养老钱，后半生就不愁了。于是她开始留心这类信息，这时她的一个远房亲戚陈繁蓉对她说，只要能筹到钱交给她，她保证每月付 2 分的利息，另外阿慧可以有 5 厘的息差。阿慧很信任陈繁蓉，两人认识 20 多年，不仅很要好，还沾亲带故。在阿慧眼里，陈繁蓉是开印刷厂的老板，很有实力，值得信赖。她本人并没有多少钱，便调动一切人脉资源，以 2 分的利息到处揽钱，亲戚朋友的、加上自己用住房抵押借的，一共筹到了 2 000 万元。阿慧算了笔账，如果这些资金能平稳运转一年，付给借钱主家的高息后，自己还可从中获利 100 万元。不过，钱交给陈繁蓉之后，阿慧每一天都心神不定，特别当她陆续听到老板们跑路的传闻之后便开始经常做噩梦。好在住在一幢楼上，两人几乎每天都可以相互看到。只有看到陈繁蓉，阿慧才感到踏实。可是从中秋节前好几天，她突然没见到陈繁蓉了，阿慧心里有些发慌，而且她一连几天给陈繁蓉打电话，对方都没有接。阿慧几次去陈繁蓉家敲门都没有敲开，她开始担心，天天吃不下饭睡不着觉。22日一整天她待在家里不吃不喝魂不守舍，一直熬到深夜，阿慧再次来到陈繁蓉的住处敲门，固执地一直敲。在确认无人答应后，她恐惧到了极点。不知哪来的力气，她使劲把门撬开冲了进去，房内空无一人。她这才相信陈繁蓉一定是跑了，她的钱，她借给陈繁蓉的2 000万元，那是好多人家的血汗养命钱啊，她怎么向这些人交代呀！绝望和惊恐交织，一时万念俱灰，脑子一片空白，阿慧感到浑身被掏空了，灵魂离她而去。显然活路是没有了，不如彻底解脱，一了百了。阿慧恍恍惚惚飘了起来，打开窗户，从26楼朝窗外纵身一跳，楼下的水泥地面随后发出一声怪异的闷响。次日清晨，清扫工人发现了平躺在地上的阿慧，她的红裙子与溅在地上的一摊鲜血融为一体。这个事件在温州很快传播开来，阿慧的死让所有参与高利贷牟利的人都感到了一种强烈的心灵震撼。

9月27日下午，温州双屿鞋都再次上演了惊心动魄的一跳。拥有多家制鞋企业的老板沈奎正因高利贷被逼上绝路。初步查明他共欠债4.3亿元，其中银行贷款2亿元，民间借贷2.3亿元，到期无力偿还，一咬牙从五楼纵身一跳，气绝身亡……

在麻木和狂欢中，只有生命和鲜血才能使人清醒。阿慧和沈奎正惊心动魄的一跳，终于让温州从沉默和幻想中惊醒。他们用两条生命，用惊世骇俗的鲜血，向世人揭开了温州高利贷地下运行的轨迹和神秘诱人的面纱。

根据阿慧留下的简短遗书，证明她的跳楼是由于高利贷资金链的意外断裂。她的上家陈繁蓉手中握有好几条下线的资金2亿多元，而陈繁蓉在温州瓯海区仰义乡开印刷厂。我看了这则报道后，专门包出租车去仰义街上看过，那个印刷厂规模不大，面积也就是一个较大的农家院落，大门能供货车出入。院子里停着一辆小货车，院内堆着些印刷材料，里面的机器看上去也不是很值钱。我试图走进去看看，但电动闸门紧闭，一个打瞌睡的保安跑出来警觉地诘问我是做什么的？我立马说是来追账的。他不耐烦地说，前几天政府让登记你咋不来？然后朝我摆摆手让我离开。我看见院子里一片狼藉，外面院墙上写满血样的大字——“欠账还钱”。也许油漆太稀或是太多，也许是写字的人带着情绪，每一笔画都看得出愤怒，红漆顺着墙往下流淌，像是一道道往下淌的斑斑血迹。

从外表看，你根本无法把这家小印刷厂与2亿债务联系起来。但是陈繁蓉的确是欠了2个多亿，这些债务一部分是通过各种渠道，以许多人的名义、许多种名目从银行贷出来的。一部分是许以高额利息从亲朋或熟人处借来的，其中就有阿慧从亲朋好友手里借得的2 000万元。

阿慧与陈繁蓉这个资金链条关系形象地解读了温州市民间高利贷链条的运转线路图。陈繁蓉借钱根本不是用于自身业务，一个小印刷厂也不需要这么大的周转资金。陈繁蓉的印刷企业只是个融资的平台，她赚钱主要是做炒钱的生意，也就是高利贷。她以高额利息从别的放贷中介人手中把资金借过来，再以更高的利息借给沙城街办事处副主任董宇驰。董副主任又把钱借给在杭州市做房地产生意的姐姐，董副主任的姐姐在杭州的地产项目原本应是无风险的暴利投资。然而今非昔比，国家从宏观政策对房地产实行严格调控，董姐的合作伙伴在生意上出了问题，她通过弟弟从温州高息借来的这些钱无法回笼。高利贷的特点就是高风险，大大小小牵着无数食利者。庄家每放一笔钱都提心吊胆，任何一个环节断掉就等于把无数人推下了深渊。而董宇驰这些资金都是从陈繁蓉处高息借来的，到期还不上意味着什么董宇驰很清楚，无奈之下董宇驰只得逃亡。陈繁蓉的钱则是许多个阿慧似的下线从他们各自的亲戚朋友熟人圈子里借来的，董宇驰跑了，陈繁蓉慌了，只好连夜逃走，至今不知去向。而陈繁蓉的下线阿慧发现陈繁蓉跑了，无法给众人交代，只好以死寻求解脱。至于以后还有多少人会选择像阿慧这样了结，无法预测。

而另一个跳楼的沈奎正则是企业流动资金短缺，银行收紧银根，信贷卡脖子被逼陷入了高利贷的漩涡。沈奎正拥有正得利鞋业、青春秀鞋业、左右鞋业等多家企业，他的流动资金主要靠银行融通。近年来，沈奎正通过企业厂房、个人房产抵押和其他企业的互保等方式，在建设银行、工商银行、广发银行、瓯海农村合作银行等多家银行融资两亿多元。按照温州银行业的游戏规则，你得先存上一笔款才能给你贷款，一旦到期，必须按时先还上这笔贷款，然后再重新申请贷款。这一还一贷的申请指标，到资金到位中间有一段不小的空当。为了按时还款，企业就得千方百计筹措资金。银行还款与放贷之间的时间差一般最快也得一两个月，这就使得高利贷大行其道。企业断了资金就如同人断了血管，为了争取到下一笔贷款，到了银行还款时间就只有求助于高利贷。不管利息多么吓人，也得咬牙借来。这在往年是很正常的，虽然拆借资金利息吓人，但时间短尚能承受，无非压缩企业的利润空间而已。然而2011年以来，央行接连提高各大银行的存款准备金率，并同时对各银行信贷指标一压再压，资金链条如同绞索步步收紧。并且据说有内部精神，要防范民营中小企业的金融风险，对中小民营企业停止发放贷款，这下可就要了这些企业的命。沈奎正就是让银行给逼上了绝路。在贷款即将到期时，沈奎正通过担保公司转借高利贷搭桥还贷过关，虽然高利贷的利息以天计算高得吓人，但只要能得到银行续贷就可以把企业支撑下去。然而惯例在紧缩政策下改变了。沈奎正在借了高利贷还给银行后，却没能得到预期的续贷。这下沈奎正没了退路，担保公司开始天天找他追债，高利贷逼债都是请的玩命的主。据知情人说，在沈奎正跳楼前每天被人跟踪威逼恐吓，精神几近崩溃。亿万量级的资金到哪里去筹？与其痛苦万分度日如年，不如以死解脱。9月27日下午，沈奎正在公司闷坐良久，忽然对人说他要回家去洗澡，便离开了厂区。他的住处在位于望江东路的顺锦商厦，不一会儿有人看到他爬上了窗台，留恋地看了一眼周围，毫不犹豫地纵身往下一跳，从此一了百了。

而正在这时，又传出更为可怕的消息——国内外闻名的眼镜大王、温州信泰集团董事长胡福林已经不辞而别跑到了美国。他走的消息别人一点也不知道。原定在9月20日前后要与一家香港公司签约的，他的下属却在21日接到他从美国打回来的电话。他打电话给他的心腹，直言不讳地说了他的难处。表示由于投资规模过大、产业面过广，造成企业的资金链断裂，他的信泰集团名下已欠下银行和相关企业的债务20亿元。银行今年突然收紧银根不再续贷，企业已经无法运转，一大堆逼债的成天围追堵截找他要账，他已无片刻安宁，被逼无奈只好出走。胡福林明确地表示，自己不会再回温州了，让下属给员工发工资并遣散工人。这种信息十分敏感，当天就有上百人得到消息，从四面八方赶来围住信泰集团要求还债，部分债主甚至睡在信泰公司的办公室，表示讨不回钱坚决不回家。而当晚11时左右，信泰集团执行总裁胡明芬致电温州市瓯海经济开发区管委会，称董事长胡福林的电话已打不通，说："老板可能跑了，局面难以控制。"希望政府紧急介入信泰老板出走事件的处理。瓯海经济开发区管委会紧急成立应急专班进驻信泰集团，分为财务调查组、维稳组、接待组。主要负责接待供应商和债权人，登记债务，结算员工工资，防止有人哄抢公司财产，以防事件进一步发酵扩大。胡福林的信泰集团是全国最大的眼镜生产商，在温州也是数得着的企业，他名下有20

多家企业，他的出走成为温州又一枚杀伤力巨大的爆炸物。

胡福林的出走和接连发生的血腥惨烈跳楼事件震撼了温州社会，也在国内外产生了巨大影响。仅22日一天，温州就有九个老板跑路，网上还爆出了一份《温州老板跑路清单》，并且《看好你的老板》之类的文字也被网民频频转载。整个温州终于陷入了全面的恐慌之中。在利息越来越高的沸腾氛围中，老百姓都通过各种渠道把钱借出去，明知火中取栗也想捞一把。而一旦风险显现，又都急着想把自己的钱要回来，这时候想全身而退无疑是洞中拔蛇。随着老板跑路的越来越多，社会恐慌氛围越来越浓，那些被卷入的老百姓开始上访闹事、聚众堵塞交通。昔日称作资本之都的温州，整个城市被架在了火山口上……

温州之危解救

就在国内媒体接连报道温州事件的同时，温州危机也迅速波及海外。进入10月之后，“温州资金链断裂”“温州危机”这样的字眼频繁出现在世界各地的媒体中。英国广播公司从10月初连续报道：“温州一直被视为中国经济的一个晴雨表，但最近那里的中小企业出现倒闭浪潮，员工欠薪、老板外逃或自杀事件频繁发生。”美国《大西洋月刊》等西方媒体还有意夸大渲染温州危机的程度，并延伸说“中国城市的居民都谴责温州人推高房价，助长通货膨胀”。德国《商报》以《温州危机》为题报道说，温州是中国私营经济的“灯塔”，也是中国私营企业的最大“试验基地”，但试验总是要付出代价的，温州经济过快发展，过度依赖走捷径，产业缺少坚实的基础，遇到困境是必然的。德国《世界报》在一篇题为“金融崩溃绊倒温州”的报道中说，如果“温州危机”在中国带来“滚雪球效应”，其规模之大会让希腊债务危机相比之下成为“小事一桩”。这些媒体更担心的是，对于高速发展的中国经济，“温州恐慌只是冰山一角”。此外，“温州之痛将把整个中国的经济拖进深渊”的议论更是此起彼伏。温州是西方人眼中的“中国资本主义之都”，但温州的GDP只不过占全国总量的1%多一点。因此也有经济学家说，“中国很大，一些局部地区的泡沫破灭尚不至于拖累整个国家”，只是不能任其这样发展下去。

加拿大《环球邮报》10日刊登的文章评论说，“温州之痛”的根源不在于资金缺乏，事实上温州民间融资始终兴旺、活跃，症结在于大量资金不再投入实体经济，而是根据资本逐利本质，被投放到房地产、矿产资源等暴利领域。因为民间信贷利息很高，投入实体经济根本无法获得满意的回报率。也有一些国外专家认为，“温州模式”在于对外部依赖的比重较大，而在对于民营中小企业抵御风险方面，不仅温州人准备不足，中国各级政府也缺乏应有的准备。各方舆论都认为，中国政府需要保护以温州为代表的民间经济，因为温州是一个反映经济指数的特殊“风向标”，不应该让其“倒下”。当年的“温州模式”激活了整个中国的民营经济。那么“温州危机”如果处置不当，其“亚马孙蝴蝶效应”同样会很快波及全国。从另一个角度看，接连发生的跑路跳楼事件也会危及整个社会的稳定，导致整个社会的商业诚信体系崩塌。温州是商业信誉意识最强的城市，温州人在国内外的商业信誉也是最好的。拯救温州的信誉就是拯救中国的信誉，温州危机能否成功化解，对于全国乃至全球影响巨大。

其实中国政府自然更知道温州的分量。温州地方政府不再犹豫和掩饰，赶紧采取紧急应对措施。由政府出面直接介入一些影响较大的企业化解危机，登记债务、安置员工，安抚关联企业、稳定社会秩序；并将实情报告省政府和国务院。

中央高层对温州的经济动荡早已高度关注，国务院智囊团的专家已经着手对温州现象进行解析。9月22日，温家宝总理急派国务院调查组赶赴温州深入调研。作为在全国有影响力的本地经济学家，周德文自然首当其冲受到特别邀请。国务院调查组的主要目的就是调研温州老板纷纷出走的真实原因，了解温州企业困难程度和高利贷对温州社会经济的影响。在与地方政府、企业界、金融界以及部分学者广泛接触后，调查组很快回京复命。而周德文在几天之后得到政府通知，要他最近不要离开温州，出门要向政府打招呼，也不要关手机，以便随时保持联系。周德文从这种特别招呼的方式中预感，可能会有中央领导在近期要找他参与座谈。

没过几天就到了一年一度的国庆黄金周。周德文的预感很准，就在黄金周期间，10月4日，国务院总理温家宝亲自来到温州调研。

在国家领导人眼里，温州是极具象征意义的城市。当年温州曾经成为“姓资姓社”的争论焦点，后来又成为带动中国民营经济的引擎和风向标。根据《温州年鉴》的记录，近20年来，党中央和国务院的所有领导人都曾来温州调研考察过。温家宝总理对温州更是重视，之前两次来温州作过调研，而且几次出国访问带的随团企业家成员都少不了温州商人。而这次的调研，实际上就是为温州解决难题。选在黄金周期间来温州本身就说明了温州事态的紧急和严重程度，温州事件已经影响到了整个社会的情绪。温家宝总理召开了各界人士参加的座谈会，会上总理与企业界、金融界、经济学家及温州地方政府官员面对面对话。温总理秉承了他一贯的务实作风，要求大家畅所欲言，他说："我知道座谈会上发言事先有安排，被指定的要发言，但是没有被指定的也可以发言。"他要求大家讲真话、讲实话，为解决温州危机献计献策。

温州企业家纷纷发言，向总理倾倒苦水。将中央宏观调控紧缩政策以来，中小企业贷款难的问题和劳动工资成本增加、税收负担过重以及欧美金融危机造成订单减少等困难向总理提了出来。而周德文则以对中小民企深刻的了解，尖锐地提出了许多以前政府不愿面对的问题，深入解剖了倒闭企业的内忧外患。比如《劳动法》对中小企业的束缚，在用工荒和劳动法的双重作用下，今年用工成本涨了20%～30%；再就是银行对中小企业授信上的歧视、中小企业税赋负担过重等。他明确指出，目前出现的融资难和民间借贷危机有其必然性，原因在于国家在金融发展与体制创新方面过于滞后，国有大银行对金融业的垄断阻塞了民间资本的合理有效流通。国有银行主导的金融格局不能很好地满足经济发展的需要。中国在早已对外资银行业开放的前提下，却对国内民间资本限制甚多。他向总理呼吁，银行业垄断的局面必须打破，国家应给予民间金融机构以合法身份，让民营金融机构取得国民待遇。他针对国家发布的几个推进金融改革的文件发表看法，认为文件一直停在纸面上没有落实。如2005年国务院下发的关于金融改革的意见太虚，而2008年出台的"三十条"（即《国务院办公厅关于当前金融促进经济发展的若干意见》）至今仍没有相应配套的具体措施，以致几年来都无法落实。因此，他希望国家能制定实施细则，以打破行业垄断的坚冰。银行业监管应当公正地对待所有合法的金融机构，承认民间借贷的身份，为其量身定制监管方式，使民间借贷最终可通过成立中小银行，风险投资联保基金等手段，合法为中小企业融资，让民间资金支持中小企业规范化、阳光化。

作为全国中小企业协会副会长、温州市中小企业发展促进会会长，周德文深切地认识到民营中小企业在国民经济中的地位和贡献。中小企业在国家GDP中占70%的比重，在整个国家税收中的贡献率达55%，吸纳的就业人数在全部就业人口中占70%。所以，他感到中小企业的地位与其对国家和社会的贡献很不相符。他大胆地向总理建言，要求为中小企业减税。据他对各个企业的调查，我国中小企业实际税负超过了产值的 30%。温总理认真听取每一位发言人的意见。在周德文提出为中小企业减税时，温总理颔首频频，并插话说："不仅要减税，同时还要减费。"当周德文讲完之后，温总理称周德文是"温州最权威的发言人"。总理对周德文提出的金融体制问题十分重视，当场要求随行的相关部门回去后立即着手制定出相关的具体实施办法，把国务院的文件落到实处，引导民间资本规范进入金融流通领域。

关于国有银行对金融领域的垄断，温州经济学家马津龙先生也有同样的看法，他认为温州目前出现的危机与国家政策有一定的关联。马津龙是戈悟觉老师介绍给我的重要采访对象，作为本地有影响力的经济学家，他既有曾经做过政府官员的背景，又有在温州大学从事经济研究的理论功底，并且长期在温州电视台主持财经节目，他的信息来源会更全面。经过戈老师从中说项，他答应接受我的采访，但是他实在太忙，进入 10 月以来他也和周德文一样每天被各地媒体追逐着，无法为我一个人专门安排时间。他让我和北京《三联生活周刊》的记者一起采访。我在温州新世纪商务大厦找到了他，这时他正在配合深圳电视人录制一部财经节目专题片。等他们关了机，他才接待我们采访。北京《三联生活周刊》派出的是专门采写金融行业的主任记者，她也是来温州好几天才等到这个安排。她以记者的敏捷尖锐切入主题，频频追问温州金融危机形成的根源。我暗自庆幸，因为她的提问全是我想知道的。

马津龙和周德文一样快人快语，虽然是政府方面人士，观点表达难免稍微曲折，但也很是深刻。他说，目前中国的民间借贷热确实值得央行和监管机构反思。民营中小企业都是靠贷款运行的，但是国有银行现在根本不对民营中小企业授信放贷。原来的贷款都要收回，为了还上原来的贷款，为了企业能够运行，企业主只好转求民间借贷，再高的利息他也得咬牙接受。最苛刻的是按天计息，一天 3 厘，并且把利息事先扣下，合同是借 100 万，你拿到手的只有 91 万，按一年计算就超过 100% 了。另一方面，政府对民营资本监管也不到位。因为你不让它合法运行，不承认它，你就无法监管它。为什么这么多人从事民间借贷，甚至发展到击鼓传花，风险高度聚集却还乐此不疲？究其根本，正门不开，走左道旁门成了必然。马津龙还一针见血地指出，我们某些领域里的改革实际上是在倒退。比如金融领域这一块，国务院发了发展非公经济"三十六条"，一直没有落实。央行和监管机构对民间资本基本是封堵的。有些股份制金融企业，没有公有成分参与就批不了；但只要有公有成分参与，哪怕只有1%，那你这民间机构就荡然无存了。他认为当前应该从进一步深化体制改革上做文章，将金融领域对民间资本开放，进一步降低金融机构准入门槛，包括推动利率市场化改革。

马津龙以信泰集团胡福林为例来印证自己的观点。信泰集团遇到的资金困境是比较有代表性的。外面看起来，信泰集团的眼镜业轰轰烈烈，但是这种低技术含量的低端产品已经走到了尽头。盲目扩张使整个集团的摊子越来越大、管理费用越来越高，难以为继。实际上利润空间越来越小，扣除税收和工资原材料成本，净利润已经只剩下不足2%。在一片产业升级的舆论引导下，胡福林选择了国家鼓励倡导的新能源行业，与他的挚友徐士淮掌控的瑞新集团合资成立了“中硅科技”，投资炙手可热的太阳能电池，各自出资额都是1亿元。而太阳能恰恰也是近几年过渡进入的行业。在“十一五”期间，各地在低碳、环保的政策引导下，太阳能项目蜂拥而上。但是由于热量收集、转换、贮存等关键技术无法突破，许多企业只能在民用太阳能热水器等低端领域进行激烈竞争，只有部分技术实力较强的企业进入了光伏领域，做太阳能硅片电池板组件、建设太阳能光伏电站。特别是光伏发电因为成本远远高于水电和火电而不得不依靠国家制定的特殊电价补贴生存。盲目进入光伏行业的企业大多处于亏损状态。而半路进入的胡福林和徐士淮显然在人才和技术上都不具备竞争力。据马津龙称，胡福林最要命的是把短期借贷融资投入了太阳能电池这种投资周期长，效益回报缓慢的产业，而所有投入的资金全部来自银行。这些项目都是只看得见钱进去，却看不到生出钱来的吃钱“老虎机”。按胡福林的说法，虽然负债20亿，但信泰也并非资不抵债，只是没有自有流动资金，资产都是厂房设备，流动资金全部来源于银行。按照惯例，银行资金到期必须收回，然后方可申请续贷。这次击垮信泰集团的是一笔到期的5 000万元贷款。为了能让银行继续提供下一笔贷款，他必须如期还上这5 000万，而为了凑上这笔5 000万，胡福林不得已求助于民间高利贷。这种借贷利息高得吓人，一般企业都只拆借来周转一两个月，还上银行的老账后，如果关系很好，银行新的续贷资金很快批下来，危机就过去了。然而在国家紧缩政策的大背景下，银行为了防范自身风险，对中小民营企业基本停止了贷款。胡福林找多家担保公司从钱庄拆借的5 000万高利贷还给了银行，可当他再像以往一样申请续贷时，银行却把钱袋子扎紧了，明白地告诉他国家大政策收紧，再贷款没有了指标。于是这5 000万就成了无法填补的巨大窟窿。民间担保公司经办的借款都是短期的，借款到期，各路债主纷纷登门催债。信泰集团旗下各企业积欠的债务已经高达20亿，每月仅利息就得700多万，胡福林拿什么还上高利贷？而民间借贷的资金都是与跳楼的阿慧用同样的方式高息集资来的。一旦某一环断裂，就必然引发一连串的事件。所以在各方威逼之下，他只有选择逃离，在犹豫与彷徨中跑到了美国。胡福林事件在温州是一件标志性的事件，这个典型案例形象地反映出了温州企业老板跑路的深层次原因。

经过调研和座谈，国务院调查组清楚地掌握了温州危机的方方面面。温家宝总理回到北京后就召开了国务院常务会议，并于10月12号当天出台了加快金融改革、扶持中小企业发展的“国九条”，在金融、财税方面给予小型和微型企业政策支持。“小微企业”是这次温总理在温州调研后首次提出的新概念。在之前有报道说温总理为救温州危机，批给了温州600个亿用以化解资金困境，但这消息很快被浙江省和温州市官方否认。真实情况是，温州市政府向上级提交了一份《关于要求申请金融稳定再贷款的请示》，由省政府出面，向人民银行申请金融稳定贷款600亿元，期限一年，专门用于支持温州银行机构增加对困难企业的融资规模，防止发生系统性风险，维护地方的金融稳定。其实，温州民间借贷资金链断裂引发的金融危机，只涉及一部分陷入高利贷圈子里的公司和个人。温州并不缺钱，温州民间资本仍然雄厚，并不需要中央银行给钱，最需要的是政策支持。总理和国务院的支持主要是政策层面的。国家层面的政策支持才是最重要的，这种支持远远超过600亿资金的救市效果，因为温州人并不缺钱，缺的是战胜危机的信心。“信心比金子更重要”是温总理的名言，总理在这次调研中希望温州重树信心，相信温州政府和企业界有智慧和能力化解危机、走出困境。

有了党中央、国务院的关怀，温州从政府到企业都对化解危机充满信心。温州市企业界及各种社会团体，在政府引导下展开了重树信心的大讨论，各种经济组织纷纷行动起来，积极开展自我拯救，群策群力共渡难关。

在中央和省政府的支持下，温州获得了不少地方性金融改革创新的探索试验政策，温州国家金融综合改革试验区已经得到国家层面的领导首肯，并且已经有了实质进展。温州市政府也很快制订出金融体制改革创新战略的“1+8”方案。“1”是指围绕“温州国家金融综合改革试验区”这一总方案，“8”则是落实这个方案的八项具体措施。随后政府和民间一起行动起来，各种救市措施接连推出。

第一个举措就是设立“温州地方金融监管服务中心”，牌子就挂在市信访局的顶层六楼。同时成立各级民间借贷登记服务中心，试点将在温州中心城区鹿城区展开，借贷双方可以在服务中心直接一对一地对接，有助于杜绝高利贷，规范民间借贷利率操作。新成立的地方金融监管服务中心主要负责股权投资公司、民间资本管理服务公司、寄售行和其他各类投资公司的监督和管理；负责小额贷款公司、融资性担保公司、典当商行等由地方政府管理的各类新兴金融行业的专项检查。市政府在11月8日发布了《温州市金融业发展“十二五”规划》，明确提出“金融强市”的目标，决心努力把温州打造成地方金融改革创新试验区、民间金融规范发展先行区、中小企业金融服务示范区，着力打造民间资本集散的“资本之都”。未来的温州有望成为继上海之后的又一个金融资本中心。

温州担保行业开始自我反省，纷纷表示要加强自律，和企业共渡难关，积极为企业提供贷款担保服务，同时适当降低保费。市内48家融资性担保公司联合发布倡议，携手规范行业的发展，一致承诺决不从事吸收存款、发放贷款、非法集资等违法违规活动。

温州市政府筹措了20亿元的中小企业救助基金，专门为发展中急需资金的中小企业服务。

温州鹿城工商联专门成立了“中小企业转贷临时周转金”，筹措资金6亿元，专为缓解中小企业资金链上的燃眉之急。

温州市区企业应急转贷专项资金也同时成立，已经筹得资金5亿元。

温州银监分局也向央行申报追加信贷增量指标，各大银行增加信贷指标合计已达180亿元。同时，在允许范围内采取降低贷款利率，让利中小企业。还有消息说，在征得浙江省银监局同意后，温州各银行放宽了银行的票贷比标准（票据占贷款总额的比例），票贷比从30%增加到50%，相当于增加了1 000亿的信贷规模。

新成立的温州民间资本投资服务中心刚一挂牌就开始了积极行动，筹集出2亿元的资金，成立了“企业重组救市基金”，计划以资金注入、股权投资、收购重组等方式，帮助身陷困境的优质企业渡过难关，协助政府化解债务风险……

随着舆论的引导和一项项有效措施接连出台，社会恐慌气氛得到缓解，温州企业界的情绪也逐渐稳定下来。温州企业家们重又恢复了当年抱团闯天下的精气神，他们重新振作，纷纷发表言论，表示温州商界有足够的智慧和能力化解危机、化危为机，尽快走出困境。温州工商联主席、奥康集团董事长王振滔的话最令人鼓舞："春天已经不远，如果没有棉袄，大家共用一条毛毯抱团过冬。"他相信经历了这次危机洗礼后的温州商界定能浴火重生。

工商联主席王振滔的这句话很有深意，也很人文化，改变了人们对温州商人有钱没文化的看法。在化解温州危机中，王振滔这句话成了最有感染力的名言，被官方各种媒体反复引用。

不过他做的最有意义的事还是动员远走美国的信泰集团董事长胡福林回国。王振滔多次通过电话与胡福林沟通，把温总理来温调研过程和政府一系列救市措施以及温州企业界的情绪和希望一一转告胡福林。同时直言不讳地指出了胡福林的出走对整个温州的商业信誉和全球温商形象的伤害。温州官方也通过各种渠道向胡福林传递政府将扶持信泰、帮助信泰集团重组的信息。

胡福林出走后虽然对他的下属说过他不会再回来，但他心里其实是一直充满了矛盾，按时髦的说法就是很纠结。巨额的高利贷债务堵住了他回国的路，然而多年打拼创造出来的事业却让他难以割舍。经过激烈的思想斗争之后，他最终在各方劝说下于10月10日乘坐HO1141航班在14时40分许降落上海，并在政府的周密安排下回到温州。

有人说胡福林是在巨大压力下回来的。在采访马津龙时，我插空向他询问这种说法的真实性有多大？马津龙思考了片刻之后否定了这个说法。马津龙对我说，"出租车司机口里的是社会上的传闻，应该相信是政府的救市态度和王振滔的电话感动了他。但无论怎样，他能够回来是一件很好的事，对于化解温州危机，稳定社会情绪起了很好的作用。"他告诉我们，他专门为胡福林作了一期访谈节目，"6日晚上9时的财经频道播出，如果你们不急着走可以收看，这样可以直观地了解真相，澄清一些传言。"其实探求真相已经没有意义，而且也不可能知道真正的真相。真正的真相只有胡福林自己知道。

为了能够看到这个访谈节目，我把离开温州的时间改在了11月7日。

6日晚我早早地就打开了宾馆房间的电视机，一直守着财经频道。21时，马津龙先生与胡福林的访谈开始了，化了妆的马津龙与我们采访时判若两人，镜头前他精神十足，神采飞扬。半小时的节目他调度得体，张弛有度，通过提问、沟通、讨论分析，把公众关心的若干问题解答得清晰透彻。而电视屏幕上的胡福林精神状态

2011 年 11 月 14 日，来自湖北的库杏儿正提着行李回到温州信泰集团重新工作。（王定昶 / 摄，图片来源：新华社）

温州信泰集团的员工正在紧张工作。（王定昶 / 摄，图片来源：新华社）

良好，经过近一个月的调整，身处风暴中心的胡福林的神情已显得淡定。这是他从美国回温州后第一次公开亮相，但多少还是可以看出身陷困境的忧郁，他着重讲述了滞留美国期间的复杂心情。他说他出去后的心情从未平静过，他自己分析，出走是迷茫中的无奈之举，因为他并没有作好在美国生活的准备。正当他痛苦不堪的时候，工商联主席王振滔的电话促使他作出了抉择。王振滔转达了政府的愿望，特别指出他的出走影响了温州的信誉，并给全世界的温商形象带来了伤害。这些话引起了他的深思，于是终于下决心回来清理债务，并愿在政府和各界支持下重组企业，重整山河，至少对各方面有个交代。

节目最后，胡福林为自己出走给温州造成的不良影响，向温州各界表达了歉意。他也同时表示，有政府和整个温州商界的支持，信泰集团一定能够走出困境。

不管怎样，胡福林毕竟回来了。政府和舆论并没有给他施加压力，并且各方面都给予了积极的评价。在政府主导下，信泰集团欠银行的钱以协议形式先挂了起来，其他企业关联债务一律由政府主持登记暂且搁置。在公安部门的保护下，暴力追债的威胁已经消除。信泰集团秩序井然，胡福林已经能够安心打理企业，重组也在紧锣密鼓地进行中。后来得知，由于政府的引导，加之信泰集团土地厂房、太阳能、眼镜等都还属于优良资产，多家债权人和合伙人争相参与信泰的重组。虽然花落谁家尚未最后敲定，但在眼镜这一块的生产已经恢复，有媒体报道称，信泰集团的眼镜订单已经排到2012年4月以后。

2011年11月14日，温州信泰集团董事长胡福林露出久违的笑容。（王定昶/摄，图片来源：新华社）

胡福林回归和信泰集团恢复

生产成为温州危机的转折点。由于政府处置及时、引导得力，一度弥漫全城的恐慌渐渐消除，社会的紧张情绪得到缓解。澳米流体公司的孙福财也在各方规劝下回到了温州，他向员工们作了公开致歉，并且也恢复了生产。在舆论的引导和政府的努力下，温州跑路的一些老板正在陆续回到温州，社会已经趋向稳定。

温州处在火山口上，火山终于没有爆发。

不是尾声：危机仍未过去，但温州不会衰落

虽然火山没有爆发，但风暴并未就此过去。在我采访温州后的一个多月里，温州的金融危机仍在发酵，而且温州的“亚马孙蝴蝶效应”正在向外蔓延，其他城市的老板跑路事件也时有耳闻。就在这篇文章快要脱稿时，从网络上又爆出温商跑路的新消息。在苏州经营的温州商人池万明因35亿债务压身已经跑过一次，被苏州政府劝回又再次玩起了失踪，最近已经被江苏警方抓获拘押。而就在2011年即将过去的12月中旬，温州市龙湾区旅游局副局长又涉嫌高利贷，走投无路再次上演了跳楼身亡的惨剧。

这说明温州风暴并未过去，并且仍在持续发酵。

正如周德文先生说，温州的危机只是中国中小企业的冰山一角，温州形势暂时趋稳，但火山仍在酝酿中。他预测，随着国家产业调控和转型升级，特别是欧美经济危机的辐射，中国中小企业2012年会更加艰难。不过因为温州走在前面，也为政府正确认识和防范金融风险敲响了警钟。从这个意义上说，走在前面的温州率先踩响了地雷。温州人以鲜血和生命为全国中小民营企业打开了曾经关死的资金闸门，也为内地防范金融风险提供了昂贵的经验教训，为同样陷入困境的内地中小企业趟开了一条血路。连续12次提高的存准率终于开始下调，说明了政策的转向。宏观调控的放松和信贷上的松绑会减缓危机，国家对中小企业的减税放贷等扶持政策也在陆续出台。在12月12日至14日的中央经济工作会上传递出的消息令人振奋，不仅明确提出扶持中小企业发展的思想，而且对民间资本进入国家传统垄断行业打开了期待已久的绿灯。“支持民间投资进入铁路、市政、能源、社会事业等领域”——看似只一句话，内涵却极其丰富，释放出民营资本进入传统垄断行业参与竞争的强烈

信号。随着放宽民间资本战略性投资新政的实施，温州巨量民间资本从此有了宽广的投资领域，而国家金融领域的开禁，温州中小民营企业的发展也将摆脱资金困境，在国家减免税费等一系列的政策扶持下轻装前行。

对于温州来说，虽然经历了前所未有的危机，但这座世界关注的资本之都并不会因此而衰落，大部分企业营运状态良好。在我离开温州的时候原想去向戈悟觉老师告别，可是戈老却以正泰集团高级顾问的身份在接待一个日本的企业财团。他告诉我，南存辉旗下企业运营一直处于良性循环状态。正泰电器上市之后，另几家企业正在排队等待上市。南存辉又悄然拉开了产业转型升级的大幕。正泰集团与日本合资200亿元的高端新能源项目征地已经完成，即将进入厂房设备基础建设阶段，该项目投产后可新增税收10亿元以上。这消息让我感到振奋，心中升腾起春天的激情和浓浓的暖意。虽然民营企业置身严冬，虽然整个世界都被萧条气氛所笼罩，仍有一批优秀企业安然无恙。戈老师告诉我，温州危机影响深远，但是在温州仍有不少像正泰集团一样的优质企业立足传统实业、坚持做好主业、积极谋求转型升级的企业家。尽管温州的金融风暴震惊了世界，但像正泰集团这样的企业并没有受到多大影响，正泰集团的企业发展理念也许值得那些因急功近利而深陷泥潭的浮躁企业家们思考和借鉴。

温州的阶段性危机正在过去，但温州的事件远没有结束，温州的故事也不会有终结。今日温州发生的一切只不过是悠远历史长河中的一个漩涡，是市场经济发育和资本演义中无法避免的一段插曲。尽管时下的温州深陷危机之中，甚至被一度架在了火山口之上，但我相信有着东方犹太人性格的温州企业家们有足够的智慧和坚韧度过寒冬。我相信，全国中小企业和所有创业者都会从王振滔的话中汲取力量增强信心——虽然身处严冬，但春天毕竟已经不远。

温州，你这背负着盛名的资本之都啊！整个中国、整个世界都在看着你呢。作为中国改革开放的风向标，但愿你永远充满活力与魅力。

（选自2012年第4期《北京文学（精彩阅读）》，有删节，作者：王伟举）

稀土战争

“中东有石油，中国有稀土。”这是1992年邓小平对中国稀土资源的一句格言式的概括。时至今日，在内蒙古包钢稀土大厦的大厅，仍赫然题着这句简洁有力的邓式语录。

我国是稀土第一生产和出口大国。早在2011年5月份，国务院就下发了《关于促进稀土行业持续健康发展的若干意见》，就稀土行业准入管理、改善稀土指令性生产计划管理、加强稀土出口管理等问题进行了严格规定，试图促进稀土行业持续健康发展。

一直以来，稀土的战场从未真正平静。特别是在2011年，稀土的价格像坐上了过山车，一路飙升到最高点后俯冲而下。为了应对价格危机，南北两大稀土巨头——包钢稀土和赣州稀土矿业公司先后宣布停产一个月，以达到“平衡供需”的目的。而在南方，实力雄厚的央企和地方国企为了争夺采矿权，也在开展着艰难而隐秘的博弈。

稀土价格维稳之战

2011年10月中旬以来，国内稀土的市场价格波动加剧，多种稀土产品的价格下滑幅度趋势明显。而作为中国稀土产业的两强——包钢稀土和赣州矿务，相继宣布产品生产工厂停产。

相关人士分析认为，此举意味着国内的稀土生产者意图通过停产限产，减少稀土产品的上市量，以防止稀土产品价格的进一步下滑。在国际市场一些严重依赖中国稀土产品的国家开始寻求中国之外的稀土来源，这将进一步影响中国的稀土价格。

有关人士分析指出，此次停产举措市场前景如何不论，但是稀土企业的维稳之战确已开始。

保价之举

两天之内，主导我国北方90%的轻稀土产量的包钢稀土（集团）高科技股份有限公司（以下简称“包钢稀土”）动作频频。

在10月18日，包钢稀土发布公告称，所属冶炼分离企业的停产期限为一个月，停产期间，包钢稀土公司停止对所属冶炼分离企业、外部合作企业的稀土原料供应。

而在次日，包钢稀土属下的国贸公司也发布公告，声称：“自本公告发出之日起收购拥有国家指令性计划企业生产的氧化镧、氧化铈和氧化铕稀土产品，收购价格分别为14万元/吨、15万元/吨和2 000万元/吨（均含税）。”

这直接导致其股票价格发生变化。在收购部分稀土产品的公告发布次日，包钢稀土公司的股价应声上扬7.59%；而仅仅在此前一天，这个股票还由于其宣布旗下数家企业停产而大幅下滑。

按照市场价格，包钢稀土的收购价并不低。业内人士认为，包钢稀土此举是为了稳定支撑稀土市场，避免稀土价格崩溃。

而包钢稀土的副总经理、董秘张日辉对此也没有回避，他在接受本报记者采访时这样解释公司近日的一系列举措：“我们这样做主要就是为了稳定价格，促进产业的健康发展。”

在包钢稀土停产收购等措施出台之前，我国稀土市场上已经是跌幅连连。一些钕铁硼企业的人士表示：“钕铁硼产品N35已经由上个月的400多元/公斤，跌到200多元/公斤，同时跌价的还有自行车用磁钢产品，也跌到了300元/公斤左右。”

而目前，镨钕金属的未税成交价格已经跌至60万元左右，这个价格已经接近于氧化镨钕的未税价格，即价格已经出现倒挂。

张日辉分析，目前并不肯定稀土产品的价格下滑是否因为供大于求所致：“我们为了进一步稳定供需平衡，来保卫稀土产品的价格，所以才实施了停产的措施，这也符合国家的政策，国家工信部、国家发改委等也都赞成这样的行为。”目前国际市场对国内的稀土市场价格并没什么影响，但并不否定《时代周报》记者提出的可能有游资炒作导致此现象。

稀土行业颓势已经引发南北稀土停产潮。继包钢稀土宣布停产之后，10 月 20 日，作为南方稀土主产区的龙头企业，位于江西省境内的赣州稀土矿业公司旗下所有矿山和冶炼分离企业也开始全面停产。

企业何为?

两大巨头的停产公告并没有阻止住稀土价格的下跌，在接下来将近一周的时间里，稀土价格继续保持下行的态势。

10 月 24 日，氧化镧的价格已经回落到 12 万元 / 吨至 12.5 万元 / 吨，氧化铈 13 万元 / 吨至 14.5 万元 / 吨。有数据显示，稀土门户网站报价中的 23 种稀土产品上周平均跌幅 2.97%，其中 8 种产品的跌幅超过 4.6%，而氧化镧的跌幅超过 9%。

“此次价格波动不会对包钢稀土造成什么经济损失，公司目前的情况还可以，起码完成指令性生产指标还是没什么问题的。”张日辉这样表示。

其实，早在 9 月下旬，包钢稀土国际贸易有限公司就启动了临时收储计划，提出以不高于每吨 90 万元的价格，收购拥有国家指定性计划企业生产的氧化镨、氧化钕。这项措施出台后，稀土市场的颓势一度得到扭转。然而进入 10 月份，部分稀土产品的价格再次下跌，而且跌幅有所扩大。

业内一直猜测，包钢稀土大规模收储，可能会有国家的行政要求等因素在内。张日辉表示，企业确实是在搞储备，但这种储备既是为了公司，也是为了整个行业。“国家考虑的肯定是保护战略资源，它的调控肯定对企业有影响，但是国家出了政策，我们就得执行。”张日辉说。

对于南北稀土大户几乎同时宣布停产，《时代周报》的记者询问张日辉双方是否有约定时，张日辉否定了这个说法。

“稀土的定价权究竟在谁的手里？这个应该由市场来掌握。”张日辉向《时代周报》的记者表示，“但是我们能发挥一定的作用。”他认为，那些认为稀土定价权被国外市场掌握的说法也是错误的。

张日辉透露，包钢稀土此前早已开始了稀土战略储备的准备工作。早在2010年初，包钢稀土国际贸易有限公司实施的稀土原料收储方案已经获得了内蒙古自治区人民政府的批准，而这也是历史上首次由企业自发产生的稀土收储行为，并在当时获得政府1 000万元的贴息支持。

由于中国现存的大多数稀土生产企业只是一个原料提供者的角色，并不具备技术科研和开发能力，而要承担这一重任只有国有大型企业或者有实力的上市公司。在此方面，包钢稀土给行业树立了范例。包钢稀土早从2000年开始就实行五统一的方式，即"统一计划、统一生产、统一销售、统一采购、统一结算"，对稀土产业进行整合。同时，包钢稀土还建立国际贸易公司，基本做到对外声音一致，基本控制住了北方稀土。

与北方相比，中国南方稀土产业的局面要混乱得多。以赣州为例，许多偷挖盗采现象没有得到制止，滥采现象导致产生了诸多环境问题，还搅乱了正常的市场秩序，导致一部分不按法律办事的盗采者发了大财，而使国家遭受了损失，使其他合法经营者面临着更加艰难的困局。国家鼓励民企进入垄断行业，又通过国有大企业整合，俨然成为一个悖论。

停产争议

有分析师认为，南北稀土都采取停产措施，短期内将对市场行情有一定的支撑作用，但考虑到下游行业订单减少需求低迷以及贸易商抛售等因素，限产保价的影响十分有限。由于前期投机资金的炒作，稀土价格已经大幅上涨，目前预期发生变化，如果没有强有力的政策刺激，预计年内稀土价格继续走低。

张日辉认为，稀土产业虽然是工业生产，但是也受资本市场的影响很大，国际国内市场的游资炒作对稀土价格的形成也有重要影响。

对于包钢稀土停止对冶炼企业和外部合作企业的原料供应是否会对整个稀土产业链造成影响，张日辉表示，这只有正面的影响，可以正面促进整个产业的健康发展："因为这样做稳定了稀土的价格，稳定了价格才能促进整个产业健康的发展。"

中国稀土企业的停产引起了国际市场的高度关注，就包钢稀土来说，它的轻稀土产量占了全世界的一半。外媒认为，稀土价格的急剧攀升始于2009年，外界因此担心中国试图控制稀土业。中国主导全球稀土市场，占全世界稀土产量约95%，但其国内稀土生产却散乱无序。

《华尔街日报》认为，包钢稀土此举是对其市场支配力的检验。据苏格兰皇家银行估算，包钢稀土停产一个月将使今年全球稀土市场减少供应约5 000吨。该银行分析师萨姆 · 贝里奇说："世界最大稀土企业一个月的停产会很快影响价格水平。稀土生产很集中，市场又很小，一家大企业可轻易影响到供需平衡。"

美企已呼吁就中国限制稀土出口采取行动，包括上诉至世贸。也有消息说，依赖中国稀土供应的日本大公司已着手或正在考虑扩大在华生产基地。

《时代周报》的记者向张日辉询问，是否有国际资本在向包钢稀土抛绣球，寻求合作，张日辉表示目前还没有。

不过，中国在收紧对国内稀土生产控制的同时，也试图缓和紧张。虽然中国增加了可受配额限制的稀土种类，但今年的稀土出口配额与去年持平。

《金融时报》也认为，包钢稀土的停产表明，中国方面控制稀土价格的力度可能比人们之前想象的更大。继去年削减出口额度之后，北京方面今年把精力主要放在从源头清理稀土产业，关闭曾经是污染源的非法稀土矿和加工中心。该报援引业内人士认为，稀土行业改革的目的，还在于提高政府对这个此前分散化发展行业的控制。

各国对策

《金融时报》认为，中国稀土业两大巨头停产，是迄今最为清晰的信号，这表明中国矿商意图维持稀土的高价。

有业内人士指出，包钢稀土是轻稀土，由于前阶段价格上涨，美国的加州派斯山已经恢复生产，目前已达到年产8 000吨，很快就会达到15 000吨；马来西亚和澳大利亚的厂家生产也正恢复。这样一来，中国的轻稀土根本无法形成所谓的垄断。

不过，也有人士认为停产效应已经产生。在日本，三菱电机在2011年10月17日宣布日本国内销售的商用空调价格上调10% ~ 15%，家用空调11月发布的新产品开始平均价格上涨10 000日元。

据三菱电机的信息，制造电机等产品中需要的钕和镝等稀土类产品价格与去年4月相比价格上涨了10～12倍。三菱电机正在研究在保持性能的前提下尽可能减少稀土的使用量，同时寻找替代新材料，开发不依赖稀土的新产品。但这些都需要一定时间才能开发出来。

最近几年的日本政府和大企业组成的合资公司，在包括越南、印度、哈萨克斯坦、蒙古、澳大利亚和美国在内的世界各地勘探并开采这些稀有金属。

在由英国金属事务公司和罗斯基尔信息咨询有限公司组织的稀土资源大会上，来自格陵兰岛、澳大利亚、美国、南非、土耳其和其他国家的采矿公司与日本进行了接洽。

日本的高科技产业近年需要将近三万吨稀土，预计未来两年的需求还会增长，部分原因是混合动力汽车的市场需求。AMR资源公司的执行总监阿尔达说，他的公司已经加速在土耳其南部生产稀土，以迎合日本资源短缺带来的需求。

渡边靖是日本国家工业科学与技术协会的一个小组负责人。他说，日本正在开发废旧电子产品中的稀土回收改进技术，同时在寻找稀土元素的替代品，日本将在两年中找到自己稳定的稀土供给。

“从2012年开始，这一状况将改变，因为我们拥有了自己的供应源。位于美国芒廷山口和澳大利亚韦尔德山的两个主要矿产地将开始生产稀土。现在，稳定的供给比价格更重要，即使价格比中国的产品高一点，日本企业还是很可能从中国之外的地方购买这种矿藏。”渡边靖说。

南方稀土地盘之争

有业内人士戏言：“稀土珍贵，比稀土更珍贵的是它的开采权证。”一直以来，稀土采矿权的争夺战场从未有过真正的平静，这在中国的南方尤为明显。

在5月19日，国务院正式公布了《关于促进稀土行业持续健康发展的若干意见》（简称“国二十二条”），提出整合重组南方稀土行业的要求，并明确列出目标完成时间表。

2011 年 7 月 19 日，中国铝业公司总经理熊维平在揭牌仪式上致辞。
（向志强 / 摄，图片来源：新华社）

众所周知，北方稀土的开采权主要集中到了总部位于内蒙古包头的包钢稀土手中。而南方稀土，受到矿产资源分布等因素的影响，行业内的整合一直是其中的难点。

早在去年，作为广东省稀土行业的龙头老大，广东广晟有色金属集团有限公司（简称“广晟”）就通过与当地政府签订合作协议或收购当地稀土企业的方式，在河源、清远等稀土资源丰富的地市进行布局。而与此同时，实力更为雄厚的中国铝业集团（简称“中铝”）和中国五矿集团公司（简称“五矿”）等大型央企，亦纷纷进入广东稀土市场，企图分一杯羹。

目前尚不能知晓谁在广东的稀土开采权争夺上占有优势，但可以肯定的是，随着南方稀土整合时间表的不断缩进，这里的原有格局正在发生变化。

一山二虎

“每个月里至少有一半的时间，我们都在巡山，任务很重。”10月24日，清新县国土局监察执法队的负责人对《时代周报》的记者感慨道。

清新县隶属广东省清远市，上文所说的巡山任务通常只有一个目的，就是侦察稀土盗采现场。清远市是广东省内几大蕴藏大量稀土资源的重点区域之一，这里大大小小各个县镇的国土局监察执法队，大部分的时间和精力都用于打击稀土盗采。

据公开资料显示，清远市的矿产面积占全市面积的10%左右，其中稀土金属氧化物预计达到35万吨以上，但整个清远市却无一张稀土采矿证。

“所以只要发现采稀土的，基本上不用判断，直接就认定是非法的了。”上述负责人直言。

目前，已有两家大型稀土企业入驻清远。一是广东稀土产业的龙头企业广晟集团，而它的竞争对手则是具有央企身份的中铝集团。

广晟公司由原广东省冶金厅、中国有色金属工业广州公司沿革而来，作为有地方政府背景的企业，是省内唯一合法的稀土采矿权人。在大整合加快步伐的背景下，广晟在2009年成功借壳上市，迈出资本运作重要的一步。

2010年，广晟为提前布局清远，于当年7月份收购了清远嘉禾稀有金属有限公司30.5%的股权，成为该公司的实际控制人，正式涉足当地稀土业。

而几乎就在同一时期，中铝高层与清远市政府也开始了正式的“亲密接触”。中铝副总裁任旭东在去年中曾两次“造访”清远，考察当地的稀土矿产。

“当时清远市政府的接待队伍领导是市委副书记何炳华。”对这一工作行程，清新县国土局负责人记得十分清楚。任旭东来的时候，是他领着考察队伍走那些他再熟悉不过的矿山。

随后，在今年的3月份，清远市政府与中铝集团正式签署了《合作勘查开发清远市稀土矿产资源框架协议》。

相比广晟集团，中铝公司有更强大的经济实力，在合作框架中，其拟投资约20亿元，在清远打造完整的、具有较大经济规模和核心竞争力的稀土产业链。毫无疑问，中铝把稀土投资视野瞄准清远，直接威胁到了广晟原先的布局计划。

实际上，近年来随着稀土产业整合的深化，广东的稀土整合焦点集中在采矿权指标的争夺上。在稀土产业布局还未明朗之前，能否成功占领重要的稀土资源区域，与当地政府形成合作伙伴关系，先取得勘探权，从而进一步争取采矿权，成为各大稀土企业在近年来的战略重心。

争夺采矿权

“很明显，现如今，几乎每个地方想的都是如何向上面申请新的采矿权。”广东省河源市国土资源局副局长邵卫根曾如此公开称道。

但早在今年 5 月份，国土资源部就已经停止所有新采矿证的发布。在去年 11 月份的中国国际矿业大会上，国土资源部矿产开发管理司司长刘连和也表示，目前稀

江西磊源永磁材料有限公司工人在包装钕铁硼稀土材料。（周科 / 摄，图片来源：新华社）

土开采权证的重新分配依旧处在编制整体规划的阶段，且没有任何时间表。

作为南方稀土开采监管区域联席工作会议的首任轮值主席市，河源市保有各地的稀土资源规划方案，但邵卫根却说：“部里的意思是，先把整治工作做好再说。”

事实也确实如此。国土资源部公开称，稀土开采权证的重新分配依旧处在编制整体规划的阶段，由地方政府先自行统筹，相互协调之后再上报方案给部里审。

“具体矿区的开采条件，稀土产业的整体布局以及各个地方的经济利益，这将是我们审批新的稀土采矿权时会主要考虑的几个方面。”刘连和表示。

到今年的 5 月份，国务院更是重磅推出“国二十二条”，明确提出要用 1 ~ 2 年的时间，基本形成以大型企业为主导的稀土行业格局。

而对于南方离子型稀土，国家明确提出要求，行业排名前三位的企业集团产业集中度要达到 80% 以上。再用三年左右的时间进一步完善体制机制，形成合理开发、有序生产、高效利用、技术先进、集约发展的稀土行业持续健康发展格局。

据公开资料显示，江西赣州目前掌握有全国 123 本稀土矿开采权证中的 88 本，而此次整合将涉及 88 本开采权证中的 65 本，赣州市计划将其整合为 19 本开采权证，并划归到新设的七个矿区。

而与江西省拥有数量多而分散的采矿权证相比，广东省境内的稀土采矿权证却只有少得可怜的 4 本。

面对明确的硬指标，各地政府正在积极应对稀土整合趋势。于是，一场央企与地方国有企业之间的博弈悄然开始。

央企势猛

除了中铝，中国五矿集团公司（简称“五矿”）、中国有色矿业集团（简称“中色”）等大型央企也对广东的稀土虎视眈眈。在江西败走麦城后，五矿和中色也开始转而投身广东稀土。今年 3 月 2 日，五矿与广东河源市签订了战略合作协议。与此同时，中色也在广东新丰县投资建设产能高达 7 000 吨的分离厂，是目前国内最大的稀土分离冶炼厂。

这几个合作计划，与中铝的清远战略一样，无疑撼动了广晟的龙头位置。梳理整个广东稀土产业的历史，便更加得以凸显这场争夺稀土资源暗战的激烈程度。

早在2006年，广晟就看中了河源地区的稀土资源。根据当时广晟与河源市国有资产经营有限公司签订的协议，双方将共同合作开发稀土项目，广晟负责组建稀土矿业公司。

而拥有河源地区唯一稀土采矿权的东源古云矿产开采有限公司的大股东华达集团，也与广晟有色拥有合作协议，共同开采河源稀土资源和稀土加工项目。

可见广晟精心布局河源区域早在五矿行动之前，但此次河源政府与五矿的合作，无疑会使广晟在河源地区稀土产业的地位受到威胁。

事实上，五矿在稀土矿业领域的图谋由来已久，其总裁周中枢在今年提交的两会提案中就提出建议，要推动整合组建大型稀土一体化企业集团。周在提案中提出，要和资源地政府作为稀土矿权和矿山整合的主体，通过合资方式组建稀土采、选、冶、加工一体化生产企业，逐渐构建以大型企业集团为主导的稀土产业格局，提高产业集中度。

此次五矿签约河源，可谓是周对自己提案的具体落实。

而中色所投资建设的最大分离厂所在地新丰县，更是广东境内的一块大蛋糕。1988年前，新丰县就已探明离子吸附型稀土矿储量12.3万吨，占广东省境内探明总储量的67%。虽然广晟目前是广东省内唯一合法的采矿人，但中色在新丰建起一个最大的分离厂，想要分一杯羹的意图已十分明显。

尽管各大企业争先布局，但据现有数据表明，从2010年岁末至今，稀土配额却在持续收紧。商务部在去年12月28日公布,2011年第一批稀土出口配额为14 446吨，较2010年第一批配额的16 305吨下降11.4%。

而具体到广东地区，记者在广东省国土资源局的官方网页上查阅到，2011年，广东省内的矿采指标仅为2 200吨。

这与广东境内分布广阔的稀土资源明显不成比例，且广东省仅有4张稀土采矿权证，其可采储量对其分离冶炼的生产能力而言相当稀少，各大稀土企业的分离能力也远远超过省内批准的采矿吨数。

“在广东，每一家从事稀土的企业都不能完全达到自给，哪怕是拥有所有采矿证的广晟也不例外。从外部购买稀土加工，已经成为企业的负担之一。”一位行业知情人说。

疯狂盗采

如果用曲线表示，今年上半年，稀土价格的曲线几乎与横坐标呈垂直状，持续增长的势头凶猛。以离子型为主的南方稀土，凭借比北方轻稀土的价格还要贵重接近三分之一的优势，在今年更是经历了价格暴涨的阶段。

在此大背景下，一些稀土矿较为丰富的地区，由于无法获得合法的开采权，随着价格的大幅度上涨，今年上半年的盗采行为显得更为猖獗。

“单单清新县，今年由我们国土局移交给公安机关的，情节严重已涉及刑事犯罪的，就有四宗了，而其他小规模的盗采就更数不过来了。”这一年来，清新县国土局的上述负责人明显感觉到，因为稀土价格的暴涨，盗采风头有卷土重来的趋势。

同时，上级政府对打击盗采的重视程度也明显有所加强：“市局的执法部门也经常和我们一起上山，发现一个打击一个，包括公安、林业等其他部门也长期配合协助，可以感觉到队伍明显在壮大。”

虽然整治力度在加大，责任追究也趋于严厉，但出于巨大的利益诱惑，而且，在没有采矿证的清远市，想通过合法采矿是不可能的。由此，不少矿山投资人还是选择铤而走险。在清新县国土局负责人看来，只要稀土价格持续高涨，清远无合法采矿权，盗采情况就不间断时有发生，三者有直接的关系。

“例如最近盗采风头就有减弱的趋势，因为近期稀土价格跌了一些。”上述负责人举出例子，证明盗采现象随价格浮动的规律。

事实确实如此，今年下半年的稀土价格经历了从过山车般的最高点，急速俯冲，出现暴跌。7月，工信部进一步限制生产配额，南方稀土分离厂就出现过一批停工潮。

一位稀土行业人士在接受媒体采访时就坦言，稀土的暴涨暴跌，从根本上反映出行业散乱和竞争无序。

“这和国家一系列的整顿政策不无关系，央企和地方国企，谁更有实力，谁才能扛过这股整顿大潮。”上述行业业内人士表示，“严峻的市场现状是考验企业实力的一把利剑。”

红枫：稀土没有卖成白菜价

"盲目地说当年'把稀土卖成了白菜价''卖出了土价钱'，这种看法我们老稀土人不同意。"红枫是原国家计划委员会稀土办公室的处长，从1983年开始，科研出身的他经历了中国稀土行业改革开放后的整个发展历程。尽管为稀土付出了一生的精力，但与许多老专家类似，对于稀土行业两年来的价格繁荣，他并不看好。10月25日上午，68岁的红枫在晴朗的北京接受了《时代周报》的专访。

稀土出口是为了外汇

时代周报：这两年，在国家收紧出口配额之后，有一种很流行的看法，认为既然中国拥有世界上绝大多数的稀土，而稀土又是高科技产业所必需的资源，完全可以卖一个很好的价格，甚至可以完全不出口，为什么却一直以很低的价格卖给外国，自己却付出了沉重的环境代价?

红枫：在改革开放之初，当时的外汇非常短缺，一整年的进出口总额1 000亿美元也不到。当时能够出口换回硬通货的工业产品几乎没有，质量差，外国不认可，而主要靠农产品和一部分国外紧缺的资源，比如说钨。尽管当时钢铁、铝、镁、锌的产量都很大，但自己都不够用，没有能力出口。所以当时稀土是被赋予了一个聚财的使命，开采比较容易，投资也不太高，国内的用量也很小。

时代周报：也就是说，稀土以较低的价格出口，是当时为了获得外汇主动作出的选择?

红枫：当年中国的稀土实际上是求着别人来买。一开始生产成本很高，分离技术又落后，外国人都不要。

我记得早在1975年，在邓小平的主持下，国务院就已经成立了全国稀土领导小组。后来1978年，时任国务院副总理、国家科技委员会主任的方毅主抓包头、金川和攀枝花三大资源的综合利用。我有幸参加了1978年和以后的多次会议和会议的一些筹备工作，当时方毅就提出，我们不但要做第一稀土资源大国，还要做到稀土第一生产国、稀土第一应用国、稀土第一出口国，这就是所谓的“三个第一”。

要实现“三个第一”，就要把生产成本降低，例如要把氯化稀土成本从近 10 000 元 / 吨降低到 3 000 元 / 吨。后来，全国的科技力量就围绕着稀土来奋斗，三个五年计划，“六五”“七五”“八五”，科委都设立了专项的资金支持，很快就见效了。1978 年我国稀土产量稍高于 1 000 吨（基本上是稀土硅铁合金，即 1# 合金），八年后的 1986 年达到 11 860 吨，超过了一直处于世界第一的美国，成为世界第一稀土生产国。

外国人帮忙推销稀土

时代周报：后来国外的稀土矿都停产了，是由于中国稀土崛起的原因吗？

红枫：中国生产的稀土产品价格比他们低，竞争不过，自然会停产。

现在有些说法说是外国人要掠夺中国的资源，故意让稀土卖得很便宜，自己的稀土矿却保护起来不开了，这不符合历史。

20 世纪 80 年代中后期，我们有针对性地向日本和欧洲大力促销稀土。对于外汇资源短缺的中国，我们是在求别人买我们的稀土产品、多买一点更好。当时的日本还是一个稀土冶炼分离大国和强国，我们千方百计地动员日本钇公司、日本三德金属公司等打消顾虑，改用我们的江西矿。当时的欧洲各国信不过我们的稀土产品，因为他们有法国的罗纳普朗克公司稳定的、高质量的稀土产品供应。

正当我们为难时，荷兰政府一个叫作“促进从发展中国家进口组织”的机构给外经贸部发来一份信函，邀请我们去推销中国稀土产品。

我当时以稀土专家的名义，和五矿公司主管稀土产品出口的一位处长一起访问了荷兰，并在他们派出的稀土专家陪同下，访问了壳牌石油、飞利浦等世界知名企业以及相关的钢铁、石化、陶瓷等产业企业，用英文录像资料向其宣传稀土应用，宣传中国稀土产业、产品，用从国内带去的耀龙牌稀土样品请他们试用。目的无非是推销中国的稀土产品，促使中国的稀土产品走进欧洲，走向世界。

无疑，那次有中荷两国政府影子的荷兰之行对中国稀土产品进入欧洲起到了极大的推动作用。

时代周报：国家商务部近几年逐年缩小稀土的出口配额，稀土价格得到了扭转，但因此我们却不断引发欧美国家的不满，以致这么一个产值不到 400 亿的产业成了外交的焦点，你觉得应当减少稀土出口值得吗?

红枫：现在包括政府和企业的很多人都不尊重历史，盲目地说当年“把稀土卖成了白菜价”“卖成了土价钱”，这种看法我们老稀土人不同意。

现在对外汇不急需了，政策确实应该调整，但并不应该以现在这种方式进行调整。

比如说，稀土是可以少出口了，甚至可以不出口了，只要进行内部调整就可以了，但请不要把这些话放到嘴上。之前跟外国说，我愿意不出口就不出口了，这样做有害无益。现在商务部对外解释的理由一个是国内市场扩大了，要保证供应，稀土开采对环境破坏严重，要进行整顿，改善环境。这些理由都是正确的，但是这些道理都说晚了，一开始的时候都把话说得很硬，造成的影响很坏。因为中国的资源是有赖于别人的，石油、铁、铜，甚至还有煤，对国民经济起支柱作用的大宗商品都有赖于进口。

有求于人是不能这么硬姿态的。稀土是战略资源不错，难道铀不是吗?澳大利亚和哈萨克斯坦是不是可以宣布铀矿不出口呢?

矿权整合多年难成

时代周报：也有一种观点认为，多年来我国国内小矿林立，互相压价，导致稀土价格远远低于它应有的价值。而近两年国家提出提高稀土矿的环境门槛，也是针对这些小而乱的中小矿企所采取的整顿行动。

红枫：以前确实要脱贫致富，当时发的采矿证就特别多，最开始是省一级就能发证，但在1992年采矿权曾上升到地矿部。但操作起来又比较困难，因为矿都很小，矿权又有年限，到期又要重新申请，工作量特别大，上面很难应付这些工作。最后一些省，比如江西就又把发放的权力下放了，但还是要备案。

我们当年作产业规划的时候，一开始就考虑过让大企业来专门开矿，但是当时很难顾得上。

时代周报：现在提出的解决方案也是让大国企如包钢稀土、五矿集团等下去整合稀土矿权，以图实现统一管理，你觉得这种方案可行吗?

红枫：我赞成矿权的整合计划，但实际上又很困难。有些省的领导就曾经说过，

这是牵涉到不同利益群体、利益集团的计划，还得靠平衡利益的方法来解决。

1998年的时候，刚成立的国家经贸委提出要组建两到三家大型稀土公司，国务院总理也同意了。

但我当时就认为很难做到，因为牵扯到的利益关系太复杂了。按照《矿产资源法》，矿产归国家所有，但这只是一句很好听的话，资源实际上是归属地所有。而这些稀土矿的所在地基本除了资源之外也没什么工业，改革开放以后就靠卖资源，如果国家成立大公司把矿权拿走了，对地方没有什么好处。

更重要的是，这些大国企是不甘于单单控制矿产资源，他们本身都有很强的分离技术，他们更希望将矿产垄断了，自己来进行分离、应用，将整个产业链都整合起来。这样跟原来的整个产业链都是一个竞争关系。

我当时的建议就是资源跟分

福建省龙岩市永定县湖山乡象湖村的一处被打击过的乱采滥挖点，环境植被遭受严重破坏。
（魏培全/摄，图片来源：新华社）

离必须脱钩，大公司必须只到选矿为止，包括包钢。因为如果一个企业既有开采企业又有分离企业，他们必然会把矿产卖给自己的企业，别人是分不到的，整个产业链就死掉了。

时代周报：7月中旬时，商务部部长陈德铭对日本经济产业大臣海江田万里时表示，稀土元素价格上涨将引发通货膨胀，这不是中国经济需要的，中国将考虑采取措施应对稀土矿价格的上涨。但进入8月，稀土企业就号召停产来保证稀土价格了，最近包钢也加入了停产的行列，你觉得现在的稀土价格是在合理区间吗？

红枫：停产是没有用的，本来这几年的稀土价格就已经虚高了。

几年前，我曾对一个稀土企业说，现在氧化钕只有3万～4万/吨，价格太低了，合理的价格应该是7万～8万/吨，当时确实价格偏低。但现在氧化钕已经是100万/吨了，考虑到通胀的因素，合理的价位应该是30万～50万/吨，明显虚高。

太低或者太高的价格都对稀土整个产业不利。

稀土价格猛涨，造成了什么情况呢？开采企业是猛赚一笔，但做磁钢的却买不起，做荧光粉的买不起，做电磁的买不起，要不停产，要不只能考虑其他的代用产品。上游是赚钱了，但整个产业链都死掉了。到底是你上游一个人赚100万好呢，还是整个产业链赚1个亿好呢？强行拉抬价格的结果是，为了赚100万把整个产业链都坑死。

打击稀土盗采之难

10月份，本报记者从英德出发，途经鱼湾镇、东华镇、白沙镇、清新县等地，所到之处，被疯狂盗采肆虐过的山体千疮百孔，水土严重流失，植被毁坏消失，满目疮痍。

但这些，仅仅只是疯狂盗采所遗留下来的冰山一角。

闲人勿进

从英德市区去白沙镇要倒三趟车，接近三个钟头的车程，有一半是盘旋的山路。

途中所见的山头，表面上郁郁葱葱，但在其更深处，隐藏有多少被粗暴盗采破坏后光秃贫瘠的黄土坡，无法为外人知道。

为深入更隐蔽的矿山，记者联系了白沙镇一名知情者，想借此了解当地稀土盗采的更多信息。但该名知情者直接拒绝了记者的要求，对盗采一事的具体情况更是讳莫如深。这名知情人通过短信回复记者，称自己不敢得罪这方面的官与商，有同行曾经与其他记者“聊天”被殴打的经历，矿山更是最危险的地方，劝记者不要前往采访。

简洁拒绝之后，该知情人不再接听电话回复信息了。

距离白沙镇主干道北边的太平山头，经当地人指引，一条岔路口进去后有个中型矿点，进山后山间仅两米宽的泥泞路面跌宕起伏，附近山体明显被化学物品腐蚀出一个个触目惊心的大坑。“这地方有两个月没动静了，才敢带你来看。”带路的当地人说。

据当地一位摩托车司机介绍，矿山投资者大部分是找当地人帮忙打工干活，看守场地，当地人熟悉地形和人脉，一有外人闯入盗采现场，就马上将其驱赶甚至以暴力对待。

“有一些本地人看不过眼，觉得矿山财产被别人搞走，弄得水也不能喝，就去举报去捣毁，经常和看守的本地人打起来，本地人都打本地人，民风都给搞坏了！”

侦察与反侦察

清新县国土局监察执法的负责人证实了这种说法：“大多时候抓到的是本地打工者，幕后老板一般不露面。而且他们昼伏夜出，反侦察能力很强，打击难度很大。”

记者了解到，执法队主要通过两种途径发现盗采：一是群众举报；二是巡山。记者在白沙镇矿点看到，显眼处举报责任人的手机号码已被涂花，无法确认具体数字。而执法队负责人也坦承，遇到比较大型、成规模的盗采矿点，他们也不敢贸然制止，一般都是先暗中潜伏观察，查实之后，归队报告并叫上公安局执法队，于夜间出动执法。

“矿山一般都很隐蔽，车辆根本不能通行，要走一两个小时才能到。”解释起打击盗采稀土的困难，上述负责人一脸的无奈。

“近年来稀土盗采又有了新技术，用机器直接打洞到山体底部，灌入化学液体，通过一系列化学反应盗取稀土。表面上看植被还是完好的，根本无法发现。这种情况只有知情人举报，我们才能确切知道位置，有针对性地进行打击，否则根本无从下手。”

“本地人没有这种技术，今年打击的几起案例，都是江西赣州那边的商人支援的技术。”

“没有节假日，有人举报就马上去巡查。”清新县的国土监察执法队员，加上正副队长，一共只有五名。如不是近几年当地政府加强重视，增派人手，原先的执法队只有三名队员。

“因为作笔录起码得有三个人，不能再少了。”执法队队长无奈地自嘲道。

（选自2011年10月27日《时代周报》，作者：宋阳标、洪若琳、崔烜）

文化体制改革深水考验

2011 年 10 月 18 日，以文化发展为主题的十七届六中全会在北京闭幕。文化在社会发展中的重要地位以及深入推进文化体制改革的路径与措施，再次成为社会热点。六中全会公报中提出建设文化强国长远战略，这是中共又一次在国家层面对文化体制改革作出的重要战略部署，标志着中共对文化建设的认识达到了新的高度，执政高层在文化理论创新与实践方面正逐渐走向成熟。

文化的繁荣是发展的最高目标。正如十七届六中全会提出，文化是最需要创新和创造的领域。要保持文化领域已有的改革成果，或真正摸索出各类问题与矛盾的解决之道，就必须明确一点：文化发展有其自身独特的规律，一时的口号标榜或盲目地产业或资本化都可能事倍功半。

文化发展的资本困惑

2011 年 10 月 18 日，以深化文化体制改革为主题的中共十七届六中全会在北京闭幕。中共决策层集中探讨文化课题，从国家层面对文化体制改革问题进行战略部署，并提出将建设社会主义文化强国的目标，其战略意义广受关注。

当前，我国文化建设和发展的规约性环境是社会主义市场经济，公共资本与非公资本是我国文化建设和发展的主要动能来源。社会主义市场经济塑造了当前我国文化复杂的多重性格，意识形态性、公益性与营利性交织在了一起，公共资本和非公资本在平衡文化建设和发展中的公益和效益方面，往往充满了走着瞧的不确定性和投机性。

随着文化体制改革的推进，我国文化建设的多元化资本格局逐步形成，公共资本与非公资本混杂所产生的文化价值及经济利益矛盾也日益凸显。

公益性，还是市场化？

国家统计局2010年5月发布的《2008年我国文化产业发展情况报告》指出，我国文化建设已经逐步形成以公有制为主体、多种所有制共同发展的投资主体多元化格局。在经营性文化单位中，公有资本与非公有资本之比为47.5 ∶ 52.5，与2004年的51 ∶ 49相比，非公有资本所占的比重有所上升。

非公资本比重的上升，在不断增强文化发展市场活力的同时，也出现了社会各界高度关注的文化“三俗”问题。公共资本的经营效率问题与非公资本的文化责任问题本身就是文化发展中的一对矛盾，在过去的社会主义计划经济时代，公有资本是文化发展的绝对力量，意识形态与公共责任对于文化发展的要求是绝对性的；进入市场经济改革时代，非公资本对于我国文化发展的影响力自下而上潜移默化地日益扩散；随着文化体制改革的全面展开，社会主义市场经济的基本制度深刻影响了文化发展的资本多元化趋势，同时也使文化发展中的公共资本与非公资本的结构性矛盾更加凸显。

关于国有电视台是否应当播放商业广告并靠商业活动营利的争论，尤其能体现我国文化发展的资本结构性矛盾的深层性和复杂性。考虑到国有电视台的公共属性，重庆电视台卫视频道2011年3月1日起全面改版，不再播出商业广告，减少电视剧播出量且不在黄金时段播出。重庆卫视2010年的广告收入约3亿元，如不再播出商业广告，由市财政出资1.5亿元和重庆广电集团的其他经营收入约1.5亿元来支撑重庆卫视的运转。2011年3月全国“两会”期间，人大代表也在会议上提出中央电视一套等国家主流电视媒体禁播广告的建议。不播商业广告的理由是要让电视台回归公益性和公共性，由财政资助电视台运营似乎也成为顺理成章的解决之道。其实这种做法和思路与我国的文化体制改革有着深刻的内在冲突。

传媒是党和政府的喉舌，这是我国基本的文化制度之一。不播商业广告，我国的电视台也并不会是国际意义上的非营利性公共传媒。在第二次世界大战之后，世界上绝大多数国家进行了传媒私营化的发展，公共电视台保留的不多，英国的BBC和日本的NHK算是这一类的代表了。公共电视台的价值和标志在于它在内容选择、编辑与播出中的独立性，既不受商业的影响也不受党派政府的左右，其生存来自纳税人与收视者的合法支持。而且，如果中央电视台及省级电视台的一套不再播商业广告，无论是从国家财力的负担还是从当前主流电视台的商业利益角度，这种做法都很难真正得到支持。从全球的传媒业发展来看，大规模的财政办电视在当前世界上已经很少有了。按照文化体制改革的整体安排，可经营性的文化部门要实现转企改制，那么电视行业如果回归计划经济时代的政府包养的局面，这显然有悖于改革开放的总体方向与理路。

我国的文化发展在长期处于国家财政包办的文化事业建设和发展之后，经过经济体制改革与文化体制改革的推动作用，文化资本混合性特征不断增强。在经济体制改革的鼓舞下，文化事业单位积极谋求企业化运营，在坐享公共资本资助的同时，

2011 年 9 月 27 日，昆曲演员在南京地铁二号线列车车厢内表演昆曲名段。（图片来源：新华社）

吸纳非公资本创造经济效益。文化体制改革的基本任务就是要让一些经营性的文化部门改制转企，通过市场化的机制，部分文化单位彻底变为市场主体；部分意识形态较强的文化单位在国有资本占主导的前提下积极吸收非公资本，增强经营性文化部门的实力和市场竞争力。但这些转企的文化部门在名正言顺地追求效益的同时，也习惯性地依赖并积极谋算更多公共资源，现代企业精神难以确立。同时，追求效益自然会迎合市场，从而导致对于文化赤裸裸的商业化驱遣与利用，这往往与我们政府和社会对于文化的习惯性认识与理解大相径庭。因此，这种局面又往往会导致政府与社会对于文化商业化和庸俗化的愤慨，进而加强管制甚或回归公益性。一抓就死，一放就乱，这种二律悖反式的改革难题在文化发展中再次上演。

财政扶持：寻觅市场失灵之处

从我国文化体制改革趋势不难看出，造成当前我国文化资本结构性问题的原因，一个是社会主义文化体制的制度性依赖，另一个就是走市场经济道路的一般性要求。所以，了解和研究一般市场经济国家文化发展的资本逻辑，无疑是深入探讨和解析我国文化发展方向与路径的重要基础。

当前，在绝大多数市场经济的国家和地区中，无论是出版、广电、演艺等传统文化行业还是游戏、动漫等新兴文化行业，文化发展的主要推动力量是非公资本，市场经济的原则是文化发展的主要规则，法律制度是规约文化经济行为的基本手段。在这种无所不在的文化市场体制环境中，对于文化产业化、商业化可能导致的文化批判的消费化、文化选择的霸权化等问题的担忧之声不绝于耳，不仅有法兰克福学派、葛兰西等杰出的哲学家们的激烈批评，也有包括经济学家或政治精英们对于保护文化公共性的呼吁。

正是因为有这样一些有力的理性声音存在，在市场经济主导的文化发展中，对于那些具有显著公共性、存在市场失灵的非营利性文化艺术领域的财政扶持也成为市场经济国家的一种常态性措施。

在市场失灵的地方，公共财政要有所作为。这是一般市场经济国家对于文化艺术的某些领域进行公共资助的基本前提和原则。一般公共资助的规模不大，而且资助的方式大多通过“一臂之距”的准政府组织或社会非营利性基金会来实施。即便如此谨小慎微，批评和改革政府对于文化资助的要求还是不断出现。基于市场机制的公共文化资助模式已经被当前西方发达国家广泛接受。

以英国为例。当今的英国公共文化艺术资助制度起源于20世纪40年代，当时政府在文化事业发展中的重要作用得到了认可，在著名的大经济学家凯恩斯的领导之下，依靠财政与慈善资金，于1946年产生了世界上第一个保持“一臂之距”的分配政府资金的中介管理机构——大不列颠艺术委员会。英国20世纪80年代对艺术文化拨款和管理制度进行了重大变革。尽管还在坚持对公共文化部门的扶持计划，但政府要求艺术和文化组织寻找补充其收入的新来源，特殊的重点放在了市场化即扩大受众的规模以及增加商业赞助的措施上。

这种基于市场机制的资助公共文化事业的现代公共财政模式已经为当前西方发达国家普遍采用。其特点是重视发挥公共资助的导向功能，充分利用市场配置资源的基础作用，强化市场机制在文化价值实现和影响力中的效用，提升公共财政支出的绩效，实现文化与经济的互动发展。

比如美国政府，在公共文化资助方面的作用主要体现在不断完善支持文化发展的经济规划和政策方面。联邦、州和市政府一直积极创造一个促进美国文化发展繁荣并对美国经济作出贡献的文化经济环境。联邦政府不仅给非营利文化部门提供直接资助，还以税制方式提供极重要的财政支持。在文化资助方面的这些努力，不仅培养了美国文化强大的国际竞争力，而且对于美国经济的带动作用也是非常显著的。诸多的经济影响研究都已发现，公共文化投资可以在直接消费、创造就业以及增加税收等方面带来丰厚的回报。

公共资本效率与非公资本隐忧

中国的文化发展有自己的历史传统与现实的特殊性，西方资本主义国家的文化经济政策与文化产业运营模式不能完全适用于我国。但观察一般市场经济国家非公资本与公共资本在推动文化与社会经济协调发展方面的经验，对我国进一步理顺并克服文化体制改革进程中混合资本结构所带来的一些不利于文化发展的矛盾问题还是很有借鉴意义的。

首先，加大公共文化资本的投入力度，转变投入方式，完善文化政策。

长期以来，我国的文化建设主要依赖国家财政的投入扶持，这为我国公共文化的建设提供了基本保障，但也导致了文化生产的活力不足和效率低下的问题。在经济体制改革不断深化的过程中，文化领域的财政投入不足问题凸显，文化部门逐步引入市场机制，文化产品与服务的生产供给能力迅速提升。但由于体制的问题，大量的事业单位实现企业化运营管理，一方面公共文化部门日益商业化，另一方面，经营性文化部门行政化问题严重。这就需要公共财政文化投入的范围、方式、机制等进行一系列的调整和创新。对于转企改制的经营性文化单位，公共财政需要通过必要的过渡性扶持投入，培育其市场能力，逐步“断乳”；对于保留事业属性的公益性文化单位，公共财政要加大投入力度，同时要创新扶持方式，引入新公共管理机制，从“养人”到“养事业”，使公共财力真正发挥效益。

按照十七届五中全会公报的要求，我国要尽快建立起体现公益性、基本性、均等性、便利性的要求，以文化事业为主体的覆盖城乡的公共文化服务体系。六中全会则从“文化强国”的战略高度进行规划，提出“全面建成惠及十几亿人口的更高水平的小康社会，既要让人民过上殷实富足的物质生活，又要让人民享有健康丰富的文化生活”。以保障公民基本文化权益为目标的国家层面的文化民生工程，尤其需要公共财政的大力保障和积极作为。建设社会主义市场经济不仅要保障公民在医疗、养老等方面的基本生存要求，也要积极满足公民在教育、文化方面的基本权益和需求。无物质匮乏之虞，享有体面尊严的生活，内心安定，富有信念，这是社会主义文明的题中之义，也是社会主义市场经济繁荣发展的基础、目标与内涵。

其次，充分发挥市场机制，健全法规，调动非公资本的积极性和创造性。

文化建设既有显著的公益性要求，同时也有紧迫的市场化需要。

文化建设需要公共财政的大力投入和扶持，同时也要通过不断建立健全与社会主义市场经济相适应的文化管理机制，积极发挥公共资本的导向与激励作用，鼓励和吸引更多更大的非公资本参与文化建设，在经营性文化产业领域，充分尊重和发挥市场在配置资源方面的作用和机制，鼓励公平竞争，效率优先，提升文化生产力。

这些年来，随着文化体制改革的推进，以资本为推手的文化产业跨地区、跨行业的兼并整合的力度越来越大，包括转制文化企业在内的文化产业上市案例不断增多，银行资本、风险资本等对于文化产业的投入规模快速增长，各种针对文化产业的金融工具不断推出，非公资本对于文化发展的支持力度越来越大。这固然有可喜之处，但也必须注意其中的隐忧，急功近利的资本偏好往往会导致文化建设的本末倒置危险。积极吸引非公资本的目的是要促进文化产业的健康快速发展，而不能仅仅成为资本炒作营利的工具甚或玩物，那样的话，资本对于文化产业的作用不但无益，反而会带来巨大灾难。

我国文化产业是在文化市场发展不充分的情况下成长起来的，与国际相比还很弱小，市场经验还非常有限；而我国资本市场规范性不足的问题比起国际上有过之而无不及，文化领域的过度金融化风险非常大。在全球一体化的环境中，面对日益迫近而激烈的国际竞争，我国文化产业的健康快速发展离不开资本市场的支持，但也要克制过度资本化的冲动，需要加紧建立与社会主义市场经济相适应的文化经济法律规范体系，建立公平有序、竞争合理的文化产业发展环境，使得非公资本在经营性文化领域能真正发挥积极作用。

北京儿艺——文艺院团市场化的先行者

有人说，文艺院团的春天来了。

因为改革试点八年来，全国已经有678家国有文艺院团完成或正在转企改制。其中，近两年转制院团的数量为过去六年总和的近八倍。一批龙头演艺企业迅速成长，文艺新秀脱颖而出，优秀作品登上舞台，转制后的院团演艺收入成倍增长。

也有人说，文艺院团的改制仍在经历严冬的考验。

因为一些院团仍存在“崇事恐企”的思维定式，对改革消极观望。改革的钱从哪里来？人员如何安置？怎样谋发展？这些难点仍然困惑着部分院团。

5月11日，中宣部、文化部联合下发《关于加快国有文艺院团体制改革的通知》，要求各地在2012年上半年之前全面完成国有文艺院团的体制改革任务，进一步明确了国有文艺院团体制改革的路线图和时间表。

改革并不难，但如何改，如何借鉴好的改革经验突破改革的瓶颈，在改革后谋发展才是重中之重。

为什么要改制?

“少戏、少收入”是国有文艺院团的通病。以原北京儿童艺术剧院（北京儿艺）为例，北京儿艺成立于1986年，属差额拨款事业单位，2000年至2004年，扣除2003年“非典”的影响，北京儿艺的年收入平均只有70多万元，平均每场收入4 000多元，一名专业编剧平均每两年才出一部新剧目。

据介绍，改制之前，剧团的运营方式是通过政府拨款，排一部戏拨一笔经费，截至年底账面上的余额还要上缴，员工拿基本定额工资，没有奖金。时任北京儿童艺术剧院院长洪连成说:“我每天想的就是怎么把划拨的钱归零，多一分少一分都不行。”每排出一部戏，都是通过包场的方式进行下校园演出，票价5元一张，不组织社会商业演出。剧团总人数82人，每年演出200场左右，国家每年拨款200万元，员工的工资虽然不高，但也“旱涝保收”，但是如果想发展，把市场做大做强，就会感到力不从心。

原甘肃省杂技团的情况则更为严峻。受电视、网络等传媒和娱乐方式的冲击，2000年以来，在兰州，到剧场看杂技的观众越来越少。特别是2006年前后，杂技团陷入内外交困，节目没新意，演出场次少，职工没收入。甘肃省杂技团有限责任公司董事长李林安说:“最困难的时候，杂技团连职工几百元的生活费都发不全，不演不赔，一演就赔。”

从上世纪80年代开始，国有文艺院团的演出总场数就开始下滑，1985年为74万场，1990年为49万场，到1994年降至40万场，此后一直在40万场上下徘徊。与此同时，民营演艺企业2009年全年的演出场次超过70万场，是国有文艺院团的近两倍。就收入来说，有些国外演艺企业的年收入超过10亿，是中国国有文艺院团全年总收入的近五倍。 企业化运营演艺机构的发展活力同体制内院团的状态形成了鲜明的对比。

事实上，从1979年提出“调整事业，改革体制”，1983年试行“承包制”，1988年倡导“双轨制”，到1994年推行中直院团聘任制，文艺院团的探索性改革一直在进行，却始终没有触及体制弊端的根本。事实让大家意识到，只有由机制变革转向体制创新，才能彻底根除院团发展中的顽疾，从而激发艺术生产的活力。

2010 年 7 月 15 日，北京儿艺大型世博儿童剧《海宝》的演员在彩排。
（罗晓光 / 摄，图片来源：新华社）

改制的路怎么走?

2004 年，北京儿艺被北京市指定为文化体制改革的试点，成为全国首家由事业单位转为股份制公司的文艺院团。之所以选择北京儿艺，是考虑到儿童剧团规模不大，涉及的利益冲突较少，而儿童剧产业作为夕阳剧种，也不涉及圈内各种复杂的关系，用王颖的话说就是“船小好调头”。

当年 1 月 16 日，北京儿童艺术剧院股份有限公司正式挂牌成立。改制后的控股方是《北京青年报》，参股的另外四家是北京市文化局下属北京市文化设施运营管理中心，北京市教委下属北京高校房地产开发总公司，北京电视台下属北京电视事业开发集团、北京市文化发展中心。

时任北京青年报社副社长的王颖被聘任为公司总经理，市领导希望她能够把《北京青年报》的先进市场化运作经验带到儿艺（《北京青年报》当时是北方第一份市场化运作的报纸）。王颖回忆说："当时开第一次座谈会时，很多员工举手提问。有一个员工说：'我就问两个问题：第一，我以前叫作国家干部，我以后叫什么？第二，我的收入以前都是国家给，以后谁给？靠一张票五元钱，到什么时候才能卖出我的工资来？'"在离开时，市领导告诉王颖，一定要用事实教育大家，什么叫作走市场。

当时，市领导给北京儿艺下达了任务，即"六一"期间一定要出一部大戏。按照艺术家的传统创作规律，一部大戏需要两到三年的时间。于是，北京儿艺连发五期广告，以 20 万元向全国征剧本，这对于以前儿童剧本稿费平均只有四五千元是一个大的飞跃。到 3 月份，公司共征集到 241 个剧本，引起了业内的轰动。尽管最后六一大戏并没有采用这次征集的剧本，但通过这次征集活动让北京儿艺拥有了一个广泛的剧本库和作者群。

那一年，著名导演孟京辉和著名音乐制作人三宝都刚刚喜得贵子，两人的孩子也恰巧都是六一节前后过生日。因此，他们对创排一部精品儿童剧作为送给自己孩子的六一礼物充满热情。当时，孟京辉的创意脱颖而出，就是一个小孩掉在地下迷宫世界，被他的垃圾给埋起来了，以一只大皮鞋、一只易拉罐和一只剩苹果为首的恶势力开始在迷宫中崛起，果冻不愿受它们的控制，勇敢地和恶势力展开了斗争。经过一系列奇遇，小孩懂得了不能随便扔垃圾。这部戏的名字叫作《迷宫》。

孟京辉的创意经专家评审通过后，3 月份开始排练。这部戏完全采用市场化的运作方式，演员都是从中戏和电影学院的毕业生中招聘，孟京辉执导，三宝作曲，携手搞摇滚出身的丰江舟和一个乌克兰视觉设计大师以及曾为周星驰作形体设计的香港著名形体设计师詹瑞文，组成了一个业内的金牌创作班底。

"六一"演出前，北京儿艺专门邀请了北京知名票务公司组织观摩，永乐票务公司当即以 115 万元独家买断了首轮演出权。事实上，这个剧首演的票房就达到了 300 多万。王颖说："这起到的示范作用是巨大的，以后全国一流的演出公司和票务公司都愿意跟我们合作。因为他们知道北京儿艺的剧火，能卖钱。"

《迷宫》的另类阵容可以说是儿童剧史上的第一次。如果说以前的儿童剧在编剧前都是由艺术室安排任务，虽然很多剧目也得了奖，但缺乏对儿童观众需求的调查，从创作理念到方式都带有明显的计划经济的痕迹。那么《迷宫》的成功，就是用事实说明了体制改革的优势。

这部戏火了以后，北京儿艺在年底推出了《Hi 可爱》，演出阵容更加顶级，当时的一家票务公司以 300 万的价格将演出权买断。从 100 万到 300 万，北京儿艺仅用了半年的时间。

难点怎么克服?

改革不难，难的是如何让大家都参与改革、支持改革。王颖说："人都怕死，为什么呢？因为不知道死后是什么样子。改革就是革命，是革自己的命，所以很多人都惧怕未来，惧怕改革。"北京儿艺的员工都是非常惧怕改革的，有人说："你们都跟世界一流的艺术家合作了，还会要我们这帮人吗？"

刚改制的时候，北京儿艺的员工为排队吃饭打起来了。其实也并不是为了吃饭，而是一种情绪。改制了，仿佛一切都不一样了，心里也都窝着火，最后好几个老同志因为打架都住院了。王颖说："当时我就想，改革不能让一个人掉队。"一定要示范给员工看，让他们知道改革是最好的，然后再把他们带进来。

如果说北京儿艺"开院大戏"全部用的是孟京辉的演职团队，那么从第二部戏《Hi 可爱》开始，北京儿艺自身的演职团队就已经开始逐步挑起了大梁，之后创排荣获国家舞台艺术最高荣誉称号的《红领巾》《红孩子》，用的都是儿艺自己的演职团队。2008 年，北京儿艺创排的大型恐龙童话剧《你看起来好像很好吃》完全采用了自身的创意、演职团队，并在国家大剧院精彩亮相。后来很多演职人员说，这辈子都没想过可以去人艺、保利剧院甚至国家大剧院演出。他们那种荣誉感达到了顶点，真正体会到了改革的好处。

当员工对改革有了新的认识后，北京儿艺及时推进机制转换和制度创新。在艺术生产、人力资源管理、财务管理等各个方面全部与现代企业接轨，实现了在新形势下的良性运转。剧目创作的成功，让员工的认识发生了变化；内部管理机制的变革，给员工的进一步发展提供了平台。通过引导、鼓励和支持，每一个员工都保证在新岗位上发挥作用。在企业改制过程中，北京儿艺始终把人的改革放在首位，对内采取“因才择岗”的办法，把年轻有为的演员推到创作一线，将富余人员分流到二、三产业，使人尽其才，改制中无一人下岗。

有人说改革就是要回家，就是要被迫赚钱吃饭。其实并不是这样，只有改革才能让一个人的潜能最大限度地得到发挥。人只有放在海洋中才能学会游泳。王颖告诉记者：“北京儿艺之所以成功有一点就是一直做蓝海业务，不做红海业务。红海业务意味着只能靠降价来竞争，而蓝海就是要做别人没做过的事情。”她表示，北京儿艺不会被艺术家的名字盖住，所有的艺术家都是为他们服务的，他们的作品都会打上北京儿艺的烙印。

几年来，北京儿艺开创了一个又一个奇迹，打破了一个又一个纪录。他们开拓了世纪剧院演出儿童剧的先例，打破了保利剧院以前不让儿童进场的限制。他们针对周末文化现象，在世贸天阶开辟了北京儿艺艺术体验馆，每个周末都有剧目演出，还给每个孩子准备免费的坐垫，让他们在观看演出时可以和家长平起平坐。他们还联手著名慈善家举办了公益演出活动，希望让北京的每一个孩子在童年的时候都可以免费看至少一场儿童剧。

在做精品的同时，北京儿艺不断延伸儿童剧的产业链。在《迷宫》推出的时候，公司就经过市场分析和设计开发，推出了包括儿童玩具、T恤衫、节目单、钥匙链、剧中人物形象徽章、饮水杯和剧中人物形象贴画这七种成熟产品。此外，北京儿艺同《北京青年报》共同策划，将报纸上的“寻找孩子的道德细节”系列报道编辑成书——《小果冻今天懂事了》。而《迷宫》也被改编成同名小说出版发行。以前院团只排戏，现在已经延伸到后产品的开发。

当品牌做出来后，赞助商就追来了。当收益越做越大时，政府也开始拨钱帮助建剧场了。中央和市里的领导参观北京儿艺后都感慨：“原来你们可以这样走市场，这才是我们要的文化体制改革。”

不同的艺术　同样的理念

儿童剧算是戏剧艺术里的一个特殊门类，演出利润少、回报低。北京儿艺没有特别知名的艺术家，却出了那么多的精品剧目，拿了那么多国家大奖，原因何在？

王颖总结道："北京儿艺提供了一个平台，能够让全国甚至全世界的艺术家都在上面跳舞。另外，就是要激发人的潜能，能力是被激发出来的。所有的创作都应该是社会化的，而不是被政府压出来的。梅兰芳不是政府压出来的，而是人们评出来的。"

有人会说，可能会有很多院团没有钱。北京儿艺可以花30万请雅典奥运会的导演，其他院团没有这个实力怎么办？王颖说："我们可以把剧团带到他那里去演，这也是北京儿艺跨区域做剧院联盟的本意。当出现一个好作品，就可以在全世界范围内演。花钱请大艺术家排一个戏，完全可以把它复制到全国任意一个地方，这个成本就很低了。"

还有人会问："全国这么多院团，不可能都有北京儿艺这种制高点，有这么好的股东单位和市领导的大力支持。"针对这个问题，王颖表示："可以并购，可以合作。创作一个源头，在源头下面采取各种形式的演出，这才是一个产业化的过程。"她认为，除了非物质文化遗产作为文化去保护，剩下的大部分都应作为商品走市场化的道路，这样老百姓就能看到不走样的戏，中国的艺术家也会不断有新的出路。

在改制前，大多数人都没听说过北京儿艺，它和很多国有文艺院团面临着相同的问题。没进过市场，就觉得市场可怕。可是不浴火，怎么才能重生呢？甘肃省杂技团在几乎连员工生活费都付不出的情况下，通过改制，走出了一条文艺演出与旅游相结合的道路。创排了《敦煌神女》后，仅仅一年时间，演出场次和收入就较改制前翻了一番，演员月收入4 500多元，是改制前的三倍。绍兴大剧院将各地名团名角请到一起，演出经典剧目，将越剧进行创新，精心制作，打造了"长三角江浙沪越剧展演"和"同唱一台戏"的品牌。安徽省石台县黄梅戏剧团则选择扎根基层、服务群众，在农村市场闯新路，从濒临倒闭到重新焕发生机。

如今，各地的国有文艺院团改制后纷纷在市场上寻找新的发展机遇。梨园剧场，政府都没管，演出的也都是最古老的京剧，却依然红红火火。浙江小百花越剧团来北京演出，也是来一场火一场。只有解放思想才可以创新，一个好的创意放在一个好的载体上，再加上好的市场化运作手段，是没有问题的。王颖说："如果当初改革的时候挑的不是北京儿艺，而是豫剧、黄梅戏，结果都一样。"

此外，很多省市将转企改制与资源重组相结合，组建演艺集团公司，用现代企业制度来打造区域性的龙头演艺企业。由于演艺集团都是在院团改制后才成立的，改制的单位参差不齐、体制不一，如何用统一的标准来管理也极为重要。2009年，北京演艺集团整合了包括北京儿艺、北京木偶剧院、中国杂技团等15家企事业单位，王颖任集团副总经理。她告诉记者："一个院团不能总是一个戏一个戏地生产，成立集团后就可以整合各方面的力量。比如现在做儿童剧，如果想加入一点杂技的内容，以前需要从社会上去买，现在就可以在集团内部进行协调。"

当然，转制中政府的扶持是必须的。如投资兴建配套的演出场所、拓宽院团筹集资金的渠道、以奖代补支持院团的改制等。一个院团的体量很小，但是其社会的影响力却很大。一首歌、一部电影可能就会影响一代人。让艺术作品走市场，不是为了挣老百姓的钱，而是为了让艺术作品直入人心。对于一些传统的技艺，如何保护、如何传承都需要政府在市场上加以引导。

博物馆的未来

博物馆是一个国家、民族或地区历史文化和现代文明的窗口，也是一个国家和地区形象的代表，同时还是人民了解历史文化、启迪人们心智的教育场所和一种特殊的旅游资源。1905年，清末甲午科状元张謇在南通建立了第一所国人自办的、最具近代博物馆意义的博物苑。

在中国，随着公众日常文化的消费需求日益攀升，博物馆正在步入一个高速发展时期。截至2010年底，全国登记在册的各类博物馆有3 020座，但普遍是官办性质，筹资模式也较为单一，以财政投入为主。目前已有1 700余个博物馆、纪念馆实现免费开放，约占全国博物馆总数的58%。2008年至2010年，中央财政共计拨付52亿元，对免费开放的博物馆、纪念馆进行补助。与此同时，无论是决策者还是博物馆的经营者，都不约而同地发出了对现有博物馆体制进行改革的呼声。

博物馆改革起步艰难

文化部政策法规司改革指导处副处长郭长虹认为，中国当前博物馆的发展，第一推手是地方政府对建设纪念碑性和地标性建筑的冲动；第二是某一行业对行业记忆的追述，由此促进了行业博物馆的发展；第三便是民间收藏群体的壮大，带动了民间博物馆的发展。

郭长虹所说的三种推力所造就的博物馆的发展，其实与公众的需求并不合拍。一位业内人士指出，带有事业单位身份的国有博物馆乃是主体，自其诞生就具有很强的公共性和政治性："例如策划一个展览，是层层下达的政治任务，而不是源于公众的文化需求。"

国家文物局博物馆与社会文物司副司长张建新说，大多数国有博物馆的馆长是由行政体制任命的，博物馆对人事制度等都做不了主。在传统事业单位的管理体制下，业内对博物馆的运营状况有着很多自嘲的说法。诸如"经费靠财政，组织靠发文，观众靠上门""老面孔（陈展不变），老地方（展所不变），老腔调（说教方式不变）""一流的展品，二流的展览，三流的服务"等。

长期依赖财政拨款，而文博单位又相对弱势，全国大多数博物馆的运营经费严重不足。此种背景之下，一些博物馆开始引入市场化机制，寻求多元化的经营收入。例如针对市场需求进行策展，增加门票收入；开发周边产品，进行特许经营；运营餐饮休闲场所、出租场地；转让文物保护技术和科学研究成果的知识产权等。

市场导向给博物馆带来活力的同时也产生了诸多问题。由于有关部门对博物馆的运营规则和收益分配监管不到位，从而导致了在资源的分配上出现了较大的寻租空间。寄生于博物馆的各种关联公司，与博物馆的关系盘根错节。而另一方面，博物馆从运营中获得的收益并不公开透明，经营性收入转而成为部门小金库的案例比比皆是。今年上半年，包括北京故宫、承德避暑山庄等在内的一些重点文保单位建会所、会馆的案例即是明证。

国家文物局局长单霁翔表示，博物馆是属于非营利事业，相关负责人在投资前一定要有此心理准备和意识。

国家文物局副局长董保华亦表示，国家文物局对于文保单位进行经营性服务的态度是一贯的。一方面，积极鼓励有条件的文保单位将其管辖的博物馆、保管所等开辟为观众游览场所；另一方面，博物馆和文保单位获得的这些收入，一律视作事业性收入，应当实行收支两条线，禁止将经营收益作为利润的分配，必须将之用于与文物保护有关的事业。

"我认为文物保护单位属于公物，而公物是不能以营利为目的的。"中国政法大学法学院教授、行政法研究所所长何兵在接受采访时说道。他认为，之所以不能以

观众在上海笔墨博物馆参观笔墨展品。（钮一新 / 摄，图片来源：新华社）

营利为目的，是因为这些单位享有一定的特权，不能为个人利益和小团体利益服务，而应是公众共同享受。

第一座农民自建博物馆

2000 年 8 月 8 日，全国首家农民自建的博物馆“秦公一号大墓博物馆”，在陕西省宝鸡市凤翔县南指挥村正式开馆。其核心就是曾在全国考古界轰动一时的秦公大墓，它的发掘创下五个全国之最，发掘后却因历史的因由而沉寂 13 年，而后当地农民自筹资金在大墓遗址上建立起全国首家民营博物馆，使之再次受到国内的广泛关注。

从 1976 年 11 月被发现开始，由陕西省考古研究所雍城考古队会同南指挥村村民，对秦公一号大墓进行了 10 年发掘。秦公一号大墓是中国迄今发掘的最大墓葬，墓内186具殉人是中国自西周以来发现殉人最多的墓葬，椁室两壁外侧的木碑是中国墓葬史上最早的墓碑实物例证，大墓出土的石磬是中国发现最早刻有铭文的石磬，文字达180多个。

由于资金不足，被幸运发现并成功发掘的秦公一号大墓并未得到应有的保护和进一步开发，1986年的考古发掘结束后，秦公一号大墓的墓室用沙土回填保护起来。时任南指挥村村支书的赵生祥清楚地记得，考古队连夜撤离后，秦公一号大墓出土的文物大部分被运往省历史博物馆及秦兵马俑博物馆异地保存。大墓因此而沉寂下来，一等就是13个年头。

上世纪90年代中期，国家文物局《民办博物馆暂行条例》出台，这促使赵生祥有了集资建设秦公大墓遗址博物馆的想法。“当时我们这儿很荒凉，但每年却有大批的学者和国外的考古人员来大墓参观。这么重要的文物古迹和我们的保护措施显得很不协调，如果修个博物馆，不但保护了文物，还能利用这个资源搞点旅游。”赵生祥说。

在赵生祥的努力下，全村580多户中，最终有60户参与了集资开发大墓的项目。集资户少则千元，多则几万元，据赵生祥说，当时融资近70万元，加上征地、劳务抵资，全村共投入了约250万元。2000年8月，经国家文物局批准，全国第一个农民自建的博物馆建成开放。一些党和国家领导人及外国友人先后来博物馆参观，各地游客也慕名而来，秦公一号大墓博物馆一时间成了游览胜地。

开馆运营了七年后，这座博物馆却在从文化资源向旅游资源的转向过程中，因资金不足而面临无力继续开发，甚至连遗址保护也受到影响的尴尬境地。这个民营博物馆遇到了一系列自身难以克服的困难和问题：年均游客量在5万人上下，博物馆年收入不到10万元，但用于非文物保护的基本维持费用就要5万多元。由于难以为继，2007年9月18日，这个首座由农民集资兴建的博物馆正式更名为“宝鸡先秦陵园博物馆”，收归当地文物局管辖，成为国有事业单位。

从“民营”到“国有”，秦公一号大墓博物馆经历了七年的坎坷经营，它在运营模式以及对文物遗址保护与开发方式的探索上，都曾走在全国前列，为动员社会力量广泛参与文物保护的新体制作出了积极实践。但其最终因民办力量不足，仍旧回到了“国家保护为主”的体制中。这给我们提出了问题，由民间筹资建立博物馆是否可行？

尽管当前民办博物馆的发展趋势强劲，但在实践中存在着诸多问题，尤其是“资金筹措问题”似乎成了难中之难。国际博物馆协会的章程规定，博物馆是以不营利为目的的社会公益性事业。正在审议中的《中华人民共和国博物馆条例》也规定，博物馆是以“研究、教育和欣赏”为目的，以“收藏、保护、展示”为手段，向公众开放的非营利性社会服务机构。

于是，如何在保持公益性质的同时进一步发展，对民办博物馆来说就成了“生存还是毁灭”的难题。原国际博物馆协会执行局执行委员、中国博物馆学会常务副理事长李象益就指出，目前很多民办博物馆前台是博物馆，后台其实是个经营实体。如果是通过经营活动来弥补事业费的不足，是允许的；但如果是以营利为目的则违反了博物馆的公益性，是不允许的。

去年，由国家文物局、民政部、财政部、国土资源部、住房和城乡建设部、文化部和国家税务总局等七部门联合下发了《国家文物局、民政部、财政部、国土资源部、住房和城乡建设部、文化部、国家税务总局关于促进民办博物馆发展的意见》。其中提到，民办博物馆是为了教育、研究、欣赏的目的，由社会力量利用非国有文物、标本、资料等资产依法设立并取得法人资格，向公众开放的非营利性社会服务机构。

但值得注意的是，在中国，由于非营利机构运行机制的缺失，而使民办博物馆的身份定位面临着较为尴尬的局面。

免费只能是改革的开始

2003年年底，浙江省率先宣布其公立博物馆逐步实现全部面向公众免费开放。免费开放的政策由此逐步在全国推开，并在2008年初全面启动。截至2009年底，全国免费开放的博物馆、纪念馆总数达到1 743个，约占文化、文物部门归口管理博物馆、纪念馆和全国爱国主义教育示范基地总数的77%。2008年至2009年，接待观众8.2亿人次，平均观众量比免费开放前增长50%。

毋庸置疑，博物馆的免费开放不仅仅在于降低了经济门槛，更重要的在于它是政府提供给市民的一种文化福利，使每个人都有机会共享人类的文明成果。公众尝到了免费的甜头，博物馆也更彰显出公益的本色。张建新表示，博物馆免费开放的政策已经取得了较好的效果，是适合中国国情的一项政策。

免费开放对中国博物馆界也是一次“大考”。除了陡然增加的客流量给各个博物馆的接待、运营带来了强烈的冲击外，前所未有的财政投入也可能产生“钱越花越多，效率越来越低”的反作用。

比如，门票的费用由政府代为支付，但并未有精确统计管理，往往是由博物馆上报一个约数，博物馆自身也因此失去了精心策展、改善服务来吸引观众的动力。财政买单，多是任务型消费，如果缺乏精细化管理的资金投放，不仅不能推动博物馆管理机制的改革，反而增加了这类事业单位在资金和人事上对行政系统的依赖，从而阻碍了改革的推进。

有多位学者指出，作为公共机构的博物馆，更应从管理机制上体现其公共性，让整个博物馆在其发展规划、具体的展览策划、服务的提供等方面，都能够加强与公众的沟通与对话，以社会需求为导向，而非以行政需求为导向。

北京大学考古文博学院教授宋向光认为，国家文物局这些年一直推动博物馆建立法人治理结构，如对国家一级博物馆的评估，是否建立了理事会制度即是考量博物馆组织管理的重要指标。

与中国事业单位的管理机制截然不同的是，国外的很多公共博物馆都采取了理事会制度。以大英博物馆为例，理事会实行宏观管理，主要负责制订博物馆的相关政策和发展规划，对博物馆的财政收支情况实行监管，审查、批准和检查博物馆馆长执行计划，并提名博物馆馆长人选等。日常管理主要由博物馆馆长负责，并接受理事会的监督和检查。

张建新说，有人提倡学习欧美设立董事会或者理事会制度，有的博物馆则改由宣传部管理，但前提是有一个共识，即改革必须有利于博物馆的发展。

什么造就了百亿票房

2010年，国内电影票房突破百亿元。虽然仅《阿凡达》一片就贡献了11亿多，但《建国大业》《唐山大地震》《让子弹飞》等片也显示出国产片不可小觑的力量。近年来，国内电影票房保持着40%的年增长率，以电影产业咨询为主业的艺恩咨询预计，2012年电影产业规模有望逼近300亿元。

十多年前，这几乎是不可想象的。彼时，中国电影处于最低谷，1994年，年观影人次从1979年的293亿下降到了三亿。中国电影面临的不是发展，而是生死的问题。

1993年1月5日，广电部《关于当前深化电影行业机制改革的若干意见》发布。这一被业界称为“三号文件”的基本精神在于：改变了40年来计划经济下电影的“统购统销”局面，将国产故事片由中影公司统一发行改由各制片单位直接与地方发行单位见面。

虽然进口影片的引进发行仍掌握在中影公司手中，但这一政策引发了江苏、山东、北京等地方的突破，在度过不可避免的改革阵痛期后，电影市场的活力开始显现。

院线制推进产业化

值得玩味的是，真正开启电影产业化道路的还是2002年的一纸政令。

当年，中国强推“院线制”，规定2002年6月1日以前没有组建院线的地方将停止供应进口分账大片。这一举改变了传统的四级发行模式（之前，全国只有一个电影发行公司即中影发行公司，所有影片由中影公司将拷贝发到各省的电影发行公司，再由省发到市，然后是区县一级，最后发到各地的电影院），改由发行方直接向院线发行影片，再由院线统一向旗下影院供片。

短短半年内，全国30条院线被催生，其中，11条为跨省院线，19条为省内院线。早期的院线很多是由省电影公司翻牌转制而来，旗下的影院按原行政区域管辖统一加入当地院线。新影联、上海联合、南方新干线等院线都是由国有体制脱胎出来的院线。新影联副总经理高军曾对媒体表示，尽管院线制还不是特别市场化，区域的布局还不大合理，但院线制对中国电影产业化的推动功不可没。

减少了发行环节，引入了竞争机制，中国电影的发展开始进入快车道。之后几年，随着民营企业、外资进入院线，院线的构成逐渐打破了形式大于内容的局面，十大院线的排行几乎年年翻新。依托商业地产与院线的良性互动，2005年成立的万达院线从始建时的第六名一路升至“一哥”宝座，万达集团董事长王健林今年表示：“万达院线去年的净利率是17%，已经超过了主业。”据本刊记者了解，恒大地产亦在布局自己的影视产业链。

而受制于国企改制的进度，新影联几次重组的分分合合多少影响了院线的快速发展，虽然在北京电影市场仍占有50%的份额，但其全国票房排名已从数年前的第一降至2009年的第三，去年仅排名第五。

艺恩咨询总裁部寿智告诉本刊记者，院线制使中国电影市场打破了行政分割与封闭状态，但与国外的院线制不同，国内除万达、大地两家院线外，其他院线实行加盟签约的形式，而国外的院线公司和影院以资产连接为主要的组织形式，院线公司可以完全控制影院的经营。这导致国内大部分院线的角色都只是供片的纽带，影院的排片、运营、结算以及品牌的建立都没有得到统一管理。

另外，从分账比例来看，国内一部电影的票房，除去5%的电影发展专项资金和3.3%的营业税，剩下的根据2009年广电总局颁布的指导意见，影院和院线拿走57%，43%归投制方。而国外的分账比例更向制片方倾斜，在好莱坞，影片上映首周，片方可以拿走60%～70%。

部寿智认为，这是由电影产业内容与渠道的关系决定的，美国四万块银幕量必然造成对内容的渴求，而就影院的商业模式来说，票房在其总收入当中仅占30%～40%。

星美影视总裁任建宏这样形象地比喻，七八年前，一部影片上映，影院要求导演多给几个拷贝，现在是导演求影院多给几个厅。但即使是“终端为王”的任建宏依然“有很多困惑”，随着影院成本的上升，星美的租金压力逐年增大。去年，星美调整了影院的发展思路，推出了星美汇，以延伸产业链和业务板块。

历经九年的整合重组，国内目前有39条院线，规模小，集中度低。而美国的通用、联艺、AMC、卡迈克、马库斯几大院线控制了近一半银幕。有业内人士认为，目前国内院线还没有形成真正意义上的竞争。

民企生力军

10月18日，影视产业制作、发行、院线三大环节的大佬们齐聚在2011文化娱乐产业高峰论坛上，他们的口中不断出现两个词——“内容”和“渠道”。在电影业“赢家通吃”的环境下，不论你掌握了哪一个，你就是胜者。

内容生产领域，华谊兄弟无疑是胜者，它的崛起依然得益于电影体制改革下政策的逐步放开。“这十几年以来，国家关于文化体制改革出台的各种管理规定非常密

2011 年 12 月 15 日，市民从江苏南通一家电影院的《金陵十三钗》和《龙门飞甲》宣传海报前走过。（许丛军 / 摄，图片来源：新华社）

集，而且几乎每一个都有利于电影行业的产业化、商业化的进程。”华谊兄弟的总裁王中磊曾这样对媒体说。

2002 年初，新的《电影管理条例》颁布，电影制作环节逐步对民间资本和外资开放。经过几轮融资和重组，华谊兄弟迅速完成了原始扩张，从创立时的小广告公司成长为颇具实力的影视制作公司。

华谊兄弟通过换股方式收购了冯小刚电影工作室，从 2001 年的《大腕》到 2003 年的《手机》、2004 年的《天下无贼》，华谊兄弟联手冯小刚打造“贺岁”系列，票房稳步攀升。到 2003 年，华谊兄弟已占国内 30% 的票房，2004 年继续增长到 35%。

2000 年底，华谊兄弟买下一家仅七个签约艺人的经纪公司，开始涉足演艺经纪。到 2004 年，其签约演员已包括陈道明、胡军、王姬、李冰冰、范冰冰等 40 多位重量级明星。明星效应为华谊投拍的电影带来了票房保证，为了防止艺人流失，华谊又独创了艺人持股的方式，上市后张纪中、冯小刚、黄晓明等华谊明星一下拥有了亿元身价。

在管理制度和经营模式上，华谊兄弟力求规范，将严格的财务制度引入制片资金的管理中，拥有一套具体到餐费、油费的制片预算体系。它还对演员进行独立计算贡献，计算单个演员为公司带来的利润。有关报道显示，范冰冰2006年的广告代言和商务活动收益高达4 000万元。

郜寿智认为，民营企业的灵活机制在华谊兄弟身上发挥得淋漓尽致。电影属于资金密集型产业，华谊兄弟不仅通过持续融资支持公司的扩张，在电影拍摄上也采用了多种融资手段，如引入风险投资（VC）或私募股权投资（PE）、运用版权从银行等金融机构贷款、开拓版权预售、拓展电影后衍生品市场。2006年，招商银行为冯小刚导演的贺岁片《集结号》提供了5 000万元无担保授信贷款，开创了国内银行业无担保贷款影片的先河。

华谊兄弟的副总裁胡明在接受本刊记者专访时表示，相较于电视剧，电影业的市场化相对充分，观众用脚投票，而民营企业由于自身的灵活性，便于抓住各种机会："我们总是先看看哪些是能做的，哪些是不能做的，在能做的地方发现有哪些盈利渠道。"

这也是王中军的过人之处。胡明坦言，曾有人问她，如果冯小刚走了怎么办，她说她更怕的是没有王中军。如果没有王中军的个人智慧和魄力，华谊兄弟很难成长为今天占据市场主流地位的巨头。她说："中国电影业需要这样的企业家。"

郜寿智对本刊记者说："从市场角度来看，如今阻碍民营企业甚至整个中国电影产业发展的核心因素，并非资金和银幕，而是受限于市场的发展阶段，行业运作机制及制片体系尚不完备，同时欠缺优秀的从业人才和优质的电影项目，并且缺少与海外公司合作的经验。"

资本介入产业融合

2010年1月，国务院办公厅发布《关于促进电影产业繁荣发展的指导意见》，第一次明确把电影产业提高到了战略产业的高度，并为中国电影产业提出了到2015年底的七大目标和十大措施，可看作中国电影产业的"五年计划"。

此时的中国电影票房已跻身全球前十位，但坐拥着全球第一的人口，这一成绩并不值得骄傲。产业融合将是中国电影的下一步发展方向，而资本的加入会使得融合的过程更快，电影产业或将迎来新一轮整合。

光线传媒的总裁王长田在上述高峰论坛上说，在我们公司，电影被定为“快快消费品”，比饮料等快消品还要快，一个月内消耗殆尽。因而他认为，一定要把电影做成一个“事件”，而传媒能为此提供宣传渠道。这是他列举的光线传媒进军电影业的优势之一。成立以来，光线传媒做了五部片，《最强喜事》和《画壁》等片的不俗票房让光线传媒看到了影视业的“钱”景。

看到这一点的并不只有光线。盛大集团继布局游戏、文学、音乐、视频等领域后，2009年11月，与湖南广电达成战略合作，共同出资6亿元成立华影盛视有限公司，借助盛大文学的平台优势，以网络小说改编影视剧为发展基点。

同时，视频网站也全面进军电影投拍。继土豆网之后，去年4月，优酷与中影集团宣布战略合作，将联手投拍“院线+网络”的双平台影片。

除了这些“外来”竞争者，电影业的内容提供商与渠道商也积极向上下游延伸。中影集团早已盘踞产业链的所有环节，院线、发行商向上游拓展，投资拍片，如最大的民营发行商保利博纳投拍《美人草》等片，新影联参拍和发行《集结号》；上游的内容提供商也将触角往下延伸，去年6月，首家华谊兄弟影院——重庆百联上海城影院开业。

胡明告诉本刊记者，2009年上市（创业板）后，华谊兄弟在战略布局时，内容生产依然是核心，但也向下游发行渠道和衍生市场拓展，打造全产业链。郜寿智认为，这种上下游通吃的做法，有利于当前电影产业扩大规模，但从长远来看，并不利于产业竞争。1948年，美国最高法院在“派拉蒙诉讼案”的审理中裁定，电影制片厂对院线的拥有违反了反垄断法，要求制片厂必须与其院线脱钩。

任何一个行业，只要其规模和增长速度达到了一定水平，必然会成为资本追逐的对象。在市场集中的过程中，电影产业越来越呈现资本密集的特点，而资本对投资回报率的追逐和介入也必然加快整个产业发展的进程。

2010年4月8日，中宣部会同中国人民银行、财政部、银监会等九部委联合制定的《关于金融支持文化产业振兴和发展繁荣的指导意见》发布，这是新中国成立以来第一个金融全面支持文化产业的指导性文件。

今年4月，由建设银行发起的中国首支以广播、影视、出版行业作为重点投资方向的文化产业基金——建银国际文化产业股权投资基金正式启动，规模达20亿元。

近两三年，一批影视公司如华谊、博纳、华策、光线相继上市，而中影、小马奔腾、上影、金英马影视的上市也在准备当中。对于韩三平希望“通过上市推动改制”的想法，郜寿智认为，上市主要解决的是融资问题，其次能通过改变股权结构形成更加成熟的经营机制及监管机制，也迎合了现代市场趋势。

（选自2011年第11期《中国报道》，
作者：魏鹏举、孙玲 、乔振祺、何流）

后记

上世纪末，文汇出版社曾出版了 18 卷本的《20 世纪中国纪实文学文库》，在读者中产生了广泛而深远的影响。现在推出的《21 世纪中国纪实文学大系》正是上世纪“文库”的延续，是对 21 世纪中国客观、真实的记录。由于某些原因，我们在这套丛书的编辑思路及框架设计上作了如下调整：

一、为了使记录更加及时、更为精准，决定以“一年一部”的节奏，每年出版一部记录上一年重要事件及相关人物的“年编”，力求内容齐全，文字准确真实。

二、考虑到《20 世纪中国纪实文学文库》收尾在 1999 年，本套丛书特将 2000 年一并收入，以弥补上世纪“文库”之不足，体现内容的完整性。

三、为了凸显文学价值，每一部年编都对当年中国纪实文学的新特征作了梳理和评析，并力图作出前瞻性的研究。这样，每一部年编在“一书一述”的基础上，又增加了“一书一评”的内容，其兼具“史料”和“文学”双重价值便成为可能。

在本套丛书的选编过程中，著名文学理论家钱谷融教授不顾九十多岁的高龄，欣然应允担当本丛书的顾问；著名文学评论家杨扬教授，则为本套丛书的编辑、出版提出了诸多建设性意见，并花费了大量时间阅读文本，带领他的团队撰写了一篇又一篇有关纪实文学的评论文章；上海市新闻出版局的阚宁辉副局长和许乃青处长对本套丛书的编辑、出版作了许多重要指导，并给予了很大的鼓励；新华社上海分社副社长叶国标、图片中心副主任金丽莉为本套丛书的图片提供给予了巨大的支持；文汇新民联合报业集团信息中心的姚高东主任和图片中心的高峰主任，则为本套丛书图片的选择提供了有益的建议……在此，对于每一位对本套丛书的编辑、出版予以帮助的前辈、领导和朋友，我们谨表示深深的谢意！

今后，我们每年都会编辑、出版一部《21 世纪中国纪实文学大系》的年编，我们将加倍努力，及时推出能够让读者朋友喜爱的读本，为中国的出版事业贡献出我们的绵薄之力。

（编　者）

致作者

编选者在编选本书时，已经获得部分作者授权，谨在此表示衷心的感谢。

同时，因时间仓促，作品来源辗转，故仍有部分作者未能取得联系。在此，我们深表歉意。请未取得联系的作者及时与我社联系，我们将按照国家有关规定支付稿酬，并奉上样书。

文汇出版社

2012年8月18日

联系地址：上海市威海路755号18楼

邮　　编：200041

联系电话：021-52921234转总编办

图书在版编目（CIP）数据

21 世纪中国纪实文学大系 . 2011 年卷：蓝天作证 / 桂国强主编 . — 上海：文汇出版社，2012.9

ISBN 978－7－5496－0613－9

Ⅰ . ① 2…　Ⅱ . ①桂…　Ⅲ . ①纪实文学-作品集-中国-当代　Ⅳ . ① I25

中国版本图书馆 CIP 数据核字（2012）第 178963 号

21世纪中国纪实文学大系（2011卷：蓝天作证）

丛书主编 / 桂国强
责任编辑 / 张　涛　曹　立
特约编辑 / 成　蓓
装帧设计 / 周夏萍　王坚民

出版发行 / 文匯出版社
上海市威海路755号（邮政编码200041）
经　　销 / 全国新华书店
照　　排 / 南京展望文化发展有限公司
印刷装订 / 上海宝山译文印刷厂
版　　次 / 2012年9月第1版
印　　次 / 2012年9月第1次印刷
开　　本 / 720×960　1/16
字　　数 / 250千
印　　张 / 19

ISBN 978－7－5496－0613－9
定　　价 / 32.00元